Understanding Health Literacy
Implications for Medicine and Public Health

건강정보이해능력
의학과 공중보건학적 함의

Schwartzber, VanGeest, Wang 편저

황태윤 옮김

아카데미프레스

Understanding Health Literacy:
Implications For Medicine And Public Health

역자 서문

현대인들이 접하는 수많은 정보 가운데 그 내용이 일상적인 것이 아닌 전문 분야에 관한 것은 그 의미를 정확하게 파악하고 효과적으로 활용하기가 곤혹 스러운 경우가 많은데, 그 중 건강 문제를 다루는 보건의료 분야는 일반인들의 입장에서는 다른 분야에 비하여 더 자주 접하게 되는 전문 분야라고 할 수 있다.

보건의료소비자들은 복잡한 보건의료체계에서 현명하게 대처하고, 보건의료 정보의 홍수 속에서 자신에게 필요한 정보를 선택하고 이용하고자 하지만, 보건의료소비자들만의 능력으로 이러한 목적을 달성하기에는 역부족인 것이 사실이다. 의료체계를 구성하는 다양한 주체들이 보건의료 정보의 효과적 활용과 바람직한 건강 결과 창출을 위한 공동의 노력과 기전을 마련하는 것이 필요한데, 이 책은 일반인들이 보건의료 정보를 접하고, 이해하고, 활용하는 전 과정에 대한 논의를 다루고 있다.

한 가지 극단적인 예를 들어 보자. 베른하르트 슐링크의 소설 『책 읽어주는 남자(The Reader)』에 등장하는 여주인공 한나는 자신이 문맹이라는 사실을 숨기고 제2차 세계대전 전범의 죄를 쓰고 처벌을 감수한다. 본인이 문맹이라는 사실이 전범의 누명을 쓰고 처벌을 감수할 만큼 개인적으로 숨기고 싶은 부끄러움이었던 것이다.

우리도 일상생활에서 다른 사람들의 의도를 정확하게 이해하지 못하였지만 그 사실을 솔직하게 이야기하지 못한 경험을 가지고 있지는 않은가? 이러한 부끄러움이 보건의료 현장에서 일어나고 있지는 않은가? 이 책에서 다루고 있는 health literacy의 많은 내용 중 하나가 이 예와 관련이 있다. 환자들이 수치심 때문에 보건의료인이 제공한 정보를 이해하지 못하였다고 밝히기를 꺼려 하고, 결국 자신의 건강관리에 필요한 정보를 이해하고 의사표현과 의사결정을 하는 데 장애를 초래할 수도 있다는 것이다.

보건의료 정보는 인쇄물, 시청각 자료, 구두 언어 등의 형태로 소비자들에게 전해지게 된다. 인쇄물로 제공되는 정보는 한글의 특성상 읽고 이해하는 데 크게 문제가 되지 않을 것으로 가정해 볼 수 있지만, 2008년 국립국어원에서 실시한 국민 기초 문해력 조사에서 전체 성인의 7%, 약 260만 명이 기초 문해력이 부족한 것으로 조사되었고, 이보다 앞서 2004년 한국교육개발원에서 OECD의 국제 성인 문해력 조사(international adult literacy survey) 도구를 한글화하여 우리나라 국민들의 일반 문해력을 조사한 결과 우리나라 국민 중 의약품 복용설명서 같은 생활정보가 담긴 각종 문서에 매우 취약한 사람의 비율은 OECD 평균 22%보다 높은 38%였다.

일상적 정보를 제대로 이해하고 활용하지 못하는 경우가 많다는 점은 보건의료 정보를 이해하고, 의사결정을 해야 하는 당사자인 국민들의 입장에서는 알 권리와 그에 따르는 의사결정권을 더욱 제한받고 있다고 볼 수도 있다.

최근 제네바에서 개최된 제20차 건강증진 및 보건교육에 관한 국제회의(20th IUHPE international conference)에서는 health literacy를 주제로 심포지엄이 개최되고, 관련 논문들이 많이 발표되었다. 영어권 국가뿐만 아니라 아시아권 국가를 포함한 다양한 국가에서 health literacy를 주제로 한 논문을 발표하였고, health literacy가 개인 차원의 건강 결과를 결정하는 문제가 아닌 건강의 사회적 결정인자 혹은 건강 형평성의 문제로 다루어지고 있는 추세였다.

이런 관점에서 우리나라에서도 health literacy에 대한 현황을 적극적으로 파악하고 관련 문제들을 개선하기 위한 노력을 기울여야 할 시점에 와 있다고 할 수 있다. 다행스럽게도 최근 우리나라에서도 health literacy를 주제로 한 연구들이 진행되기 시작하고 있지만, 아직 대부분의 의료제공자, 의료소비자, 보건의료 정책가, 연구자들이 health literacy라는 주제에 관심을 많이 기울이고 있지는 못한 상황이며, 아직 health literacy에 해당하는 한글 용어도 통일되어 있지 않다.

Health literacy는 관련 연구를 수행한 연구자에 따라 다양하게 사용되고 있는데, 역자는 health literacy를 '건강정보이해능력'이라는 용어로 사용하고자 하였다. health는 문맥에 따라 의료, 보건, 건강 등 다양한 의미가 사용되지만, 이 중 '건강'이 좀 더 포괄적이고 주체적인 의미를 담고 있다고 판단하였고, literacy는 통상 문해력이라는 용어로 사용되지만 정보를 이해하고 활용하는 능력이라는 의미를 담을 수 있도록 '정보이해능력'이라는 용어를 선택하였다.

이 책은 출간된 후 다소 시간이 경과된 시점에서 번역이 시작되어 최신의 정보를 모두 담고 있지는 못한 측면이 있으며, 영어로 저술된 원서를 번역한 탓에 우리나라 사람들의 입장에서는 다소 어색한 내용도 있을 수 있고, 또한 미국 의료 상황을 기초로 하고 있어 우리나라 의료 상황에 비추어 다소 낯설거나 적절하지 않은 내용도 있을 수 있다.

그러나 건강정보이해능력에 대한 기본 개념 및 역학적 특성, 환자의 입장에서의 건강정보이해능력, 의사소통 측면에서의 건강정보이해능력의 의미, 건강정보이해능력 평가 및 건강정보이해능력과 보건의료서비스의 관련성 등에 대한 내용을 포함하고 있으며, 지역사회보건, 의료정보, 의학교육, 의료윤리 등의 영역에서 다양한 형태로 활용될 수 있을 것으로 기대한다. 가능한 모든 용어들을 한글 용어로 번역하고 영어 원문을 병기하였으나, 일부 한글화가 어려운 용어들은 영어 원문을 그대로 사용하였다.

책을 번역하면서 지치고 힘들 때 용기와 격려를 보내 주신 영남의대 예방의학교실의 정종학, 김창윤, 사공 준, 이경수 선생님, 부족한 초벌 원고를 다듬어 주신 황태경 선생님, 건강정보이해능력이라는 용어의 선택에 도움을 주신 부산의대 김성수 교수님, 이 책을 번역하겠다고 결정하였을 때 기꺼이 격려해 주시고 번역을 독려해 주셨던 나의 스승이신 고 강복수 선생님께 깊은 감사를 드린다. 책 번역을 시작하고 완료할 때까지 아내와 아들이 보내 준 배려와 애정 어린 격려에도 감사를 표하고 싶다. 이 번역본을 기꺼이 출간해 주신 아카데미 프레스의 홍진기 사장님께도 심심한 감사를 드린다.

2010년 더운 여름에 대명동 연구실에서

감사의 글

이 교과서를 출간할 수 있게 해 준 미국의학협회 출판부에 감사한다. 또한 이 책의 출간을 위해 전문적 견해, 노력, 열정을 보여 준 각 부의 편집인들, 각 장의 저자들, 검토를 위해 수고하신 분들께 특별히 감사를 드린다. 마지막으로, 적절한 출간 지침을 제공해 주고 편집 지원을 해 준 미국의학협회 출판부의 페트리샤 드래지식(Patricia Dragisic)과 팻 리(Pat Lee)에게 감사드리고 싶다.

이 역서는 2008년도 재단법인 천마의학연구재단 지원에 의하여 출간되었습니다.

추천의 글

건강정보이해능력이라는 개념은 의미 있는 발달을 거듭하고 있다. 오늘날 의료 체계는 점차 복잡해지고 있으며 그 이유 중 상당 부분은 관련 신기술의 보급에 있다. 이러한 기술력은 건강, 질병의 진행 단계, 치료에 관한 정보 유용성에 영향을 미친다. 계속된 연구 노력은 질병의 예방과 진단, 치료에 도움을 주는 기술력 창출에 기여한다. 의사들조차 이런 신기술을 따라가기란 힘든 일이다. 따라서 환자들도 똑같은 문제를 가지고 있으리란 점은 충분히 이해되는 바이다.

하지만 건강정보이해능력을 더 이상 건강 상태와 질병 상태를 어떻게 겪고 거기에 어떻게 대처하는지에 영향을 미치는 환자 측의 자질로만 여겨서는 안 된다. 건강정보이해능력은 또한 환자와 의사 간의 상호작용과 그 상호작용이 발생하는 환경에도 중요하다. 이 모든 것들이 복합적으로 환자의 의사 방문 결과에 영향을 준다. 건강정보이해능력은 의료서비스가 시의적절하였는가? 환자와 의사 사이에 소통이 되었는가? 진료를 받는 동안 환자에게 건강을 도모하고 질병의 예방과 억제를 추구할 수 있는 권한이 주어졌는가? 행동을 유도하는 동기부여가 있었는가? 등의 질문에 대한 답변 속에 건강정보이해능력이 반영된다.

건강정보이해능력은 분명 환자의 교육 수준에 영향을 받는다. 문화 그리고 그 문화가 질병을 대하는 태도에 영향을 받기도 한다. 문화는 환자가 질병에 대해서 의사와 나누는 의사소통하는 방식에 영향을 준다. 반면 문화는 의사의 청취 내용과 의사의 반응 방식에도 영향을 준다. 더불어 문화와 의사소통은 건강 불균형에 관해 확인된 많은 내용의 근거가 되기도 한다.

인종·민족 간의 건강 불균형을 줄이고 궁극적으로는 해소하기 위해 국가적인 노력을 기울여 왔다. 인종·민족 집단 간 주요 불균형이 존재하는 영역으로 심혈관계 질환, 암, 당뇨병, 유아 사망률, HIV/AIDS 감염을 들 수 있다. 『정신 건강: 문화, 인종, 민족(Mental Health: Culture, Race, and Ethnicity)』(미국 보건부, 1999)의 내용대로 정신 건강의 진단과 치료에서도 엄청난 불균형이 존재한다. 건강정보이해능력은 이러한 불균형을 이해하고 궁극적으로는 그것을 없애기 위한 노력에 중요한 요소이다. 건강 불균형 그리고 건강 결과 내용의 상당수는 교육 및 기타 사회경제적 조건의 불균형과 밀접한 관련이 있으므로 총체적인 해결책의 일환으로 다루어야 한다. 한편, 사회경제적 지위의 차이를 억제하더라도 불균형은 여전히 존재한다. 마찬가지로, 교육 및 사회경제적 지위의 차이를 억제하더라도 건강정보이해능력의 문제는 여전하다.

건강정보이해능력에 가로놓인 장벽과 그에 관한 문제점은 건강 불균형 해소라는 국가적 목표 도달을 위한 전략의 일환으로 다루어져야 함이 분명하다. 지금까지 다른 건강 문제에 기울였던 것과 똑같은 수준의 관심, 고민, 기술력을 건강정보이해능력에 바쳐야 할 때이다. 전자 메시지 발송, 인터넷, 전자 의무 기록은 이러한 노력에 매우 중요한 역할을 할 것이다.

이 책, 『건강정보이해능력: 의학과 공중보건학적 함의(Understanding Health Literacy: Implications for Medicine and Public Health)』는 이렇게 중요한 건강정보이해능력이라는 사안에 기여하는 바가 크다. 이 사안은 환자, 환자와 의료제공자의 상호작용, 그들에게 영향을 주는 환경(문화 포함)이라는 적절한 상황 속에 자리하고 있다. 이 책은 건강정보이해능력의 수준 향상을 위하여 도전, 경험, 기회를 설명한다. 여기서 제기하는 의문점들은 향후 개인, 지역사회, 환자와 의사의 상호작용이라는 상황에서 건강정보이해능력을 둘러싼 더 많은 의사소통과 연구를 이끌어 낼 것이다.

데이비드 새쳐(David Satcher) (MD, PhD)

제16대 미국의무총감

조지아 주 애틀랜타 모어하우스 의과대학 국립1차진료센터 소장

Sixteenth Surgeon General of the United States and Director

of the National Center for Primary Care,

Morehouse School of Medicine, Atlanta, Georgia

의학 및 공중보건 분야는 질병의 예방과 진단 그리고 치료에 있어 앞으로 나아가고 있다. 그런데 환자와 대중은 뒤에 남겨 두고 있지는 않은가?

의료 부문에서 처음으로 문해력에 관심을 기울이기 시작한 것은 1992년 미국 성인 문해력 조사(National Adult Literacy Survey, NALS)의 반향이었다. 이 조사에서 미국 성인 인구 중 절반에 가까운 수가 21세기의 필요 문해력 수준에 이르지 못한다는 예상치 못한 결과가 나온 것이다. 그 결과 낯설고 복잡한 자료와 문해력 활동이 사용되는 의료 환경에서 제대로 역할할 수 있는 개인의 능력에 대한 관심이 제기되었다. 따라서 "건강정보이해능력"이라는 용어는 의료 정보를 읽고 이해하고 여기에 반응하는 개인의 능력을 나타내게 되었고 의료계와 보건의료 전문가 그리고 지역사회는 건강정보이해능력 성취를 위해 개인과 협력했다.

10여 년이 지난 지금, 건강정보이해능력은 여전히 의료계의 난제이면서도 주목을 받지 못하고 있다. 보건의료는 과거 어느 때보다 복잡해지고 있는 반면 환자의 자가 관리에 대한 의존도는 계속 증가하고 있다. 미국 대중의 문해력 기술과 의료 공동체의 의사소통 개선 노력 중 어느 것도 보조를 맞추고 있지 못하다. 개인의 건강정보 이해 및 활용 능력이 정보의 복잡성에 발맞추지 못하고 그 간극을 메우려는 의사소통 노력이 부족하다면 의료 서비스의 전달은 실패할 수밖에 없다.

건강정보이해능력의 장벽 때문에 의료 서비스의 전달이 비효율적이라면 건강정보이해능력 부족과 수준 미달의 의료서비스 그리고 불량한 건강 결과와 수십억 달러의 의료비 낭비의 문제가 서로 얽혀있는 상황에서 의학과 공중보건은 위기에 봉착하게 된다. 역으로 이러한 위기는 건강정보이해능력을 표방

하는 활동을 많이 낳았다. 미국의학협회(American Medical Association)는 "건강정보이해능력: 환자의 이해를 도우라(Health Literacy: Help Your Patients Understand)"를 통해 의료인의 경각심을 일깨우는 프로그램을 제시하였고 의료 연구 및 질 보장국(Agency for Health Research and Quality)과 의학연구소(Institute of Medicine)에서는 『문해력과 건강 결과(Literacy and Health Outcomes)』와 『건강정보이해능력: 혼란 종식을 위한 처방(Health Literacy: A Prescription to End Confusion)』이라는 보고서를 각각 발표하였으며 마지막으로 본 교재도 출판하게 되었다.

본 교재를 준비하면서 세운 목표는 의학, 공중보건, 간호, 약학, 기타 관련 분야의 학자들과 교수뿐 아니라 공중보건 관련 전문가와 정책입안자들에게도 건강정보이해능력의 연구내용에 대한 종합적인 자료를 제공하는 것이었다. 다각적인 관점에서 증거 자료를 검토하려고 노력하였으며 의학, 공중보건, 성인교육, 의사소통, 사회학 등 여러 분야의 전문가들과 함께하였다.

본 교재는 네 부분으로 구성되었다. 1부에서는 건강정보이해능력의 획득 여부를 결정짓는 요인 즉, 개인의 문해력 자질, 구체적인 건강 메시지의 내용, 이들 건강 메시지의 전달 방식을 소개하고 미국 내 건강정보이해능력 부족에 대한 역학을 기술적(記述的)으로 제시한다. 2부에서는 의료 상황에서 요구되는 문해력과 관련하여 환사의 문해력 기술을 집중 조명하고 3부에서는 건강정보이해능력이 환자와 공급자의 의사소통에 미치는 영향(그리고 그 역관계)을 설명한다. 4부에서는 건강정보이해능력 부족이 건강 결과에 미치는 영향에 대한 이해를 돕는 모형과 이 모형을 뒷받침하는 연구 그리고 이 연구에 필요한 문해력 평가들을 제시한다.

독자들은 본 교재에 건강정보이해능력 개선을 위한 방안과 제안이 부족하다는 인상을 받을 것이다. 어떤 방안이 가장 타당하고 효과적이라고 주장하려면 더 많은 연구가 선행되어야 할 필요성을 강하게 느끼는 바이다. 독자들이 본 교재를 활용하여 건강정보이해능력에 대한 이해를 향상시키고 절실히 요구되는 진보에 박차를 가하여 의료 서비스의 전달을 방해하는 건강정보이해능력의 장벽을 없앨 수 있기를 희망한다.

차 례

제4부   건강정보이해능력과 보건의료 서비스

제1부

보건의료 부문의 건강정보이해능력

줄리 A. 가즈마라리안(Julie A. Gazmararian)(MPH, PhD)
루스 M. 파커(Ruth M. Parker)(MD) 편술

서론

건강정보이해능력이란 무엇인가? 건강정보이해능력의 시작과 끝은 환자라고 할 수 있지만 환자의 건강정보 획득 및 이해를 돕는 보건의료 담당자와 환자 간의 역할 분담으로 정의하는 문헌이 점차 많아지고 있다. 건강정보이해능력은 단순히 읽기 능력 이상의 것으로 건강정보의 이해 및 소통에 필요한 기술의 집합체를 가리킨다. 건강정보이해능력의 역학 및 관련 내용을 파악하기 위해서는 그 의미를 명확하게 이해해야 할 것이다.

1장에서 베른하르트(Bernhardt) 등은 건강정보이해능력이란 개인의 건강정보 획득·이해·적용 능력을 설명하고 예측을 가능하게 하는 여러 자질들의 개인 차원 구조물이라고 설명한다. 베른하르트 등은 개인의 산문·문서·수량 문해력과 양방향 의사소통 기술, 정보의 획득 및 처리 의지, 외부 지원의 유무와 그 지원 정도 등 건강정보이해능력의 자질들을 탐구한다. 하지만 개인의 학습이 완전한 무(無)의 상태에서 이루어지는 것은 아니다. 기능적 건강정보이해능력의 형성 여부를 결정짓는 것은 개인적 자질과 건강 메시지의 내용 그리고 이 내용의 소통 방법 사이의 상호작용이다. 이러한 상호작용을 보여주기 위해 *건강정보이해능력 및 의사소통 매트릭스*가 소개된다.

2장에서는 건강정보이해능력이 보건의료 연구의 한 요소로 부각되고 있는 이유를 탐구한다. 바이스(Weiss)는 미국 건강정보이해능력 부족의 정도 및 그에 대한 인구사회학적인 고찰을 통해 건강정보이해능력 부족의 역학적 특성을 기술한다. 건강정보이해능력 부족이 초래하는 결과(4부에 더 자세히 제시되어 있음)와 미국 내 건강정보이해능력의 문제점을 야기하는 의료 체계, 의료제공자, 그리고 환자 차원의 요인이 소개된다. 마지막으로 건강정보이해능력 향상의 장애 요인에 대해 논의한다.

제1장

건강정보이해능력 이해

제이 M. 베른하르트(Jay M. Bernhardt)(PhD, MPH)
에리카 D. 브라운필드(Erica D. Brownfield)(MD)
루스 M. 파커(Ruth M. Parker)(MD)

건강정보이해능력이라는 과제는 낯선 곳에서 길을 잃은 운전자가 직면하는 상황과 유사하다. 목적지에 도착하기 위해서 운전자는 정확한 길안내 자료를 찾아서 필요한 정보를 담고 있는 언어와 그 의미를 파악한 다음 출발지부터 목적지까지 그 안내를 잘 따라가야 한다. 도로표지판 혹은 지도책 따위의 기록 정보는 유용하기는 하지만 쉽게 눈에 띄지 않고 해독에도 어려움이 따른다. 만일 전화를 사용할 여건이 되어 길을 잘 알고 있는 사람과 통화하여 정확하고 효과적인 길안내를 받을 수 있다면 전화로 도움을 요청하는 것도 한 가지 방법이 될 수 있다. 자동차에 설치된 내비게이션 장치의 도움을 받는 것도 분명 효과적이겠지만 언제나 이 장치를 사용할 수 있는 것은 아니고 또한 그 안내가 지름길이 아닐 수도 있다. 더구나 익숙지 않은 신기술 장치를 어색해하는 사람들도 많다. 차를 세우고 길을 물어볼 수도 있겠지만 길을 잃어 버렸다는 사실을 부끄러워하는 사람도 있다. 또한 길을 안내해주는 사람도 운전자가 이해할 수 있는 언어와 표지를 사용해야 한다.

건강관리와 운전을 놓고 볼 때 낯선 지역을 잘 빠져나오는 데 필요한 기술 및 능력은 오늘날의 복잡한 보건의료 체계와 건강 메시지 및 정보의 범람 속에서 방향감각을 유지하기 위한 것과 여러 가지 면에서 유사하다. 이러한 기술과 능력을 총체적으로 *건강정보이해능력(health literacy)*이라고 한다. 목적지에 도착하려는 운전자와 마찬가지로 환자는 건강을 얻기 위해 어떤 길로 나아가야할지를 알아야 한다. 진료와 검사를 받으려면 예약표와 병원 안내문을 정확하게 이해할 수 있어야 하고 정확한 진단을 받기 위해서는 의사나 간호사와 건강정보를 나눌 수 있어야 하며 건강보험에 가입하고 환자동의서를 이해할 수 있어야 한다. 또 건강을 유지하려면 의사의 처방을 따를 수 있어야 한다. 운전자와 환자 모두 목적지를 향해 나아간다는 과제를 안고 있지만 건강정보이해능력의 부족으로 길을 잃어버릴 경우 그 결과는 훨씬 더 비참한 것이며 사회적 비용도 더 많이 든다.

1장에서는 건강정보이해능력의 개관을 제시한다. 먼저 건강정보이해능력의 기본 정의와 건강정보이해능력 관련 개인 자질을 논하고 다음으로 이들 자질의 탐구를 통해 문해력, 건강정보이해능력, 기능적 건강정보이해능력 간의 차이점을 밝힌다. 마지막으로 건강정보이해능력과 의사소통 매트릭스를 통해 기능적 건강정보이해능력과 건강정보 소통 사이의 상호 관련성을 검토한다.

건강정보이해능력의 정의

건강정보이해능력이라는 용어는 건강정보가 교육체계, 보건의료 체계, 그리고 매스컴에 미치는 영향을 다룬 사이먼즈(Simonds)의 1974년 논문에서 처음 사용되었다.[1] 현재 건강정보이해능력이 건강과 교육의 교차점에서 정책적 논제로 검토되고 있기는 하지만 이 문제의 심각성이 단순히 낡은 교육체계에서 기인하는 것은 아니다.[2] 점차 전문적이고 복잡해지는 보건의료 체계 내에서 건강정보이해능력 기술의 필요성이 제기된다.[3] 동시에 개인에게는 건강과 질병에 대한 자가 관리의 책임과 자신의 건강에 대한 정보를 얻고 그것을 바탕으로 건강관련 선택을 해야 할 경우가 더 증가하고 있다.

미국의학협회(American Medical Association, AMA)는 건강정보이해능력을 "보건의료 영역에서 필요한 기본적인 읽기 및 계산능력 등 기술들의 집합체"라고 정의하였다.[4] *Healthy People 2010*[5]에서는 "올바른 건강관련 결정을 내리는 데 필요한 기본 건강정보 및 의료 서비스를 획득·처리·이해할 수 있는 개인의 능력 정도"라고 정의한다. 이 두 가지 정의를 함께 고려해 본다면 건강정보이해능력은 일상생활 및 보건의료 체계 내에서 제 역할을 하는 데 꼭 필요한 개인의 건강정보 획득·이해·적용 능력을 설명하고 예측 가능하게 하는 여러 자질들의 개인 차원의 구조물이라고 설명할 수 있다.

제 역할을 수행할 수 있는 능력과 기술을 보유한 사람이란 처방 약병과 예약표를 읽고 이해할 수 있는 능력과 보증서를 작성할 수 있는 능력 등의 "기능적 건강정보이해능력"을 가진 사람을 일컫는다.[1,6] 그 외에 기능적 건강정보이해능력에는 전염병 감염 위험 발생에 대한 기사를 읽고 이해하는 등 의료기관 밖의 건강정보를 획득·이해·적용하는 것, 인터넷에서 검색한 건강정보의 정확성과 신뢰성을 평가하는 것, 식료품점에서 식품의 영양 정보를 비교하는 문제해결 기술을 사용하는 것, "무해하다"고 생각되는 수천 종의 일반의약품 라벨을 읽고 이해하는 것, 의료 상품과 서비스에 대한 텔레비전 광고 메시지를 비판적으로 고려하는 것 등이 포함된다.

주목할 점은 문해력과 건강의 관련성을 다룬 많은 연구 논문과 문헌에서 *문해력(literacy)*과 *건강정보이해능력*이 혼용된 면이 있다는 것이다. 문해력 기술이 특정 내용과 환경에 관련된 것이어서 특정 주제에 관한 정보의 획득, 이해 및 적용에 꼭 필요한 문해력 기술을 보유하고 있더라도 건강정보의 획득, 이해 및 적용을 위한 건강정보이해능력은 결여되어 있을 수도 있다는 점을 생각해 본다면 이 두 용어를 좀 더 용이하게 구분할 수 있다.[7] 혼동을 지양하고 의미를 분명히 하기 위해서 개인 혹은 단체가 건강관련 정보 및 메시지를 접하는 환경에서는 건강정보이해능력이라는 용어가 더 적절할 것이다.

건강정보이해능력의 속성

*기능적 건강정보이해능력(functional health literacy)*에는 단 하나의 기술 혹은

능력이 아니라 그 이상의 것이 포함된다. 한 개인이 복잡하고 다차원적인 보건의료 환경에서 제 역할을 하기 위해서는 산문·문서·수량 문해력, 양방향 의사소통 기술, 매체 및 컴퓨터 활용 능력, 건강정보 획득 의지, 장애가 없거나 의사소통 보조(가령, 책 읽어 주는 사람)가 필요 없는 상태 등 여러 가지 복합적인 개인 차원의 자질들을 보유하고 있어야 한다. 그러나 무엇보다도 기능적 건강정보이해능력은 또한 지금까지 소위 문해력으로 불리던 기술과 능력을 필요로 한다.

과거에 읽기와 쓰기 능력으로 정의되던 문해력은 최근에는 이해력, 문제 해결력 그리고 추리력 등 더 높은 수준의 기술을 포함하는 개념으로 발전하였다. 1991년 미국 국가문해조례(National Literacy Act)에서는 문해력을 "직장과 사회에서 제 역할을 다하고 개인의 목적을 달성하며, 개인의 지식 및 잠재력 개발을 할 수 있을 만큼 국어를 읽고 쓰고 말할 수 있으며 계산할 수 있고 문제 해결을 할 수 있는 개인 능력"으로 정의하였다.[8] 1992년에는 미국 성인 문해력 조사(National Adult Literacy Survey, NALS)에서 미국 성인의 기능적 문해력 기술을 평가하고 정책입안자, 기업 및 노동계 지도자, 교육자, 연구자, 시민들에게 미국의 문해력 현황에 대한 중요한 정보를 제공하였다.[9] NALS는 산문, 문서, 수량 세 가지 영역의 문해력을 측정하였다.

산문 문해력(prose literacy)은 글로 기록된 자료(예, 사설, 신문 기사, 시, 소설 등)에서 필요한 정보를 찾아내고, 그 글에 제시된 각기 다른 정보를 통합하고, 그 글을 근거로 하여 새로운 정보를 기록할 수 있는 능력이다.[10] *문서 문해력*(document literacy)은 일상생활 정보를 제공하는 간단한 서식이나 도표(예, 구직 신청서, 배차 시간표, 지도 등)에서 선별된 정보를 찾아내고, 문서에서 제시된 선별 정보를 적용하고, 쓰기 능력을 활용하여 서류와 조사 서식에 필요한 정보를 완전하게 기입할 수 있는 능력이다.[11] 마지막으로, *수량 문해력*(quantitative literacy, numeracy)은 그래프, 차트, 산문, 문서에서 숫자를 찾아내고, 글에서 획득한 수량 정보를 통합하고, 글에서 얻은 수량 자료에 관해 올바른 연산을 할 수 있는 능력이다.[12] 그 예로 은행의 현금입출금기 사용, 막대그래프 이해, 소득세 환급서류 작성 등을 들 수 있다.

산문, 문서, 수량 영역에서 뛰어난 문해력을 가지는 것은 기능적 건강정보이해능력 특히, 수량으로 표기된 건강정보와 글로 기록된 건강정보의 처리에 꼭 필요한 것이지만 이러한 문해력만으로는 기능적 건강정보이해능력을 전반적으로 설명하기에 불충분하다. 비디오, 양방향 멀티미디어, 대화 등의 의사소통 수단을 통해 획득한 건강정보를 처리하는 데는 말하기 및 듣기 기술 또한 필요하다. 이 기술들도 기능적 건강정보이해능력에 필수적이기 때문에 국제 성인 문해력 조사(International Adult Literacy Survey)에서는 읽기, 쓰기, 셈하기, 말하기, 듣기 등 다섯 가지 필수 영역에서 기능적 문해력을 평가하였다.[13]

양방향 의사소통 능력인 말하기와 듣기로 대화에 참여할 수 있는 능력은 의사 혹은 다른 사람과의 대화를 통해 건강정보를 획득, 이해, 적용하는 데 필수적이다. 이 능력에는 신체적, 정신적, 감정적 상태를 의료제공자에게 분명하고 정확하게 표현할 수 있는 능력, 다른 사람이 말하는 구두 정보를 듣고 검토하고 이해할 수 있는 능력, 환자와 의료제공자 혹은 환자와 보험 담당자 사이에 있는 힘의 불균형 관계를 극복하고 대화 중간에 질문을 할 수 있는 능력 등이 포함된다. 대화에 참여하는 두 사람 사이에는 사용 언어, 문화적 전통, 사회적 권위, 교육 수준 등 기타 여러 요인들에서 차이가 있기 때문에 개인 간 대화로 건강정보를 원활하게 교환하기란 어렵거나 불가능한 것일 수 있다.

건강정보는 매우 다양한 의사소통 수단을 통해서 전달되기 때문에 기능적 건강정보이해능력을 총체적으로 갖추기 위해서는 몇 가지 새로운 능력과 기술이 요구된다. 이러한 능력 중 하나가 *대중매체 이해능력(media literacy)*이다.[14] 대중매체 이해능력은 "대중매체의 특성과 기술 그리고 이 기술이 미치는 영향에 대해 솔직하면서도 비판적인 이해를 도출하는 능력"으로 정의되었다.[15] 대중매체 이해능력이 있는 사람은 매체를 통해 얻는 건강정보의 진정성을 평가할 수 있다.[16] 이와 대조적으로 매체 이해능력이 부족한 사람은 부정확하거나 타당하지 않는 건강정보와 대중매체 메시지에 대한 저항성이 떨어지므로 부정확한 건강정보를 믿고 건강 위해 행위를 할 수도 있다.

기능적 건강정보이해능력에 필요한 또 다른 새로운 기능은 컴퓨터 이해능력(computer literacy)인데, "일반적인 컴퓨터 사용 관련 개념, 용어 및 작동 방법 … (그리고) 컴퓨터를 사용한 문제 해결 및 예방, 새로운 상황에의 적응, 정보 구성, 다른 컴퓨터 사용자와의 효과적인 의사소통을 독립적으로 수행하는 데 필요한 기본적 지식 등”으로 정의된다.[17] 최근에는 많은 양의 건강정보를 인터넷 그리고 의료기관 및 지역사회에서 제공하는 컴퓨터 프로그램(예, 컴퓨터 키오스크)을 통해 접할 수 있기 때문에 건강정보의 획득, 이해, 적용에 이 기술이 필요하다. 컴퓨터 이해능력이 떨어지는 사람은 컴퓨터로 제공되는 정보의 이해나 적용은 말할 것도 없고 기본적인 건강정보의 획득조차 심각하게 어려울 것이다.[14]

총괄적인 기능적 건강정보이해능력에 필요한 또 다른 자질은 획득한 건강정보에 대한 신념에 관한 것이다. 제공된 건강정보를 효과적으로 얻고, 이해하고, 적용하기 위해서는 그 정보를 수용하고 활용하려는 동기부여가 되어 있어야 한다. 건강정보를 수용하거나 이를 적극 활용하려는 동기의 부족은 인지 능력 및 기술의 결핍과 마찬가지로 기능적 건강정보이해능력의 장애 요인이 될 수 있다. 개인의 동기 부여를 예측 가능하게 해 주는 한 가지 인자는 개인적으로 인지하는 정보의 적합성이다. 선행된 연구를 검토해 보면 개인이 느끼는 정보의 적합성과 그 정보에 기울이는 관심도 및 심사숙고하는 정도 사이에는 정비례관계가 성립함을 알 수 있다.[18] 건강정보의 내용과 형식에 반영된 문화적 요인 또한 개인의 동기 부여를 예측해 주는 확실한 인자이다. 정보가 문화적으로 타당하고 적절한 것으로 받아들여질수록 그 정보에 대한 관심도 증가할 것이다.[19]

신체적 그리고/혹은 정신적 장애도 기능적 건강정보이해능력의 장애 요인이 될 수 있고 다른 모든 문해력 관련 기능과 능력에 영향을 미칠 수 있다. 장애의 양상 중에는 특정 건강 메시지의 획득, 이해 그리고 적용을 제한하는 것(예를 들면, 시각 장애와 인쇄물)이 있을 수 있고 기초 기술 및 능력 전반에 걸쳐 건강정보이해능력의 결여를 초래하는 것도 있다. 예를 들면, 집중력결핍과 잉행동장애(attention deficit hyperactivity disorder, ADHD)를 앓고 있는 사람은 전술한 자질들을 전부 갖추고 있더라도 건강정보를 자신에게 유익하도록 이해하고 적용할 만큼 오랜 시간 집중할 수는 없다. 마찬가지로 외상성 뇌 손상을 입은 사람은 포괄적인 장애로 인해 기능적 건강정보이해능력의 결핍이 생긴다.

마지막으로, 장애 양상 중에는 다른 건강정보이해능력 기술의 결핍과 마찬가지로 환자 혹은 건강 메시지 수령자를 외부적으로 보조하는 제3자의 도움으로 극복될 수 있는 것도 있다. 이러한 지원은 건강정보를 다른 언어나 좀 더 쉬운 언어로 번역, 해석해 주고 대신 질문을 하고 치료 순응도를 높일 수 있도록 기억을 상기시켜 주거나 격려해 주는 대리인 혹은 대행인을 통하여 기능적 건강정보이해능력을 갖추도록 해 준다.

건강정보이해능력과 의사소통 매트릭스

기능적 건강정보이해능력을 총괄적으로 보유하기 위해서는 상기의 모든 자질들을 최소한으로라도 갖추어야 하지만 특정 의사소통 상황의 기능적 건강정보이해능력을 위해서는 상황에 적합한 좀 더 구체적인 기능이 필요하다. 이러한 의사소통 상황에서의 기능적 건강정보이해능력은 개인의 건강정보이해능력과 특정 건강 메시지 처리에 필요한 능력이 어느 정도 일치하는가에 따라 결정된다. 달리 표현하자면, 개인 차원의 건강정보이해능력 자질과 특정 건강정보 특성 간의 상호 작용 여부가 기능적 건강정보이해능력의 달성 여부를 결정짓게 된다는 것이다. 이러한 중요한 상호 작용은 그림 1-1의 *건강정보이해능력과 의사소통 매트릭스(health literacy and communication matrix)*에서 설명된다. 이 매트릭스는 기능적 건강정보이해능력에는 비단 개인의 능력뿐 아니라 개인이 접하는 의사소통 메시지의 특성과 양도 다분히 그 역할을 한다는 점을 나타낸다.

개인의 기능적 건강정보이해능력에 기여하는 요인이 여러 가지가 있듯이 건강정보가 개인과 대중에게 전달되는 다양한 방법이 있다. 건강정보이해능력과 의사소통 매트릭스는 건강 메시지를 전달하는 네 가지 의사소통 수단(즉, 인쇄물, 대화, 시청각 자료, 양방향 멀티미디어)과 더불어 건강 메시지가 담고 있는 내용도 중요하다는 점을 제시한다. 비록 건강정보이해능력의 자질 중 일부 혹은 전부가 어떤 특정 건강 메시지의 의사소통에 영향을 미치기도 하지만, 회색으로 칠해진 칸은 특정 수단 및 특정 내용의 의사소통과 연관성이 높은 건강정보이해능력 자질을 나타내고 완전히 검게 칠해진 칸은 가장 중요한 상호작용이 일어나고 있음을 의미한다.

건강정보이해능력의 자질 중에는 의사소통 수단의 종류에 상관없이 기능적 건강정보이해능력에 필수적인 것도 있다. 예를 들면, 수량 혹은 통계 정보를 담고 있는 모든 건강 메시지는 지면으로 제공되든 의사가 직접 알려주든 간에 그 정보를 받는 사람이 수량 문해력을 가지고 있어야만 한다. 마찬가지로 신체적 혹은 정신적 장애가 있다면 메시지의 형태 혹은 양식에 상관없이 건강정보이해능력의 결여가 생길 수 있다. 건강정보이해능력을 구성하는 개별 자질이 특수한 의사소통 상황의 기능적 건강정보이해능력에 꼭 필요한지의 여부는 건강정보를 수용하는 개인의 능력과 특정 건강 메시지의 전달 수단 및 내용의 상호 관계에 달려있다.

그림 1-1 건강정보이해능력과 의사소통 매트릭스

건강정보이해능력 자질	건강 메시지 전달 수단				건강 메시지 내용
	인쇄물	대화	시청각 자료	양방향 멀티미디어	
수량 문해력					
산문 및 문서 문해력	■				
양방향 의사소통		■			
대중매체 이해능력			■		
컴퓨터 이해능력				■	
동기부여(문화/적합성)					■
신체적/정신적 장애					
외부 지원					

주의: 모든 칸들이 회색으로 칠해져 있는 것은 상호작용이 전반에 걸쳐 일어나고 있음을 나타낸다. 검은색으로 표시된 칸들은 건강 메시지의 양식 및 내용 그리고 이들 메시지의 획득 및 이해와 적용에 필요한 건강정보이해능력 자질들 사이에 가장 중요한 상호작용이 일어나고 있음을 나타낸다.

건강 메시지 전달 수단

인쇄물 건강정보에는 소책사, 선난, 소식지의 형태로 개인에게 전달되는 메시지, 포스터, 게시판, 버스 광고 등과 같은 지역사회 메시지, 신문 기사나 잡지 광고로 대중에게 전달되는 메시지 등이 포함된다. 이러한 메시지는 글이나 도표를 사용하거나 흔히 볼 수 있듯 이 두 가지 방법을 병용한다. 인쇄물로 건강정보를 전달할 때 긍정적인 면은 정보를 접하는 개인이 정보 검토 속도를 조절할 수 있고 나중에 필요할 때 언제든지 참조할 수 있다는 점이다.[20] 또한 도표를 이용한 설명은 정보를 접하는 사람이 메시지의 의미를 이해하고 회상하는 데 도움을 줄 수 있다. 반면에 글로 적힌 인쇄물을 이해할 수 있는 기능적 건강정보이해능력에는 정보를 접하는 사람이 (매트릭스에서 상호작용이 일어나는 회색으로 색칠된 칸이 나타내는 바와 같이) 산문 문해력과 문서 문해력을 충분히 갖추어야 한다. 예를 들면, 약사들은 처방약에 복약 시간 및 방법, 부작용과 약물 상호 작용의 가능성 등을 기술한 설명서를 제공하는 경우가 많다. 그런데 이러한 형태의 정보를 받는 사람은 사용된 언어나 글씨 크기 등의 이유 때문에 이 정보를 획득하지 못할 수 있고, 용어가 어렵거나 제시된 예시가 너무 복잡해서 이해를 못할 수도 있다. 그 결과 약을 정확하게 복용하지 못하는 사람이 많아지고 약효를 떨어뜨리거나 좋지 않은 결과를 초래할 수도 있다. 현재 300편 이상의 연구 논문에서는 인쇄물로 된 건강정보가 표본 집단의 가독 능력보다 더 어려운 수준으로 제공되는 경우가 자주 있다는 점을 제시하고 있다.[21~24]

사람들 간에 직접 전달되는 건강 메시지로는 개인이 자신의 치료제공자나 가족, 동료, 비전문 건강 상담자, 건강보험 관계자 등 여러 건강정보원과 나누는 대화를 들 수 있다. 이러한 형태의 건강정보 교환, 특히 의사와 환자 간의 상호 작용은 다른 의사소통 수단에 비하여 훨씬 더 효과적일 수 있는데, 왜냐하면 양방향 의사소통은 양쪽이 효과적인 정보 교환이 일어나도록 대화의 내용과 설명 방식을 조정하면서 상호 작용하고 관심을 유발할 수 있기 때문이다.[25] 그러나 다수의 연구 결과 이러한 직접적인 만남을 통해서 들은 내용을 확실하게 이해하지 못하는 경우가 자주 있는 것으로 밝혀졌다.[24] 이러한 의사소통 실패의 한 가지 원인으로는 다른 사람과 이야기를 나누면서 얻게 되는 건강 메시지나 정보를 잘 이해하는 데 꼭 필요한 말하기와 듣기 같은 양방향 의사소통 기술이 부족하다는 점을 들 수 있다. 또 다른 이유는 의료제공자들과 다른 정보 제공자들이 대화 상대의 능력과 요구 사항을 이해하지 못한다는 것이다. 건강정보이해능력이 잘 갖추어져 있다는 것은 정보를 필요로 하는 사람과 정보 제공자(혹은 제공처)가 대화 내용을 공유한다는 점을 내포하고 있다. 예를 들면, 의사소통 기술이 부족한 환자는 자신의 생각을 어떻게 표현해야 할지 모르고 주치의에게 내용을 잘 이해하지 못하겠다고 말할 자신감이 없을 수도 있다. 의사소통 훈련과 그 기술이 부족한 의사는 환자에게 질문할 기회를 주지 않고 진료를 하면서 환자가 잘 이해하고 있는지 확인해 보지 않을 수도 있다. 환자와의 대화를 권장함으로써 환자의 이해력과 권한을 더 높일 수 있을 것이다.

시청각 매체를 이용한 건강 메시지는 라디오, 텔레비전, 영화 등과 같은 대중매체를 통해서 대중에게 전달될 수 있으며 공공장소나 개인적 장소 모두에서 활용 가능한 CD 혹은 비디오 등의 전자 매체를 통해서 개인에게 전달될 수 있다. 시청각 매체를 통한 건강 메시지 전달의 가장 큰 난점은 대중매체 환경 특히 건강관련 상품과 서비스가 텔레비전으로 광고되는 환경에서 이러한 형태의 정보는 언제 어디서든 존재할 수 있기 때문에[26] 메시지를 비판적으로 평가하고 메시지의 정확성과 타당성을 결정하기 위해서는 대중매체 이해능력이 꼭 필요하다는 점이다. 예를 들면, 많은 노인들은 실제로 앓고 있거나 혹은 심증이 가는 질병의 처방약 광고를 텔레비전과 라디오를 통해서 빈번하게 접하는데 광고에서는 "주치의와 상담하시오"라고 일러 준다. 결과적으로 불필요한 치료를 받으려고 하거나 효과는 높지 않으면서도 가격은 더 비싼 특정 치료약을 요구하는 경우가 생길 수 있다.

양방향 멀티미디어를 통한 건강 메시지는 컴퓨터 사용이 가능한 공공 혹은 개인적 장소의 인터넷 웹사이트와 컴퓨터 프로그램, 그리고 공공장소 혹은 의료 기관에서 개인의 사용을 허가한 건강관련 컴퓨터 키오스크 프로그램을 통해 개인에게 전달될 수 있다. 이 의사소통 수단의 장점은 청각, 시각, 대화 방식을 활용함으로써 다른 의사소통 수단의 장점을 통합하여 문해력 수준이 낮은 사람들과의 의사소통을 촉진할 수 있다는 점이다.[19] 그러나 컴퓨터를 사용할 수 없거나 컴퓨터를 효과적이고 효율적으로 사용하는 데 필요한 컴퓨터 이해 능력이 부족한 개인이나 집단도 많다. 예를 들면, 미국의 컴퓨터 및 인터넷 사용 가능성은 그 분포가 고르지 않은데, 고소득 개인 및 가정이 저소득 개인 및 가정에 비하여 컴퓨터 인터넷 사용 가능성이 훨씬 더 높다.[27] 컴퓨터와 인터넷 을 사용한다고 하더라도 인터넷상에서 건강정보를 검색할 수 있어야 하고 획 득한 정보의 적합성과 정확성을 비판적으로 판단할 수 있어야 한다.

건강 메시지의 내용

건강 메시지의 내용이라 함은 메시지로 전달되는 건강정보의 내용과 전달 방 법 둘 다를 가리킨다. 메시지 제공에는 다음과 같은 다양한 변이들이 존재하게 된다.

- 다른 언어 혹은 어투의 사용
- 항목 체크 혹은 응답 기입 등과 같은 상호 작용 방식의 사용
- 통계, 사례 연구, 경험담, 사례담 등과 같은 예시 제시의 유무
- 감정적 반응이나 공포심 유발을 목적으로 하는 메시지 요소의 사용
- 연령, 성, 인종 등 여러 특성별 집단의 관심 유발을 위한 메시지 요소의 포함

여러 가지 다양한 방법들을 활용할 수 있기 때문에 메시지의 내용은 건강정 보이해능력의 일부 혹은 모든 자질들과 상호 작용할 수 있지만, 영향을 미치는 주된 자질은 개인의 동기 부여이다. 어떤 주제의 건강 메시지에 대한 관심도는 그 메시지의 적합성에 따라 사람마다 다를 수 있지만 메시지의 내용 그 자체도 개인의 관심을 유발할 수 있는 강력한 결정 요인이다. 예를 들면, 환자가 금연 의지가 없다면 금연에 대한 소책자를 전해 주더라도 무시를 당할 것이지만 그 책자 자체가 환자의 가치관, 신념, 경험과 잘 맞는 메시지를 담보한다면 환자 의 금연 의지를 높이는 데 실제로 도움이 될 것이다. 개인 메시지 수용자에게

메시지 내용을 맞추는 것(맞춤형 메시지) 혹은 공통점이 있는 메시지 수용자들로 구성된 선별 집단에 메시지 내용을 맞추는 것(메시지 표적 선정)은 효과적인 건강정보 교환을 위해 흔히 사용되는 전략이다.

매트릭스의 적용

건강정보이해능력과 의사소통 매트릭스는 의사나 정보 제공자가 특정의 관심 집단에게 가장 적합한 건강정보 전달 방법을 결정해야 할 때 유용한 도구가 된다. 이상적인 경우 첫 번째 단계는 메시지 수용 예정자의 건강정보이해능력 기술, 능력, 신념을 판단하는 것이다. 대상 집단의 건강정보이해능력이 상당 수준 같다면 의사는 매트릭스를 활용하여 이들의 능력과 기술을 고려한 건강 메시지를 선택, 고안할 수 있다. 예를 들면, 대상 집단의 구성원 대부분이 기능적 산문 및 문서 문해력이 부족하다면 매트릭스의 검은색 칸은 다른 의사소통 수단보다 인쇄물로 전달되는 메시지가 부적절하고 효과가 떨어질 것이라는 점을 나타낸다. 의사가 이미 전해야 할 건강 메시지를 가지고 있다면 매트릭스를 이용하여 대상 집단 내에서 어떤 기술과 능력이 요구되는지를 파악할 수 있다. 예를 들면, 의사가 환자와 단 둘이 개인적으로 대화하기를 원한다면 의사는 환자가 건강 메시지를 정확하게 받아들이고 이해하고 적용할 수 있는 기능적 양방향 의사소통 기술을 보유하고 있는지를 판단해야 한다. 매트릭스를 사용한다면 건강정보이해능력을 향상시키기 위한 노력에는 사람들의 이해력 향상뿐 아니라 건강정보 내용의 개발과 전달 방식도 향상될 필요가 있음을 깨닫게 될 것이다.

많은 경우 대상 집단 내 개개인은 건강정보이해능력 기술, 능력, 신념에 있어서 매우 다양하다. 이러한 상황이라면 집단의 요구를 충족시키기 위해서는 좀 더 세밀한 의사소통 전략이 필요할 것이다. 이와 관련한 한 가지 접근 방법은 건강정보이해능력의 자질에 따라 집단을 소규모 집단으로 분류하는 것이다. 그렇게 되면 여러 가지 의사소통 수단을 사용하여 개인의 능력과 필요에 따라 다양한 맞춤형 메시지가 만들어지게 된다. 예를 들면, 다양한 환자들에게 열량조절 식단 건강 메시지를 정기적으로 제공해야 하는 임상 진료 현장에서는 여러 가지 의사소통 수단(예, 소책자, 픽토그램, 비디오, 웹사이트)을 사용하여 양식은 다르지만 동일한 내용의 교육 정보를 제공하는 자료를 선별하거나 새로 만들 수 있다. 이렇게 된다면 환자들은 선호하는 자료 양식을 선택할 수 있게 된다.

결론

1장에서는 건강정보이해능력을 정의하고 보건의료 체계 내에서 개인의 역할 수행 능력을 총체적으로 결정짓는 개인 차원의 기본 자질들을 확인, 기술하였다. 또한 건강정보이해능력의 자질과 건강정보 전달 수단 간의 상호 작용 관련성을 보여주는 건강정보이해능력과 의사소통 매트릭스를 소개하였다. 가로축과 세로축으로 이루어진 이 이차원 매트릭스는 또한 기능적 건강정보이해능력이 부족한 경우라 하더라도 의사소통을 효과적으로 해야 할 책임은 비단 개인 환자 혹은 정보 수용자에게만 있는 것이 아니라 건강 메시지를 선택, 고안, 전달하는 의사와 정보 제공자에게도 있다는 점을 시사한다.

비록 건강정보이해능력이 의학과 공중보건 분야에서 상대적으로 새로운 개념이기는 하지만 빠른 속도로 주목을 받고 있다. 이 책의 1장에서 그리고 앞으로 제시될 정보가 독자들의 건강정보이해능력 이해에 확고한 기초가 될 수 있기를 희망한다. 마지막으로 건강정보이해능력을 세심하게 고려하면서 의사소통의 개념과 방향을 정립하고 장차 모든 사람들이 목적지에 도달할 수 있기를 바란다. 설혹 이따금은 멈추어서 방향을 물을지라도.

참고 문헌

1. Simonds SK. Health education as social policy. *Health Educ Monogr.* 1974;2:1-25.

2. Selden CR, Zorn M, Ratzan SC, Parker RM. *Current Bibliographies in Medicine 2000-1: Health Literacy.* Available at www. nlm.nih.gov/pubs/cbm/hliteracy.html. Accessed June 25, 2003.

3. Parker RM, Ratzan SC, Lurie N. Health literacy: a policy challenge for advancing high-quality health care. *Health Aff.* 2003;22:147-153.

4. Ad Hoc Committee on Health Literacy for the Council on Scientific Affairs, American Medical Association. Health literacy: report of the Council on Scientific Affairs. *JAMA.* 1999;281:552-557.

5. US Department of Health and Human Services. Health Communication (Chapter 11). *Healthy People 2010.* 2nd ed. *With Understanding and Improving Health and Objectives for Improving Health.* 2 vols. Washington, DC: US Government Printing Office, November 2000.

6. Williams MV, Parker RM, Baker DW, et al. Inadequate functional health literacy among patients at two public hospitals. *JAMA.* 1995;274:1677-1682.

7. Parker RM, Baker DW, Williams MV, Nurss JR. The test of functional health literacy in adults: a new instrument for measuring patients' literacy skills. *J Gen Intern Med.* 1995;10:537-541.

8. US Congress. *National Literacy Act of 1991.* Public Law 102-73, 1991.

9. National Center for Education Statistics. *The 1992 National Adult Literacy Survey: Overview.* Available at http://nces.ed.gov/naal/design/about92.asp. Accessed June 15, 2003.

10. National Center for Education Statistics. *Defining Literacy and Sample Items: Prose Literacy and Sample Items.* Available at http://nces.ed.gov/naal/defining/peasureprose.asp. Accessed June 15, 2003.

11. National Center for Education Statistics. *Defining Literacy and Sample Items: Document Literacy and Sample Items.* Available at http://nces.ed.gov/naal.defining/measdoc.asp. Accessed June 15, 2003.

12. National Center for Education Statistics. *Defining Literacy and Sample Items: Quantitative Literacy and Sample Items.* Available at http://nces.ed.gov/naal.defining/measquant.asp. Accessed June 15, 2003.

13. Kirsch I. *The International Adult Literacy Survey(IALS): Understanding What Was Measured. ETS Research Report RR-01-25.* Princeton, NJ: Statistics and Research Division of ETS[Educational Testing Services]. 2001.

14. Bernhardt JM, Cameron KC. Accessing, understanding, and applying health information: The challenge of health literacy. In: Thompson TL, Dorsey

AM, Miller KI, Parrott R, eds. *Handbook of Health Communication*. Mahwah, NJ: Erlbaum;2003:583-605.

15. Zettl H. Contestual media aesthetics and delayed effects of media literacy. *J Comm*. 1998;48:81-95.

16. Austin EW, Johnson KK. Immediate and delaued effects of media literacy training on third graders' decision making for alcohol. *Health Comm*. 1997;9:323-349.

17. Computer Literacy USA. *The Computer Literacy Initiative*. Available at www.conputerliteracyusa.com. Accessed June 17, 2003.

18. Petty RE, Cacioppo JT. Personal involvement as a determinant of argument-based persuasion. *J Pers Soc Psychol*. 1984;41:847-855.

19. Huff RM, Kline MV. Health promotion in the contest of culture. In: Huff RM, Kline MV, eds. *Promoting Health in Multicultural Settings: A Handbook for Practitioners*. Thousand Oaks, Calif:Sage;1999:3-22.

20. Bernhardt JM. Developing health promotion materials for health care settings. *Health Promotion Pract*. 2001;2:290-294.

21. Dollahite J, Thompson C, McNew R. Readability of printed sources of diet and health information. *Pat Educ Couns*. 1996;27:123-134.

22. Hearth-Holmes M, Murphy PW, Davis TC, Nandy I, et al. Literacy in patients with chronic disease: Systemic lupus erythematosus and the reading level of patient education materials. *J Rheumatol*. 1997;24:2335-2339.

23. Doak CC, Doak LG, Friedell GH, Meade CD. Improving comprehension for cancer patients with low literacy skills: Strategies for clinicians. *CA−A Cancer Journal for Clinicians*. 1998;48:151-162.

24. Williams MV. Adult literacy and health literacy: the link to health communication. Paper presented at: Meeting of the Georgia Public Health Association and the Georgia Federation of Professional Health Educators; August 2000; Athens, Ga.

25. Davis TC, Williams MV, Branch WT, Green KW. Explaining illness to patients with limited literacy. In: Whaley D, ed. *Explaining Illness: Research, Theories, and Strategies for Comprehension*. Mahwah, NJ: Erlbaum; 1999.

26. Brownfield ED, Bernhardt JM, Phan JL, Williams MV, Parker RM. Direct-to-consumer drug advertisements on network television: An exploration of quantity, frequency, and placement. *J Health Commun*. In press.

27. US Department of Commerce. *A National Online: How Americans are Expanding Their Use of the Internet*. Available at www.ntia.doc.gov/ntiahome/dn/. Accessed February 5, 2003.

제2장

건강정보이해능력 부족의 역학

배리 D. 바이스(Barry D. Weiss)(MD)

건 강정보이해능력은 보건의료 서비스 및 건강결과에 있어 점차 중요한 요인으로 인식되고 있다. 2장에서는 건강정보이해능력의 정의와 측정, 건강정보이해능력 부족의 범위와 인구사회학적 특성 등 건강정보이해능력 부족의 역학 전반에 대해 기술한다. 미국에서 건강정보이해능력 관련 문제를 유발하는 요인과 건강정보이해능력 부족이 초래하는 결과를 설명한다. 마지막으로 건강정보이해능력 향상의 장애 요인에 대해 논의한다.

건강정보이해능력의 정의 및 측정

*건강정보이해능력(health literacy)*이란 올바른 건강관련 결정을 내리는 데 필요한 기본적 건강정보와 서비스를 획득, 처리, 이해할 수 있는 개인의 능력 정도라고 정의된다.[1] 다시 말하자면 건강정보이해능력이란 개인의 의료 이용과 관련된 판단을 올바르게 할 수 있도록 건강정보를 획득하고 읽고 이해하고 활용할 수 있는 능력이다.

건강정보이해능력은 일반 문해력(*general literacy*)과는 다르다. 일반 문해력이 구체적인 맥락과는 상관없이 읽고 쓰고 계산할 수 있는 기본 능력을 가리키는 반면에 건강정보이해능력은 보건의료 환경에서 읽기와 이해 능력이 필요하다는 점을 가리킨다. 다른 맥락에서는 적절한 읽기 기능을 갖추었더라도 건강관련 대화에서 사용되는 개념과 단어는 잘 이해하지 못할 수 있다는 것이다.

건강정보이해능력과 일반 문해력은 서로 다르지만 이 두 가지는 불가분의 관계가 있다. 즉, 일반 문해력이 부족한 사람은 대부분 건강정보이해능력 역시 부족하다는 것이다. 2장에서 언급된 연구 논문 및 보고서 다수에서 일반 문해력이 부족한 사람은 보건의료 정보를 읽고 이해하고 활용하는 데 어려움이 있는 것으로 즉, 건강정보이해능력이 부족한 것으로 판단된다.

보건의료 부문의 문해력 측정을 위해 사용되는 몇 가지 공인 검사도구들이 있는데[2] 가장 광범위하게 사용되고 있는 두 가지 도구는 의학 분야 성인 문해력 속성 평가(Rapid Estimate of Adult Literacy in Medicine, REALM)[3]와 성인 기능적 건강정보이해능력 검사(Test of Functional Health Literacy in Adults, TOFHLA)[4]이다.* REALM은 점차 높은 난이도로 제시되는 의학용어 목록을 피검자가 읽어 나가는 단어 인지 검사(word-recognition test)인데, 정확한 발음으로 읽을 수 있는 최고의 난이도 점수가 피검자의 건강정보이해능력 수준이 된다. TOFHLA는 좀 더 복잡한 검사로서 예약표 읽기, 처방전 해석, 동의서에 빠진 용어 기입하기 등으로 구성된다. REALM은 영어로만 가능하고, TOFHLA는 영어판과 스페인어판이 있다.

건강정보이해능력 부족의 범위와 인구사회학적 특성

미국 인구의 건강정보이해능력 평가를 목적으로 REALM 혹은 TOFHLA 등과 같은 건강정보이해능력 평가 도구를 사용하여 전국 규모로 실시된 연구는 아직 없다. 대신에 미국의 건강정보이해능력 부족 현황에 대하여 알려진 내용은

---

* 이 검사에 대해서는 10장에 자세하게 설명되어 있다.

상당 부분 선별된 피검자 집단의 건강정보이해능력을 측정한 연구나 일반 문해력을 측정한 연구 논문에서 발췌한 자료에 기초한다. 일반 문해력 연구 논문 가운데는 특정 환자군을 대상으로 한 것도 있고, 반면에 NALS처럼 전체 성인 인구를 대상으로 평가한 경우도 있다.[5]

이러한 다양한 연구 결과 많은 인구집단이 일반 문해력 기술과 건강정보이해능력 기술이 부족하다는 점이 밝혀졌다. 이러한 인구집단으로는 노인층, 소수민족 집단, 교육 수준이 낮은 사람들, 이민자 집단, 빈민층이나 노숙자, 죄수, 군인 집단 등이 해당된다. 일반 문해력 부족 현황이 80%에 육박하는 인구집단도 있다(표 2-1).

앞 단락과 표 2-1에서 언급된 인구집단을 살펴보면 NALS 검사의 1, 2단계

표 2-1 NALS 1, 2단계 문해력 성인의 인구집단별 백분율

인구집단	백분율		
	1단계	2단계	1, 2단계 합
NALS 총응답자	22	28	50
노인층(65세 이상)	49	32	81
인종/민족별 집단			
백인	15	26	41
아메리카 원주민/알래스카 원주민	26	38	64
아시아인/태평양 섬 주민	35	25	60
흑인	41	36	77
스페인계(모든 집단)	52	26	78
저학력 집단			
0~8년	77	19	96
9~12년(고등학교 중퇴)	44	37	81
고등학교 졸업/검정고시(GED) (대학 교육 무)	18	37	55
미국 내 이민자 집단(다양한 출신 국적)			
미국 이주 전 0~8년의 교육 경험	60	31	91
미국 이주 전 9년 이상 교육 경험	44	27	71

출처: NALS의 산문 문해력 및 문서 문해력 명목 평균 점수.
Kirsch I, Jungeblut A, Jenkins L, Kolstad A. *Adult Literacy in America: A First Look at the Results of the National Adult Literacy Survey.* Washington, DC: National Center for Education Statistics, US Department of Education; September 1993. Tables 1.1A, 1.1B, 1.2A, 1.2B.
Greenberg E, Macias RF, Rhodes D, Chan T. *English Literacy and Language Minorities in the United States,* NCES 2001-464. Washington, DC: 2001. Table B3.13.

에 속하는 문해력 기술이 부족한 사람들은 주로 미국 내 소수민족이며(이거나) 이민자 집단이라는 고정관념이 새로 생기거나 아니면 강화될 수 있다. 소수민족과 이민자 인구집단의 문해력 부진율이 월등히 높게 나타나는 것이 사실이기는 하지만 미국에서 문해력 기능이 부족한 대다수 사람들은 미국 태생의 백인이라는 점을 유념해야 할 것이다.

지금부터 문해력 부족률이 높은 인구집단 몇 개에 대해서 논의하고 이들 집단의 일반 문해력과 건강정보이해능력 현황을 그 근거와 더불어 논하고자 한다.

노인층

NALS 결과 글(예, 신문 기사)과 문서(예, 대중교통 운행표)에서 각각 정보를 확인하고 사용할 수 있는 능력을 측정하는 산문 문해력과 문서 문해력 평가에서 65세 이상 노인들 중 거의 반 정도가 1단계 점수를 받았고 1/3이 2단계 점수를 받았다(표 2-1). 전체적으로 이들 노인 피검자의 80% 정도가 문해력 기술이 낮은 것으로 밝혀졌다.[5] 이상의 수치들은 현재 미국 노인 인구의 실질적인 일반 문해력 수준이 낮다는 점을 시사한다.

특별히 건강정보이해능력을 평가한 연구에서도 역시 노인층에서 건강정보이해능력 기술이 부족한 사람의 비율이 높은 것으로 나타났다. 오하이오, 플로리다, 텍사스의 메디케어(Medicare) 수혜 노인 3,200명 이상을 대상으로 영어판 혹은 스페인어판 단축형 TOFHLA를 각각 사용한 결과 영어 사용 피검자의 34%와 스페인어 사용 피검자의 53%가 부족하거나 혹은 경계역의 건강정보이해능력을 가진 것으로 나타났다.[6] 건강정보이해능력이 부족한 피검자들은 건강관련 지식수준[7]도 낮았으며 예방적 의료 서비스의 이용률[8]도 저조하였다. 인지기능장애에 대한 보정 후에도 건강정보이해능력 부족과 연령 간에는 상관성이 있는 것으로 밝혀졌다.[9]

위의 메디케어 연구 결과를 뒷받침해 주는 사회경제적 상·하위 계층의 노인들을 대상으로 한 소규모 연구들이 있었다. 정부 보조 임대주택에 사는 저소득층 노인(평균 연령 72세)을 대상으로 한 연구에서는 대상자의 1/3이 4학년 수준 이하의 읽기 기술을 가지고 있었고, 1/4은 의사가 제공하는 정보를 잘 이해하지 못한다고 응답하였다.[10] 이 연구의 대상사 대부분은 보건의료 체계보다는 텔레비전을 통해서 건강정보를 얻는다고 응답하였다. 평균 연령 70세의 부유한 은퇴자 거주지에서 실시한 다른 연구에서는 대상자의 1/3이 글로 적힌 건강정보를 제대로 이해할 수 없었다.[11]

따라서 다양한 자료들에서 미국 노인인구는 사회경제적 지위를 불문하고 건강정보이해능력 부족률이 높은 것으로 나타난다. 이것은 노인 인구가 증가하는 추세이고 이들의 의료이용 필요가 각별히 크다는 점을 감안한다면 미국 보건의료 체계에 주요한 시사점을 던져준다. 향후 25년 내 미국 인구 5명 중 1명은 65세 이상이 될 것으로 현재 추산된다.[12] 후에 다시 논의하겠지만 건강정보이해능력 부족은 불량한 건강결과 및 보건의료 비용 증가와 관련이 있는 것으로 나타난다. 노인 인구의 보건의료비는 이미 엄청난 액수에 이르렀는데 2001년에 총 2억 4천만 달러의 비용이 들었다.[13] 노인 인구 증가에 따른 보건의료의 필요 및 비용의 규모가 더욱 증가하고 있는 상황에서 건강정보이해능력에 대한 투자는 노인 인구의 건강 상태 개선과 보건의료비용 절감을 위한 한 가지 중요한 정책 목표가 될 수 있을 것이다.

소수민족

NALS 조사 결과에 나타나듯이 라틴계 미국인과 아프리카계 미국인 상당수가 일반 문해력 수준이 낮다. 구체적으로 보자면 라틴계 미국인 중 50% 이상, 아프리카계 미국인 중 41%가 NALS에서 1단계 점수를 얻었는데, 이는 겨우 22%를 차지하는 미국 전체 성인의 수치와 비교된다.[5] 문해력 부족률이 높은 다른 소수민족에는 태평양 섬 주민과 아메리카 원주민이 해당된다(표 2-1).

소수민족 사람들의 문해력 수준이 전반적으로 낮다는 사실은 이들의 건강정보이해능력 역시 낮은 것으로 유추 해석될 수 있다. 소수민족 환자들은 유방암 위험요인,[14] 자궁경부암 검진,[15] 에이즈 치료,[16] 뇌졸중 예방[17] 등의 다양한 건강 행위에 대한 지식과 경각심이 낮은 것으로 여러 연구에서 밝혀졌다.

교육수준이 낮은 사람들

교육수준이 낮은 사람들의 일반 문해력 부족률이 높다는 점은 그리 놀랄 만한 것은 아니다. 고등학교를 졸업하지 않은 사람 중 80% 이상이 NALS 1~2단계의 읽기 기술을 가지고 있었다.[5] 고등학교 중퇴자의 수는 엄청난데, 미국에서 해마다 약 5십만 명이 학교를 중도에 그만두고 있어서 10년마다 5백만 명의 학업 중퇴자가 미국 인구에 추가되는 실정이다.[18] 특별히 학업 중퇴자를 대상으로 건강정보이해능력을 연구한 바는 없지만 일반 문해력 부족률이 높기 때문에 건강정보이해능력 기술 또한 부족할 것이라고 생각해 볼 수 있다.

이민자

특별히 이민자 집단을 대상으로 건강정보이해능력을 측정한 대규모의 연구는 없다. 오히려 연구의 초점은 이민자들의 영어 구사력[19,20]과 건강관련 지식 및 건강 행위[21,22]에 맞추어졌다. 영어를 사용하지 않는 사람들(주로 스페인어 사용자)을 대상으로 건강정보이해능력을 평가한 연구가 있기는 하지만 이 연구 대상자들은 실제 이민자일 수도 있고 아닐 수도 있다.[23]

이민자 집단의 건강정보이해능력 기술 평가를 위해서는 NALS 자료를 이용하여 추정치를 얻으면 된다. NALS에 따르면 학동기 이후에 미국으로 들어오는 이민자의 절반 이상이 1단계의 문해력 기술을 가지고 있다.[5] 문해력 기술 수준이 이렇게 낮다는 점을 감안한다면 이들 대부분의 건강정보이해능력 또한 부족할 가능성이 크다.

물론, NALS는 영어 문해력만을 검사했을 뿐이고 이론적으로는 비영어권 출신 이민자가 모국어로는 문해력이 높을 가능성이 있다. 하지만 연구 결과는 그렇지 않다. 비영어권 출신의 미국 이민자 대부분은 교육 기회가 많지 않은 산업 후진국 출신이다.[24] 한 예로 스페인어 사용 국가에서 미국으로 이민을 오는 성인 중 반 이상이 모국에서 고등학교를 졸업하지 못하였다.[25] 따라서 NALS 결과를 토대로 미국 이민자들의 건강정보이해능력이 낮다는 결론을 내리는 것은 타당하다고 할 수 있다.

저소득층

빈곤은 문해력과 연관이 있는 여러 가지 사회인구학적 요인들 즉 고령, 소수민족 출신, 낮은 교육수준, 이민 등과 같은 요인과 밀접하게 얽혀 있다. 이러한 요인이 있는 사람들에게 문해력 부족이 빈곤의 원인이 된 것인지 교육 기회 부족이 이들의 문해력 부진의 원인인지는 확실하지 않다.

원인이 무엇이든 일반 문해력과 건강정보이해능력 모두에서 기술 부족이 저소득층 인구집단의 일반적 현상이라는 점은 분명하다. 한 연구에서는 메디케이드 수혜 여부를 저소득의 기준으로 보고 400여 명의 메디케이드 수혜자를 대상으로 일반 문해력 기술을 검사하였다. 이 연구 결과 평균적인 읽기 기술은 5학년 수준이었고 거의 5명 중 1명의 환자는 2학년 수준 이하의 읽기 기술을 가지고 있었다.[26] 또 다른 연구에서는 두 군데 시립 병원에서 급성 질환 치료를 받는 저소득 환자 2,600여 명을 대상으로 건강정보이해능력 기술을 검사하였다. 영어판과 스페인어판 TOFHLA를 각각 사용하여 검사한 결과 영어 사용 환자의 35%와 스페인어 사용 환자의 62%가 불충분하거나 경계역 수준의 기능적 건강정보이해능력을 가지고 있는 것으로 밝혀졌다.[27] 절반 정도의 환자들이 복용약 지시사항을 이해하지 못하였고, 60%는 기본적인 환자 동의서를 이해하지 못하였다.

노숙자

노숙자들의 문해력 부족 현황에 대한 전국 차원의 자료는 없지만 그 비율은 높을 것으로 예상된다. 실제로 정부 및 사회봉사 기관들에서는 오랫동안 노숙자 집단을 문해력 교육 개선사업의 목표 대상으로 삼아왔다.[28] 노숙자들의 문해력 기술 부진 이유는 복합적이기는 하지만 이들 집단에서 흔히 찾아볼 수 있는 빈곤, 학습과 언어 장애,[29] 정신 질환[30] 등의 문제들이 상호 작용한 결과라고 할 수 있을 것이다. 특히, 노숙자 쉼터를 통하여 정신 치료를 받는 사람들 중에 건강정보이해능력이 낮은 사람들의 비율이 극히 높은데, REALM 검사 결과 이들 중 3/4은 평균 이하의 건강정보이해능력 기술을 가지고 있었다.

죄수들

NALS 연구자들은 미국 전역의 형사 시설을 대표하는 곳으로 선정된 80개의 연방 및 주 교도소 입소자 1,150명의 일반 문해력을 보고했다.[62] 약 70%의 죄수들에게서 일반 문해력 기술 부족이 발견되었다. 죄수들의 건강정보이해능력에 대해서는 이용 가능한 자료가 없지만 일반 문해력이 낮은 죄수들은 건강정보이해능력 역시 낮을 가능성이 높다.

수감자들 가운데는 소수민족, 빈곤, 낮은 교육수준 등 앞서 논의한 바 있는 사회경제적 특성을 가지고 있는 경우가 많다. 이 특성들 중 어느 것이 문해력 기술과 가장 많은 관련성이 있는지는 분명하지 않다. 그렇지만 현재 미국 교도소와 구치소에 약 2백만 명이 수감되어 있어 미국 주민 142명 중 약 한 명이 수감자라는 사실을 감안한다면 수감자들의 문해력 부족률이 높다는 점은 주목할 내용이다.

군대 사병들

장교들은 대체로 학력이 높고 문해력 기술 수준도 높지만 사병들의 문해력 부족률은 높을 것으로 생각된다. 쉽게 구할 수 있는 공문서에는 사병들의 문해력 기술을 알 수 있는 수량 자료가 거의 없을 뿐 아니라 사병들의 건강정보이해능력 기술에 대하여 이용할 수 있는 자료는 전무하다. 그렇지만 보고된 자료에 따르면 군대 내에서 요구되는 고등학교 수준의 읽기 업무를 처리하지 못하는 군인들이 많다.[34] 그 결과 모든 미군 부대에서는 군 업무 수행에 필수적인 문해력 기술 수준으로 사병들의 수준을 향상시키기 위하여 교육 프로그램을 운영한다. 이런 교정 교육이 필요한 병사들은 대부분 건강정보이해능력 기술이 부족할 가능성이 있다.

건강정보이해능력 부족이 초래하는 결과

노인, 소수민족, 이민자, 저소득층 등 문해력 부족을 보이는 인구집단의 경우에 문해력이 건강에 미치는 결과를 검토해 보아야 한다. 문해력 부족의 결과에 초점을 맞춘 연구들이 많이 있었는데 문해력이 낮은 사람들은 문해력이 높은 대조 집단에 비하여 건강지식 수준이 낮고, 건강 상태가 양호하지 않으며, 보건의료 서비스 이용률과 보건의료비 지출이 많은 것으로 나타난다(표 2-2). 문해력 부족은 또한 치료약의 자가 투약에 실수를 유발할 수 있기 때문에 환자의 안전에도 위협 요인이 된다.

표 2-2 건강정보이해능력 부족이 초래하는 결과

- 낮은 건강지식 수준
- 불량한 건강 상태
- 의료서비스 이용률 상승
- 보건의료비 지출 상승

건강 지식

많은 연구 결과 문해력 기술이 부족한 사람은 본인의 의료 문제에 대해서 잘 알지 못하는 것으로 드러났다. 일부 예를 인용해 보자면, TOFHLA 검사 결과 문해력이 부족한 고혈압 환자들은 운동과 체중 조절이 혈압을 낮출 수 있다는 사실을 알고 있는 경우가 적으며, 문해력이 낮은 당뇨병 환자들은 저혈당 증상에 대한 지식이 부족하다.[35] 마찬가지로 REALM 검사 결과 문해력이 낮은 임산부는 문해력 기술이 상대적으로 높은 여성들에 비하여 흡연의 위해성에 대해서 알고 있는 경우가 적다.[36] 문해력이 부족한 천식 환자들은 흡입치료제의 사용 방법을 잘 알고 있는 경우가 적으며,[37] 문해력이 부족한 환자 다수가 집단검

진, 잠혈, 유방조영술 등 흔히 사용되는 의료 표현의 의미를 이해하지 못한다는 연구 결과도 있다.[38,39]

건강 상태

일반 문해력이든 건강정보이해능력이든 둘 중 하나가 부족할 경우 건강 상태에 영향을 미치는 것으로 생각되는 사회인구학적 변수들을 보정한 후에도 문해력이 높은 대조 집단에 비하여 불량한 건강 상태를 보인다는 몇 가지 연구 결과는 새로운 것이 아니다. 일부 연구에서 환자들의 건강 상태를 진단하기 위하여 자가 보고서를 사용한 결과 문해력이 부족한 사람들이 자신의 건강 상태를 나쁘다고 보고하는 경향이 많다는 사실을 발견하였다. 예를 들면, TOFHLA 검사 결과 건강정보이해능력 부족은 에이즈와 같은 특수한 의료 문제를 가지고 있는 인구집단[41]에서뿐 아니라 전체 인구에서[40] 건강 상태가 좋지 않다는 자가 보고 내용과 상관성이 있었다.

문해력과 건강 사이의 관련성을 밝히기 위해 특정 건강 상태를 측정한 연구들도 있다. 예를 들면, 메디케이드 당뇨병 환자로 구성된 사회경제적 특성이 동일한 집단 내에서 문해력 기술이 부진한 사람이 문해력 기술이 더 나은 사람에 비하여 당뇨 조절을 잘 할 가능성이 낮은 것으로 한 연구 결과 드러났다.[42] 고등학교 검정고시(general educational development, GED) 졸업반 강좌에 참여하는 성인과 성인 기초 교육(문자 해독) 강좌에 참여하는 성인을 대상으로 한 다른 연구에서는 건강 상태 표준화 평가 도구를 사용한 결과 읽기 수준이 낮은 사람들은 문해력 수준이 상대적으로 높은 대조 집단에 비하여 신체적 및 정신적 이환율이 더 높았다.[43] REALM 검사 결과 건강정보이해능력 부족은 전립선암에 걸린 저소득층 환자들의 경우 병기가 많이 진행된 상태에서 진단을 받게 되는 점과도 상관성이 있었다.[44]

보건의료 서비스 이용률

연구 결과 건강정보이해능력 부족과 입원율 사이에는 관련성이 있는 것으로 나타났다. 메디케어 관리의료 수혜자 중 건강정보이해능력 기술이 부진한 경우 입원율이 29% 더 높다.[45] 게다가 공공 병원에서 치료를 받는 건강정보이해능력이 부족한 환자의 경우 연령, 성, 인종, 자가 보고 건강 상태, 사회경제적 지위, 건강보험 상태 등 잠재적 교란변수들을 고려하더라도 2년 입원율이 69% 더 높다.[46]

보건의료비

보건의료비에 대한 연구가 충분한 것은 아니지만 문해력이 부족한 환자들의 불량한 건강 상태 및 높은 보건의료 서비스 이용률은 비용 부담으로 전가된다고 유추할 수 있다. 의료 빈곤층과 메디케이드 관리의료 수혜자를 대상으로 한 소규모의 연구 결과 문해력이 부족한(3학년 이하 읽기 수준의) 메디케이드 수혜자의 연평균 건강관리 비용은 10,688달러인 반면에 문해력 기술이 뛰어난 사람들의 연평균 비용은 단지 2,891달러에 불과하였다.[47] 이러한 격차는 상당 부분 입원 환자 의료비에서 발생하는 차이 때문이었다(문해력이 부족한 대상자의 경우 7,038달러였고 문해력이 뛰어난 경우 824달러였다).

이와 유사한 결과들이 메디케어 수혜자를 대상으로 한 연구에서도 밝혀졌다. 건강정보이해능력이 부족한 사람들은 잠재적 교란변수를 보정한 후에도 건강정보이해능력을 갖춘 사람들에 비하여 응급실 이용, 전문 의약품 구입 그리고 입원치료 비용으로 연평균 각각 86달러, 137달러, 그리고 1,107달러를 더 지출하였다.[48]

건강정보이해능력이 부족한 사람들의 불량한 건강 상태와 높은 보건의료 서비스 이용률은 미국 보건의료 체계에서 연간 500억 달러에서 730억 달러 정도의 초과 비용을 발생시키는 것으로 전문가들은 추산하였다. 보건의료 전략 센터(Center for Health Care Strategies)에 따르면 이 정도 규모의 비용은 병의

원 진료, 치과 진료, 가정 간호, 약품, 요양 간호 비용을 합친 메디케어 연간 지출액에 해당한다.

환자 안전

환자 안전에 대해서 발표된 연구는 거의 없지만 문해력 기술 부족이 환자들의 약물 복용 실수와 연관성이 있는 것으로 추정된다. 사실 이러한 추정의 근거가 될 만한 이론적인 연구는 많다. 먼저, 환자 교육 소책자와 유인물은 일반적으로 대다수 성인이 이해할 수 없는 읽기능력 수준으로 적혀 있어서 진단과 치료에 관한 개념 이해도를 떨어뜨린다.[51~56] 두 번째로, 약국에서 표준 투약 설명서를 받을 때 상당수 환자들이 그 설명서의 내용을 정확하게 이해하지 못하는 것으로 나타난다.

예를 들면, 최근의 한 연구 결과 설사를 하는 소아의 경구용 수분공급 용제를 지침대로 준비하라고 했을 때 환자의 75% 이상이 정확하게 지침대로 수행할 수 없었고, 반 정도는 자녀의 기침 약병에 적힌 복용량을 정확하게 알아내지 못했다.[57] 또한 투약 설명서에 대한 부모의 주의 부족이나 오해로 인해서 소아용 알부테롤 흡입제 사용에 오류가 있었다는 연구 보고도 있다.[58] 한편, 문해력이 부족한 사람의 비율이 상당히 높은 카운티병원(county hospital)에서의 연구 결과 당뇨병 환자 다수가 인슐린의 용량 조절 및 복용 과정에 잘못을 범하였다.[59]

이러한 복용 실수로 인한 위해 가능성은 엄청난 결과를 초래할 수 있다. 약품의 레벨을 읽고 이해하는 데 어려움이 있는 환자가 저지르는 실생활의 복용 실수를 기록·연구한 결과 중 일부는 심각한 실수였다.[60] 이 문제는 영어가 모국어가 아닌 사람들에게서 특히 심각하다. 번역 회사에서 수행한 최근의 한 조사에서 스페인어, 러시아어, 중국어, 힌디어가 모국어인 응답자 592명 중 1/3이 진료실을 나설 때 약물 복용 방법을 이해하지 못한다고 하였고 28%는 약물 복용에 대해 추측을 하게 된다고 하였다.[61] 이 조사에서는 심각한 결과를 낳을 수 있는 실수로 스페인어 사용 환자는 하루 1회 복용 투약 지시를 하루 11회 복용으로 쉽게 혼동할 수 있다는 것을 사례로 든다. 스페인어의 *once*는 11을 의미하기 때문이다.

건강정보이해능력 부족의 요인

미국의 건강정보이해능력 부족에는 다양한 요인들이 작용한다. 이러한 요인들은 서로 복잡하게 얽혀 있는 경우가 많지만 논의의 전개를 위해서 의료 체계 요인, 보건의료제공자 요인, 환자 요인으로 구분할 수 있다.

의료 체계의 요인

체계상의 요인에는 약물 치료, 시간, 자가 치료, 치료 단절, 보험과 서류작업 등이 있다.

약물 치료

효과적인 신약 개발은 환자들에게 많은 혜택을 안겨 주었지만 치료를 보다 복잡하게 하기도 하였다. 이용 가능한 치료약물의 수는 1960년대 수백 개 수준에서 현재는 11,000개 이상이 되었고,[62] 요즘 많은 환자들이 매일 다중투약을 하고 있고 심지어는 하루에 5~10개 이상의 투약을 하는 경우도 있는 실정이어서 정량 복용에 혼란을 일으킬 가능성이 있다.

이러한 약제를 적절하게 복용하기 위해서는 간혹 복잡한 주의사항을 지켜야 한다는 필요성 때문에 문제가 가중된다. 실제로 복용 설명서에는 하루 중 복용 시간, 음식물 및 다른 약제와의 관련성, 심지어는 약을 복용할 때의 자세 등의 구체적인 내용을 담고 있는 경우가 많다. 예를 들면, 골다공증 치료를 위한 비스포스포네이트(bisphosphonate)는 매주 정해진 요일 기상 직후 공복상태에서 다량의 물과 함께 복용해야 한다. 뿐만 아니라 환자는 허리를 바로 편 자세에서 약을 복용하고 이후 30분 동안 그 자세를 유지해야 한다. 이 지시사항을 따르지 않으면 치명적인 합병증을 유발할 수 있는 식도 천공을 동반한 궤양이 생길 수 있다.

혈당의 변화 수치에 따른 인슐린 용량 조절 등 더욱 복잡한 약제 복용 방법들이 있다. 이런 복용 설명을 따르기란 교육 수준이 매우 높고 자기 관리가 잘 되는 사람조차도 어려운 일인데 3학년 수준의 읽기 기술을 가진 사람에게는 불가능할 것으로 생각된다.

시간

치료 방법이 점점 더 복잡해지고 더 많은 설명이 필요해짐에 따라 의료제공자들이 환자와 보낼 수 있는 시간은 더 부족해진다. 1차 진료의사가 진료실을 찾아온 환자와 보낸 시간은 중앙값으로 겨우 17분이다.[63] 심지어 여러 가지 질환을 앓고 있어서 다중 약제 처방을 받고 있을 가능성이 높은 85세 이상 환자의 경우에도 22분 정도에 불과하다.[64] 진료실 방문 시간 대부분은 생의학적 질문, 이학적 검사, 서류 작성에 사용된다. 환자의 질문에 대답을 하고 환자의 의학적 상황과 치료에 대해 환자에게 자세히 설명하는 데 할당되는 시간은 거의 없다. 한 연구 결과에 따르면 고작 8%에 불과하였다.[65]

자가 치료

문해력이 부족한 환자에게 어려움을 야기하는 또 다른 의료 체계 요인은 병원 입원 기간이 짧아지면서 병원 외부에서 해야 할 치료가 더 많아진다는 점이다. 심근경색 발병 며칠 후면 환자들은 퇴원을 한다. 새로 당뇨병 진단을 받은 환자들은 포괄적인 환자 교육이 필요하지만 통상적 외래 환자로 관리된다. 심지어 수술 상당수가 당일 외래 수술 센터를 통하여 이루어질 뿐더러 수술 후에도 환자들은 집에서 혼자 힘으로 회복하고 치료해야 하는 경우가 많다.

환자 자가 치료에는 일반적으로 서면 설명서를 이해할 수 있는 능력이 필요하지만 환자 중 상당수는 이 설명서를 이해하지 못한다.[66] 그렇지만 장기 이식과 같은 복잡한 의료 문제나 시술이라 하더라도 개인 맞춤형 교육 프로그램을 통하여 문해력이 부족한 환자에게도 효과적인 가정 치료 설명서를 제공할 수 있을 것이다.[67] 안타깝게도 이러한 개인 맞춤형 교육 프로그램의 혜택을 대부분의 환자가 누릴 수 있는 것은 아니다.

치료의 단절

1차 진료 "주치의"(primary care "home")가 환자 치료의 제공 및 조정 역할 대부분을 담당하도록 하려는 노력에도 불구하고 미국 내 연간 8억 8천만 건의 진료실 방문 중 단지 절반만이 1차 진료 주치의를 방문한 것이었다. 게다가 환자들 중 많은 수가 1차 외래 진료 의사에게서 치료를 받지 않았다. 2001년 병원 외래 진료는 8천4백만 건이었고[68] 응급실 진료는 1억 8백만 건이었다.[69] 결국 만성질환자들이 여러 지역에서 전공 분야가 서로 다른 여러 명의 의사에게서 진료를 받는다는 것이다. 이런 경우 의사들이 서로간에 의견을 교환하는 경우는 흔하지 않으며 여러 의사들 간에 환자 정보와 치료계획을 전달해 줄 책임은 사실상 환자의 몫이 된다. 문해력 기술이 부족하고 의료 용어를 잘 이해하지 못하는 환자들이 "의사들 사이에서 전달자" 역할을 하기란 쉽지 않다.

보험 및 서류작업

마지막으로 환자가 치료를 받으려면 보험회사, 보험 상품, 관공서, 원무과에 적절한 등록절차를 거쳐야 한다. 등록을 하기 위해서는 자격 규정을 이해하여야 하고 신청서를 작성할 수 있어야 하는데 이것들은 대개 복잡한 법률 용어로 제시되어 있다. 문해력이 낮은 사람들은 내용이 헷갈리는 동의서를 처리하거나 심지어는 이해하기도 어려워서 결국 적절한 보험 혜택을 받을 수 없거나 포기한다.

환자들이 이해하지 못하는 것이 비단 보험약관과 동의서만은 아니다. 연구 결과 퇴원 안내문,[70] 시술 동의서,[71,72] 연구 참여 동의서[73] 등도 환자 대부분이 이해하지 못할 정도로 어렵게 작성되어 있다고 일관되게 지적되고 있다. 사실 연구 참여 동의서 이해에 필요한 평균적 읽기 수준은 연구 대상의 인권 보호를 위한 임상연구심의위원회(Institutional review board, IRB)의 승인을 받았다고 하더라도 거의 11학년 수준으로 평균적 미국인의 읽기 수준인 8학년 수준을

훨씬 상회하는 것이다.[74]

보건의료제공자 요인

보건의료제공자 또한 문해력이 부족한 환자들이 겪는 어려움의 상당한 원인 제공자이다. 무엇보다도 우선하는 것은 환자들이 의료 개념과 정보에 대해서 무엇을 알고 무엇을 모르는지 의사들이 잘 모른다는 것이다. 예를 들면, 많은 의사들이 *유방촬영(mammogram)* 혹은 *집단검진(screening test)* 같은 용어를 환자가 잘 알고 있을 거라고 생각하면서 사용하지만 앞서 언급한 바와 같이 문해력이 부족한 사람들은 이 용어를 이해하지 못한다.[39] 수술 절차 및 만성질환 혹은 투약 방법 설명에 사용되는 용어처럼 더 복잡한 정보는 환자들이 이해하기에 더욱 어려울 수 있다.

더욱이 의사들은 시간에 쫓기는 경우가 많기 때문에 환자들이 들은 내용을 이해하는지 확인할 수 있는 시간적 여유를 가지지 못한다. 의사-환자 상호관계를 다룬 우수한 연구가 부족하기는 하지만,[75] 일부 연구에 의하면 다른 나라 의사에 비하여 미국 의사들은 환자의 요구와 이해에 대한 의사소통에 초점을 맞추기보다는 지시적인 질문으로 의사와 환자의 만남을 "조정"하는 경향이 있다.[76,77]

정보를 효과적으로 전달하고 환자의 이해력을 높일 수 있는 방안에 대해 보건의료제공자를 교육함으로써 문제점을 개선할 수 있다. 실제로 이러한 교육을 제공하기 위한 일부 노력이 있었지만,[78,79] 일반적으로 의사와 의대생들을 대상으로 하는 대부분의 의사소통 교육 과정은 환자와의 공감대 형성, 경청 기술, 어려운 환자 다루기 등 의사소통 측면을 강조하고 중요한 건강정보에 대한 환자의 이해력 향상에 초점을 맞춘 교육 과정은 거의 없다.[80~82]

환자 요인

환자가 지니고 있는 문해력 부족의 여러 요인들(가령, 교육의 부재, 기록 정보이해의 어려움, 의료 용어에 익숙하지 않음)이 이미 논의되었지만 몇 가지 다른 요인들도 있다. 특히 문해력 기술이 부족한 환자들은 보건의료 체계와의 원활한 상호작용에 방해가 되는 특성을 안고 있는 경우가 많다. 구체적으로 말하자면, 문해력이 부족한 환자들은 자신감이 부족하기 때문에 보건의료 체계로부터 자신이 원하는 것을 찾아서 얻어내지 못하고 대신에 보건의료 체계가 제공하는 것을 그대로 받아들이게 된다.[83] 자신감 고취는 성공적인 환자 교육을 위해서 그리고 오늘날의 복잡한 보건의료 체계에 잘 대처하기 위해서 필수적이다.[84,85] 자신감 결여로 환자는 알아야 할 것을 알지 못하게 되고 그럼으로써 필요한 치료를 받지 못할 가능성이 커진다. 실제로 연구 조사 결과 약물 치료를 받는 환자 대부분은 문해력 기술 수준과는 무관하게 복용 약에 대하여 의사에게 전혀 질문을 하지 않는 것으로 나타난다.[86] 복용 약물에 대한 질문을 하는 비율은 문해력 수준이 낮은 사람들에서는 매우 낮을 것으로 생각된다.

이와 관련된 또 한 가지 문제는 수치심이다. 자신의 문해력 기술능력이 부족하다는 것을 알고 있는 환자들은 이 사실을 부끄러워하며 다른 사람에게 쉽게 그 사실을 알리지 않는다는 보고가 많다. 사실 문해력이 부족한 사람들은 대부분 글을 잘 못 읽는다는 사실을 배우자나 자녀에게 드러내지 않으며 보건의료제공자에게 밝힌 경우는 거의 없었다.[87] 이러한 환자들이 의료제공자의 말을 잘 이해하지 못할 때 가지게 되는 수치심과 자신감 결여는 장애 요인으로 작용하여 질병 예방 및 치료 처방을 이해하는 데 필요한 명확한 설명을 요구하지 못하게 할 것이다.[60]

건강정보이해능력 향상의 장애물

미국인의 건강정보이해능력 향상에는 수많은 장애물이 있다. 하지만 두 가지 확실한 장애물은 교육체계 그리고 다름 아닌 보건의료 체계이다.

교육체계

가장 중요한 장애물 중 하나인 미국 교육체계는 보건 전문가의 권한 밖 영역이다. 앞에서 언급한 것처럼 십년마다 수백만 명의 학생들이 학업을 중도 포기하고 있고 학교를 졸업한 경우에도 문해력이 부족한 경우가 많다. 실제로, NALS에서 1단계 읽기 능력을 가진 사람 중 25% 가량이 고등학교 졸업자이다. 이 통계치는 미국 교육체계가 학생들의 읽기 교육에 효과적이지만은 않다는 점을 말해준다. 그런데 일반적인 읽기 기술을 제대로 갖추지 못했다면 건강정보이해능력을 가지기란 매우 어려울 것이다.

이러한 학업 성취 부진의 한 요인으로 미국 어린이의 35% 정도가 일반 문해력을 제대로 획득하는 데 필요한 언어 기능을 갖추지 못하고 유치원에 들어간다는 점을 들 수 있다.[88] 이 아이들은 부모가 문해력이 낮아서 가정에서 자녀에게 읽기 환경을 잘 제공하지 못하는 경우이다. 이러한 장애 요인을 극복하기 위한 시도들이 진행 중인데 그 중 하나가 1차 진료 의사들의 권장으로 부모가

표 2-3 세계 고등학생들의 과학 지식 순위

순위	국가	순위	국가
1	대한민국	15	헝가리
2	일본	16	아이슬랜드
3	핀란드	17	벨기에
4	영국	18	스위스
5	캐나다	19	스페인
6	뉴질랜드	20	독일
7	호주	21	폴란드
8	오스트리아	22	덴마크
9	아일랜드	23	이탈리아
10	스웨덴	24	그리스
11	체코	25	러시아
12	프랑스	26	포르투갈
13	노르웨이	27	멕시코
14	미국	28	브라질

출처: US Department of Education National Center for Education Statistics. *Outcomes of Learning: Results From the 2000 Program for International Student Assessment of 15-Year-Olds in Reading, Mathematics, and Science Literacy.* NCES 2002-115. Washington, DC: 2001.

자녀에게 글을 읽어 주도록 하는 중재 프로그램인 "손 내밀어 읽어 주기" (Reach Out and Read) 프로그램이나.[69]

그 외 효과적인 건강정보이해능력 보유에 필요한 교육 요건은 과학 개념에 대한 기본 지식이다. 현재 미국 교육체계는 학생들에게 이러한 개념을 제대로 가르치지 않고 있다. 미국 고등학생들의 과학 지식 점수는 다른 나라 학생들과 비교했을 때 경제협력개발기구(OECD) 가입국 중 겨우 14위이다(표 2-3). 미국 학생 중 75%만이 고등학교에서 한 개 이상의 과학 과목을 수강하고 있으며 생물학은 가장 인기 있는 과학 과목이지만 생물학 기본 교과 과정에서는 건강과 질병 개념에는 중점을 두지 않고 있다.[91,92] 고등학생 6명 중 단 한 명만이 이러한 상급 개념을 배울 수 있는 상위 수준의 생물학 교과과정을 수강하고 있다.[91] 그 결과 대부분은 아니지만 고등학교 졸업자 다수가 심장질환, 당뇨병, 암 등 본인 혹은 가족의 건강문제에서 부딪히게 될지도 모르는 질병의 해부학, 생리학 원인 측면의 내용을 충분히 이해하지 못한다.

보건의료 체계

건강정보이해능력에 관한 모든 문제를 미국 교육체계의 탓으로 돌리는 것은 우를 범하는 것일 수 있다. 실제로는 다름 아닌 보건의료체계가 건강정보이해 능력 향상에 장애가 되는 경우가 많다.

앞서 논의한 바와 같이 환자와 대면하는 의사 등 여러 관계자들은 건강정보 이해능력 부족과 관련된 문제를 인식하지 못하는 경우가 간혹 있다. 설사 인식 하고 있다 하더라도 시간을 그다지 들이지 않고 효과적으로 의사소통할 수 있 는 기술이 부족하다. 또한 환자의 이해를 돕기 위한 노력이 있더라도 건강정보 서비스와 보건의료 서비스를 환자의 건강정보이해능력 기술에 맞추려는 통합 된 노력이 부재하기 때문에 이것은 방해를 받을 수 있다. 이러한 노력이 이루 어지더라도 효율적이며 비용 효과적으로 변화를 실행에 옮길 명확한 체계가 없는 경우가 많다.

이러한 문제를 해결하기 위해서는 건강정보이해능력이라는 과제가 비단 환자만의 것이 아니라 보건의료 체계가 함께 관심을 가져야 한다는 사실이 검토되어야 한다. 보건의료 단체가 건강정보이해능력을 환자 치료의 한 요소로 인식해 나갈 수 있도록 하는 노력이 필요하다. 더불어 보건의료제공자들을 대상으로 효과적인 의사소통 교육 과정을 개발하고 이들로 하여금 이러한 교육내용을 실행에 옮길 수 있도록 동기부여하는 요인에는 어떤 것이 있는지 파악하기 위한 연구가 필요하다. 환자의 문해력 기술과 선호도를 고려해서 건강정보 자료를 개발·검증하고 이러한 검증된 자료의 폭넓은 사용을 권장하는 체계가 자리 잡혀야 한다.

결론

일반 문해력 부족과 건강정보이해능력 부족은 미국 환자들 사이에서 일반적인 현상인데 특히 특정 인구사회학적 특성을 가진 집단에서 더욱 그러하다. 이러한 인구집단에는 노인층, 소수민족, 교육수준이 낮은 사람들, 이민자, 저소득층 등이 포함된다. 일반 문해력 부족과 건강정보이해능력 부족은 낮은 건강관련 지식 수준, 불량한 건강 상태, 높은 보건 서비스 이용률, 높은 보건의료비와 관련이 있다.

건강정보이해능력 부족과 불량한 건강 결과 사이에는 많은 요인들이 관련되어 있다. 이 요인들로는 보건의료 체계, 환자 요인, 제공자의 행태 등을 들 수 있는데 이 모든 것들이 효과적인 보건의료 서비스에 장애가 되고 있다. 이러한 장애를 파악하는 것은 보건의료 환경에서 요구되는 문해력과 평균적인 미국인이 가지고 있는 문해력 기술 간의 격차를 해소하는 시발점이 될 것이다.

참고 문헌

1. US Department of Health and Human Services. Health Communication (Chapter 11). *Healthy People 2010*. 2nd ed. *With Understanding and Improving Health and Objectives for Improving Health*. 2 vols. Washington, DC: US Government Printing Office, November 2000.

2. Davis TC, Michielutte R, Askov EN, Williams MV, Weiss BD. Practical assessment of adult literacy in health care. *Health Educ Behav*. 1988;25:613-624.

3. Davis TC, Crouch MA, Long SW, et al. Rapid assessment of literacy levels of adult primary care patients. *Fam Med*. 1991;23:433-435.

4. Parker RM, Baker DW, Williams MV, Nurss JR. The test of functional health literacy in adults: a new instrument for measuring patients' literacy skills. *J Gen Intern Med*. 1995;10:537-541.

5. Kirsch I, Jungeblut A, Jenkins L, Kolstad A. *Adult Literacy in America: A First Look at the Result of the National Adult Literacy Survey*. Washington, DC: National Center for Education Statistics, US Department of Education; September 1993.

6. Gasmararian JA, Baker DW, Williams MV, et al. Health literacy among Medicare enrollees in a managed care organization. *JAMA*. 1999;281:545-551.

7. Gazmararian JA, Williams MV, Peel J, Baker DW. Health literacy and knowledge of chronic disease. *Patient Educ Couns*. 2003;51:267-275.

8. Scott TL, Gazmararian JA, Williams MV, Baker DW. Health literacy and preventive health care use among Medicare enrollees in a managed care organization. *Med Care*. 2002;40:395-404.

9. Baker DW, Gazmararian JA, Sudano J, Patterson M. The association between age and health literacy among elderly persons. *J Gerontol B Psychol Sci soc Sci*. 2000;55:S368-S374.

10. Weiss BD, Reed RL, Kligman EW. Literacy skills and communication methods of low-income older persons. *Pat Educ Couns*. 1995;25:109-119.

11. Gausman BJ, Forman WB. Comprehension of written health care information in an affluent geriatric retirement community: use of the test of functional health literacy. *Gerontol*. 2002;48:93-97.

12. Fowles D, Greenberg S. *A Profile of Older Americans*. Washington, DC:Administration on Aging, Department of Health and Human Services, 2001. Available at www.aoa.gov/aoa/stats/profile. Accessed December 29, 2003.

13. Medicare Program Spending. Centers for Medicare and Medicaid Services, Office of the Actuary, June 2002. Available at www.cms.hhs.gov/charts/default.asp. Accessed December 29, 2003.

14. Jones AR, Thompson CJ, Oster RA, et al. Breast cancer knowledge, beliefs, and screening behaviors among low-income, elderly black women. *J Natl Med Assoc*. 2003;95:791-797, 802-805.

15. Sharp LK, Zurawski JM, Roland PY, O' Toole C, Hines J. Health literacy, cervical cancer risk factors, and distress in low-income African-American women seeking colposcopy. *Ethn Dis*. 2002;12:541-546.

16. Van Servellen G, Brown JS, Lombardi E, Herrera G. Health literacy in low-income Latino men and women receiving antiretroviral therapy in community-based treatment centers. *AIDS Patient Care STDS*. 2003;17:283-298.

17. Pratt CA, Ha L, Levine SR, Pratt CB. Stroke knowledge and barriers to stroke prevention among African Americans: implications for health communication. *J Health Commun*. 2003;8:369-381.

18. Young BA. Public High School Dropouts and Completers from the Common Core of Data: School Years 1998-1999 and 1999-2000. National Center for Education Statistics. US Department of Education. Office of Educational Research and Improvement. *Educ Tab*. August 2002. NCES 2002-382. Available at http://nces.ed.gov/pubs2002/2002382.pdf. Accessed December 29, 2003.

19. Westermeyer J, Her C. Predictors of English fluency among Hmong refugees in Minnesota: a longitudinal study. *Cult Divers Ment Health*. 1996;154:771-777.

20. Sanders LM, Gershon TD, Huffman LC, Mendoza FS. Prescribing books for immigrant children: a pilot study to promote mergent literacy among the children of Hispanic immigrants. *Arch Pediatr Adolesc Med*. 2000;154:771-777.

21. Sohng KY, Sohng S, Yeom HA. Health-promotion behaviors of elderly Korean imigrants in the United States. *Public Health Nurs*. 2002;19:294-300.

22. Clark L, Mexican-origin mothers' experiences using children' s health care services. *West J Nurs Res*. 2002;24:159-179.

23. Williams MV, Parker RM, Baker DW, et al. Inadequate functional health literacy among patients at two public hospitals. *JAMA*. 1995;274:1677-1682.

24. Schmidley D. The foreign born population in the United States, March 2002. Population characteristics. Population Reports. US Department of Commerce. Us Census Bureau. February 2003. Available at www. census.gov/prod/2003pubs/p20-539.pdf. Accessed December 29, 2003.

25. Greenberg E, Macias RF, Rhodes D, Chan T. US Department of Education. National Center for Education Statistics. *English Literacy and Language Minorities in the United States*. NCES 2001-464. Washington, DC:2001.

26. Weiss BD, Blanchard JS, McGee DL, et al. Illiteracy among Medicaid recipients and its relationship to health care costs. *J Health Care Poor Undeserved*. 1994;5:99-111.

27. Williams MV, Parker RM, Baker DW, et al. Inadequate functional health literacy among patients at two public hospitals. *JAMA*. 1995;274:1677-1682.

28. *Profiles of State Programs: Adult Education for the Homeless*. Division of Adult Education and Literacy, US Department of Education, 1990. Available at: http://ericae.net/ericdb/ED327730.htm. Accessed December 29, 2003.

29. O' Neil-Pirozzi TM. Language functioning of residents in family homeless shelters. *Am J Speech Lang Pathol*. 2003;12:229-242.

30. Goering P, Tolomiczenko G, Sheldon T, Boydell K. Wasylenki D. Characteristics of persons who are homeless for the first time. *Psychiatr Serv*. 2002;53:1472-1474.

31. Christensen RC, Grace GD. The precvalence of low literacy in an indigent psychiatric population. *Psychiatr Serv*. 1999;50:262-263.

32. Haigler KO, Harlow C, O' Connor P, Campbell A. *Literacy behind Prison Walls. Profiles of the Prison Population from the National Adult Literacy Survey*. Washington, DC: US Government Printing Office. 1994.

33. US Department of Justice. Office of Justice Programs, Bureau of Justice Statistics. Prison and jail inmates at midyear 2002. Report number NCJ 198877, April 2003. Available at www.opj.usdoj.gov/bjs/abstract/pjim02.htm. Accessed December 29, 2003.

34. Hegerfield M. Reading, Writing and the American Soldier: A Study of Literacy in the American Armed Forces. Fort Wayne, Ind: Department of Education, Purdue university at Fort Wayne, 1999. Available at: http://ericae.net/ericdc/ED429281.htm. Accessed December 29, 2003.

35. Williams MV, Baker DW, Parker RM, Nurss JR. Relationship of functional health literacy to patients' knowledge of their chronic disease: a study of patients with hypertension or diabetes. *Arch Intern Med*. 1998;158:166-172.

36. Arnold CL. Davis TC, Berkel HJ, Jackson RH, Nandy I, London S. Smoking status, reading level, and knowledge of tobacco effects among low-income pregnant women. *Prev Med*. 2001;32:313-320.

37. Williams MV, Baker DW, Honig EG, Lee TM, Nowlan A. Inadequate literacy is a barrier to asthma knowledge and self-care. *Chest*. 1998;1114:1008-1015.

38. Davis TC, Arnold C, Berkel HJ, Nandy I, Jackson RH, Glass J. Knowledge

and attitude on screening mammography among low-literate, low-income women. *Cancer.* 1996;78:1912-1920.

39. Davis TC, Dolan NC, Ferreira MR, et al. The role of inadequate helath literacy skills in colorectal cancer screening. *Cancer Invest.* 2001;19:193-200.

40. Baker DW, Parker RM, Williams MV, Clark WS, Nurss J. The relationship of patient reading ability to self-reported health and use of health services. *Am J Public Health.* 1997;87:1027-1030.

41. Kalichman SC, Rompa D. Functional health literacy is associated with health status and helth-related knowledge in people living with HIV-AIDS. *J Acquir Immune Defic Syndr.* 2000;25:337-344.

42. Schillinger D, Grumbach K, Piette J, et al. Association of health literacy with diabetes outcomes. *JAMA.* 2002;288:475-482.

43. Weiss BD, Hart G, McGee D, D' Estelle S. Health status of illiterate adults: relation between literacy and health status among persons with low literacy skills. *J Am Board Fam Pract.* 1992;5:257-264.

44. Bennett CL, Ferreira MR, Davis TC, et al. Relation between literacy, race, and stage of presentation among low-income patients with prostate cancer. *J Clin Oncol.* 1998;16:3101-3104.

45. Baker DW, Gazmararian JA, Williams MV, et al. Functional health literacy and the risk of hospital admission among Medicare managed care enrollees. *Am J Public Health.* 2002;92:1278-1283.

46. Baker DW, Parker RM, Williams MV, Clark WS. Health literacy and the risk of hospital admission. *J Gen Intern Med.* 1998;13:791-798.

47. Weiss BD, Palmer R, Relationship between health care costs and very low literacy skills in a medically needy and indigent Medicaid population. *J Am Board Fam Pract.* 2004;17:44-47.

48. Howard DH. The Relationship between Health Literacy and Medical Costs. In: Institute of Medicine. *Health Literacy: A Prescription to End Confusion.* Nielsen-Bohlman LT, Panzer AM, Hamlin B, Kindig DA, eds. Committee on Health literacy, Board on Neuroscience and Behavioral Health. Washington, DC: National Academies Press; 2004.

49. Friedland RB. *Understanding Health Literacy: New Estimates of the Costs of Inadequate Health Literacy.* Washington, DC, National Academy on an Aging Society; 1998.

50. Anonymous. Fact sheet: Low health literacy skills increase annual health care expenditures by $73 billion. Lawrenceville, NJ: Center for Health Care Strategies; 1998.

51. Davis TC, Mayeaux EJ, Frederickson D, Bocchini KA Jr, Jackson RH,

Murphy PW. Reading ability of parents compared with reading levels of pediatric patient education materials. *Pediatr.* 1997;93:460-468.

52. Glazer HR, Kirk LM, Bosler FE. Patient education pamphlets about prevention, detection, and treatment of breat cancer for low literacy women. *Patient Educ Couns.* 1996;27:185-189.

53. Estrada CA, Hryniewicz MM, Higgs VB, Collins C, Byrd JC. Anticoagulant patient information material is written at high readability levels. *Stroke.* 2000;31:2966-2970.

54. Wilson FL. Are patient information materials too difficult to read? *Home Health Nurse.* 2000;18:107-115.

55. Wallace LS, Lennon ES. American Academy of Family Physicians patient education materials: Can patients read them? *Fam Med.* In press.

56. Wilson FL, Williams BN. Assessing the readability of skin care and pressure ulcer patient education materials. *J Wound Ostomy continence Nurs.* 2003;30:224-230.

57. Patel VL, Branch T, Arocha JF. Errors in interpreting quantities as procedures: the case of pharmaceutical labels. *Int J Med Inf.* 2002;65:193-211.

58. Simon HK. Caregiver knowledge and delivery of a commonly prescribed medication (albuterol) for children. *Arch Pediatr Asolesc Med.* 1999;153:615-618.

59. Newman KD, Weaver MT. Insulin measurement and preparation among diabetic patients at a county hospital. *Nurse Pract.* 1994;19:44-45, 48.

60. Baker DW, Parker RM, Williams MV, et al. The health care experience of patients with low literacy. *Arch Fam Med.* 1996;5:329-334.

61. Anonymous. Nearly one in ten children have been given medication incorrectly due to poor translation. New York, NY: Transperfect Translations. April 2, 2003. Available at www.transperfect.com/tp/eng/rxepidemic.html. Accessed December 29, 2003.

62. Klasco RK, ed. USP DI. Drug Information for the Healthcare Professional. Thomson Micromedex, Greenwood Village, Co;2003.

63. Cherry DK, Burt CW, Woodwell D. Natioanl Ambulatory Medical Care Survey: 2001 Summary. *Advance Data from Vital and Health Statistics.* No 337. Hyattsville, Md: National Center for Health Statistics; 2003.

64. Mann S, Sripathy K, Siegler EL, Davidow A, Lipkin M, Roster DL. The medical interview: differences between adult and geriatric outpatients. *J Am Geriatr Soc.* 2001;49:65-71.

65. Roter DL, Stewart M, Putnam SM, Lipkin M Jr, Stiles W, Inui TS. Communication pattersn of primary care physicians. *JAMA.* 1997;277:350-

356.

66. O' Shea HS. Teaching the adult ostomy patient. *J Wound Ostomy Continence Nurs.* 2001;28:47-54.

67. Blanchard WA. Teaching an illiterate transplant patient. *ANNA J.* 1998;25:69-70, 76.

68. Hing E, Middleton K. National Hospital Ambulatory Medical Care Survey: 2001 Outpatient Department Summary. *Advance Data from Vital and Health Statistics;* no.338, Hyattsville, Md: National Center for Health Statistics; 2003.

69. McCaig LF, Burt CW. National Hospital Ambulatory Medical Care Survey: 2001 Emergency Department Summary. *Advance Data from Vital and Health Statistics;* no.335, Hyattsville, Md: National Center for health Statistics; 2003.

70. Spandorfer JM, Karras DJ, Hughes LA, Caputo C. Comprehension of discharge instructions by patients in an urban emergency department. *Ann Emerg Med.* 1995;25:71-74.

71. Hopper KD, TenHave TR, Tully DA, Hall TE. The readability of currently used surgical/procedure consent forms in the United States. *Surgery.* 1998;123:496-503.

72. Hopper KD, TenHave TR, Hartzel J. Informed consent forms for clinical and research imaging procedures: how much do patients understand? *Am J Roentgenol.* 1995;164:493-496.

73. Grossman SA, Piantadosi S, Covahey C. Are informed consent forms that describe clinical oncology research protocols readable by most patients and their families? *J Clin Oncol.* 1994;12:2211-2215.

74. Paasche-Orlow MK, Taylor HA, Brancati FL. Readability standards for informed-consent forms as compared with actual readability. *N Engl J Med.* 2003;348:721-726.

75. Beck RS, Daughtridge R, Sloane PD. Physician-patient communication in the primary care office: a systematic review. *J Am Board Fam Pract.* 2002;15:25-38.

76. Ohtaki S, Ohtaki T, Fetters MD. Doctor-patient communication: a comparison of the USA and Japan, *Fam Pract.* 2003;20:276-282.

77. Bensing JM, Roter DL, Hulsman RL. Communication patterns of primary care physicians in the United States and the Netherlands. *J Gen Intern Med.* 2003;18:335-342.

78. Weiss BD. *Health Literacy: A Manual for Clinicians.* Chicago, Ill: American Medical Association Foundation; 2003.

79. Health Literacy: Help Your Patients Understand. Chicago, Ill: American

Medical Association and American Medical association Foundation; 2003.

80. Wagner PJ, Lentz L, Heslop SD. Teaching communication skills: a skills-based approach. *Acad Med.* 2002;77:1164.

81. Roth CS, Watson KV, Harris IB. A communication assessment and skill-building exercise (CASE) for first-year residents. *Acad Med.* 2002;77:746-747.

82. Ang M. Advanced communication skills: conflict management and persuasion. *Acad Med.* 2002;77:1166.

83. Wallerstein N. Health and safety education for workers with low-literacy or limited-English skills. *Am J Ind Med.* 1992;22:751-765.

84. Wallerstein N. Empowerment to reduce health disparities. *Scand J Public Health.* 2002;59(suppl):72-77.

85. Roter DL, Stashefsky-Margalit R, Rudd R. Current perspectives on patient education in the US. *Patient Educ Couns.* 2001;44:79-86.

86. Sleath B, Roter D, Chewning B, Svarstad B. Asking questions about medication: analysis of physician-patient interactions and physician perceptions. *Med Care.* 1999;37:1169-1173.

87. Parikh NS, Parker RM, Nurss JR, Baker DW, Williams MV. Shame and health literacy: the unspoken connection. *Patient Educ Couns.* 1996;27:33-39.

88. Boyer EL. *Ready To Learn: A Mandate for the Nation.* Princeton, NJ: The Carnegie Foundation for the Advancement of Teaching; 1991.

89. High PC, LaGasse L, Becker S, Ahlgren I, Gardner A. Literacy promotion in primary care pediatrics: can we make a difference? *Pediatr.* 2000;105(suppl):927-934.

90. Lemke M, Calsyn C, Lippman L, et al. Outcomes of Learning: Results from the 2000 Program for International Students Assessment of 15-Year-Olds in Reading, Mathematics, and Science Literacy. NCES 2002-115. Washington, DC: National Center for Education Statistics, US Department of Education; September 1993. Available at http://nces.ed.gov/pubsearch/pubsinfo. asp?pubid=2002115. Accessed December 29, 2003.

91. National Center for Education Statistics. *The 1998 High School Transcript Study Tabulations: Comparative Data on Credits Earned and Demographics for 1998, 1994, 1990, 1987, and 1982 High School Graduates.* Us Department of Education, Office of Educational Research and Improvement. NCES 2001-498. May 2001. Available at http://nces.ed.gov/pubsearch/pubsinfo.asp?pubid=2001498. Accessed December 29, 2003.

92. Schmidel DK, Wojcik WG. Biology Guide. High School Hub Interactive Learning Center, 2003. Available at http://highschoolhub.org/hub/biology.cfm. Accessed December 29, 2003.

환자의 입장

리마 E. 루드(Rima E. Rudd)(MSPH, ScD) 편술

서론

건강정보이해능력에서 환자의 입장이란 환자가 보건의료 환경에서 문해력의 필요성을 느낀 경험과 이러한 필요에 직면하였을 때의 자신감 혹은 부족감을 복합적으로 일컫는다. 이것은 미국 성인의 문해력의 실상에 비추어 볼 때 새로운 중요성을 가지게 된다.

제2부에서는 먼저 1992년 미국 정부가 실시한 미국 성인 문해력 조사(National Adult Literacy Survey, NALS) 결과를 설명한다. NALS에서는 일상적인 과제 처리를 위해 기록된 단어를 활용할 수 있는 성인의 능력을 측정하였고 일반적인 5개의 문해력 기술 중 읽기, 쓰기, 셈하기의 세 가지에 초점을 맞추었다. 3장에서 커밍스(Comings)와 키르슈(Kirsch)의 설명처럼 NALS 조사 결과에 따르면 미국에서 순수하게 문맹인 성인은 비교적 없는 편이지만 21세기의 생활이 요구하는 문해력에 직면해서는 거의 절반이 불편을 겪고 있다.

4장에서 스트러커(Strucker)와 데이비슨(Davidson)은 의무 교육이 시행되고 있는 산업국가에서 어떻게 이러한 상황이 일어날 수 있는지를 설명한다. 먼저 읽기 기술의 구성과 발달 단계를 설명하고 성인 읽기 구성 연구(Adult Reading Component Study) 결과를 제시한다. 여기에서 드러난 결과를 통해

가족 자원, 학교 교육, 학업 성취/부진 등이 어떻게 각 단계의 읽기 능력 발달을 저해하는지를 살펴볼 수 있다. 마지막 결론으로 교육적 관점에서 문해력 기능이 부족한 성인과의 상호 작용을 최적화할 수 있는 방안을 보건의료제공자에게 제안한다.

이런 논의들은 보건의료 환경에서 성인이 직면하게 되는 문해력 필요성 탐구에 토대가 된다. 5장에서 루드(Rudd) 등은 가정, 직장, 지역사회, 보건의료 환경 등 다양한 건강관련 상황에서 각종 자료와 과제가 요구하는 문해력을 탐구한다. 먼저 문해력을 필요로 하는 이들 자료와 과제를 만들어낸 고정관념을 해명하고 평균적인 성인의 문해력 기술과 건강정보 및 보건의료 부문에서 필요한 문해력 사이의 간극에 역점을 둔다.

제3장

미국 성인의 문해력 기술

존 P. 커밍스(John P. Comings)(EdD)
어윈 S. 키르슈(Irwin S. Kirsch)(PhD)

미국 성인 문해력 조사(NALS) 및 유사한 시도

문해력 기술이 전무(全無)한 미국 성인은 없다고 할 수 있지만 미국 인구의 문해력 기술은 극히 낮은 수준에서 완벽한 수준에 이르기까지 다양하다. 1992년 미국 정부는 이 기술의 수준 분포를 조사하고 근로자, 부모, 시민으로서 효과적인 역할을 할 수 있도록 충분한 기술을 갖추고 있는 미국 성인이 어느 정도인지 파악할 목적으로 미국 성인 문해력 조사(National Adult Literacy Survey, NALS)를 실시하였다. NALS에서는 문해력을 다음과 같이 정의하였다.

사회적 역할, 개인의 목적 달성, 개인의 지식과 잠재력 개발을 위해 인쇄 및 기록 정보를 이용하는 행위[1]

이상의 광의의 정의하에, 대학 입학을 위한 학업적성검사(Scholastic Aptitude Test, SAT) 등 여러 시험을 개발, 주관하는 기관인 미국교육평가기구(Educational Testing Service, ETS)에서 업무 처리에 수반되는 다양한 글의 이해에 적용되는 문해력 기술을 검사하기 위한 도구로 NALS를 개발하였다. 검사에 포함된 문해력 기술은 읽기, 쓰기, 수량 문해력(셈하기)이었다.

NALS에 앞서 미국 성인의 문해력 기술을 측정하려는 몇 가지 시도들이 있었다. 스티히트(Sticht)와 암스트롱(Armstrong)[2]은 1917년과 1986년 사이에 군인을 대상으로 4회, 민간인을 대상으로 6회의 평가가 실시되었음을 확인하였다. 군인 대상 검사의 개발 목적은 누구를 어떤 업무에 임명해야 할지를 파악하기 위한 것이었다. 민간인 대상 검사는 교육의 효과와 노동 생산성을 측정하기 위하여 개발되었다. 미국에서 실시된 두 개의 다른 평가들로는 1985년 21~25세 대상의 미 교육부 조사와 1989~1990년 구직자 대상의 미 노동부 조사가 있다.[1] NALS는 이들 마지막 두 개의 조사 결과를 참고하였다.

NALS 결과 발표 직후 캐나다 통계청(Statistics Canada)과 ETS는 NALS와 동일한 양식과 문해력 정의를 사용한 세계 성인 문해력 조사(International Adult Literacy Survey; IALS)를 개발하였다. 1994년부터 1999년까지 20개국이 IALS에 참여하였고 30개 산업국이 가입되어 있는 경제협력개발기구(OECD)가 IALS의 결과를 공표하였다.[3~5]

2003년에 미 교육부는 미 학술원(American Institute of Research)에서 개발한 검사 도구를 사용하여 두 번째 국가 단위의 조사, 즉 미국 성인 문해력 평가(National Assessment of Adult Literacy; NAAL)의 자료 수집에 착수했다. NAAL은 NALS와 동일한 양식을 사용하고 NALS의 항목을 그대로 많이 채택하면서도 건강관련 기본지식을 물어보는 문항의 수를 늘리고 건강관련 과제수행 항목을 추가하였다. 따라서 2005년에 분석이 완료되면 건강과 문해력 사이의 관련성을 좀 더 깊게 들여다볼 수 있을 것이다.*

NAAL의 착수와 동시에 OECD는 캐나다 통계국과 ETS가 공동으로 개발한 두 번째 조사, 즉 성인 문해력 및 생활기술(Adult Literacy and Lifeskills; ALL) 조사 자료 수집에 착수했다. 이 조사는 IALS의 양식을 따르지만 좀 더 광범위한 수학 기술 측정과 함께 문제 해결력 검사도 추가하였다. 또한 미 교육부는

---

* 루드(Rudd) 등[6]은 1985년 미 교육부 평가, 1989년 미 노동부 평가, NALS, IALS의 건강관련 항목과 과제를 모두 분석 활용하여 건강 활동 문해력 척도(Health Activities Literacy Scale; HALS)를 만들었다. 이들이 HASL을 사용하여 NALS를 분석한 내용은 2004년 ETS가 발표한 보고서에서 찾아볼 수 있다.

연방 정부가 지원하는 성인 교육프로그램 참가자를 대상으로 새로운 문해력 조사에 재정지원을 하고 있다. 성인 교육과 문해력(Adult Education and Literacy; AEL) 조사로 불리는 이것은 ALL의 문해력과 수학 평가 도구를 사용하고 NAAL과 동일한 척도로 결과를 보고할 것이기 때문에 조사 집단 간의 직접적인 비교가 가능할 것이다. 이 결과는 2005년에 발표될 예정이다.

현재까지 미국 성인의 문해력 기술에 대해 가장 포괄적인 최신 정보를 제공하는 것은 NALS이다. 3장에서는 NALS의 특징(및 IALS와의 비교)과 더불어 문해력 평가 영역 및 평가 결과에 대하여 기술할 것이다. 그리고 문해력 기술이 부족한 성인들의 특성을 기술하고 NALS 수준별 건강관련 의사소통 방법에 대한 간략한 논의로 끝을 맺는다.

NALS의 특징

조사 참가자 및 방법

NALS는 16세 이상의 미국인 26,000명을 대상으로 하였다. 조사 참가자들은 미국 성인 인구집단의 인구사회학적 특성에 따라 무작위로 선정되었으며, 자체 평가를 실시 중인 11개 주[+]에 충분한 자료를 제공하고 수감자 집단의[+] 평가를 위해 참가자들을 추가로 선택하였다. 참가자들은 개별적으로 1회 90분 동안 읽기, 쓰기, 수학 기술 검사에 응하였고 이 검사에는 일상생활에서 요구되는 문해력을 재현한 자료가 사용되었다. 이 자료 및 수행과제는 일상생활의 6개 영역 즉, 가정 및 가족, 건강과 안전, 지역사회와 시민의식, 소비자 경제, 직업, 여가선용 및 여가활동 등의 영역에서 도출되었다.[1] 또한 참가자들을 대상으로

[+] 캘리포니아, 일리노이, 인디애나, 아이오와, 루이지애나, 뉴저지, 뉴욕, 오하이오, 펜실베이니아, 텍사스, 워싱턴. 또한 미시시피 주와 오리건 주는 동일한 문해력 평가도구를 사용하여 자체의 NALS 평가 결과를 발표하였다.

[+] 80개의 연방 및 주 교도소에 수감된 1,100명을 검사하였다.

인구사회학적 특성, 고용상태, 교육수준, 그 외의 개인적 특성에 대한 면담 조사가 개별적으로 실시되었다.

NALS 점수 산정

NALS는 세 가지 척도로 문해력을 측정하였다. 첫 번째 척도는 *산문 문해력 (prose literacy)*을 측정하였는데 여기에는 사설, 기사, 시, 소설 등의 글이 담고 있는 정보를 찾아내고 활용하는 데 필요한 지식과 기술이 포함된다. 두 번째는 *문서 문해력(document literacy)*을 측정하였는데 여기에는 구직 신청서, 급여 명세서, 대중교통 일정표, 지도, 표, 도표, 기타 일반 서류 등에서 정보를 찾아내고 활용하는 데 필요한 지식과 기술이 포함된다. 세 번째는 *수량 문해력(quantitative literacy)*으로 이것은 수표책의 잔고계산, (식당에서) 봉사료 계산, 주문서 작성, 대출 광고의 이자율 계산 등에 필요한 지식과 기술을 가리킨다.

NALS는 0~500점 사이의 척도로 이 세 가지 기술을 각각 측정하였는데, 0점은 제일 낮은 기술 수준을 나타내고 500점은 최상위의 기술 수준을 나타낸다. 그 다음 각 점수들은 1단계(0~225점), 2단계(226~275점), 3단계(276~325점), 4단계(326~375점), 5단계(376~500점)의 5개 범위 혹은 단계로 분류되었다. 총점이 1단계인 성인은 문해력과 수학 기능이 매우 부진한 것으로 간주되었고 반면에 5단계의 점수를 받은 성인은 거의 모든 읽기와 수학적 과제 수행이 가능할 것으로 생각되었다.

NALS의 각 단계들은 개인의 기술 수준뿐 아니라 글의 내용 및 수행과제 내용의 난이도에 따라 수행과제가 점차 복잡해진다는 것을 나타낸다. 어떤 과제들은 미국 대표 표본 성인들의 과제 수행 정도에 대한 성적 결과를 토대로 특정 과제들이 NALS 척도(1, 2, 3, 4, 5단계) 각 단계에 배치되었다. 예를 들면, 간단한 글을 읽고 그 안에서 한 가지 정보를 찾아내라는 과제는 1단계 과제이고, 2단계 과제는 간단한 글을 읽고 두 가지 정보를 찾아 질문에 맞는 답을 하라는 것이다. 연구 결과 이러한 과제의 성공적 수행은 제시된 글과 그 글에 수반되

는 과제수행 방법이나 내용 모두에 연관된 여러 특징들과 상관성이 있는 것으로 나타났다.[7]

NALS 1, 2단계

1단계 중 매우 낮은 점수를 얻은 소수의 사람들만이 간단한 읽기 및 수학 과제조차 수행할 수 없다는 의미에서 문맹이라고 간주될 수 있다. 1단계의 수행 능력을 갖춘 사람들은 대부분 짧고 간단한 글에서 한 가지 정보를 찾아낼 수는 있지만 약간 복잡한 글에서 몇 가지 정보를 찾아내라는 과제는 어려워한다. 1단계의 성인들은 숫자와 연산이 제시되면 간단한 수학 문제를 풀 수 있지만 글 속에서 숫자와 연산을 찾아야만 하는 경우에는 동일한 문제도 잘 풀지 못한다.

이와 비교해서, NALS 2단계의 성인들은 약간 복잡한 글에서 정보를 찾아내고 글 안에서 숫자와 연산 내용을 파악해야 하는 간단한 수학 문제도 풀 수 있다. 하지만 어려운 글에서는 이 과제를 잘 해내지 못하며 여러 가지 정보가 혼재해 있고 복잡한 공식이 쓰이는 좀 더 어려운 과제는 수행하지 못한다. 2단계 성인들은 문해력 기술을 활용할 수는 있지만 일상생활에서 흔히 접하게 되는 글과 서류를 유창하게 읽지는 못한다. 1단계의 성인은 일상생활에서 필요한 문해력이라는 맥락에서 심각하게 불이익을 당하며 2단계의 성인은 21세기 삶의 필요조건이라는 맥락에서 불이익을 당하는 것으로 생각된다.

NALS 3단계

NALS 3단계 성인들은 일상생활의 필요에 대비해 준비가 좀 더 잘 되어 있다. 이들은 복잡하고 긴 글에서 몇 가지 관련 정보를 찾아낼 수 있고 글 안에서 숫자를 몇 개 찾아내고 어떤 연산을 사용할지 결정하라는 과제를 해결할 수 있다. 3단계 과제의 다른 예로는 비행 시간표를 보고 계획 세우기, 신용카드 청구서 내용이 잘못되었음을 설명하는 간단한 편지 쓰기, 에너지 자원의 연도별 생산량을 나타내는 막대그래프에서 정보 확인하기 등을 들 수 있다. 최종학력이 고등학교 졸업인 사람의 NALS 평균 점수는 각각의 문해력 척도에서 2단계와 3단계 사이에 분포한다.

NALS 3단계 과제는 대부분의 직장과 일상생활의 여러 측면에서 흔히 접할 수 있는 것들이다. 이러한 이유에서 NALS 3단계는 보수가 좋고 복지 혜택을 받을 수 있는 직업을 얻기 위한 최소한의 과제 수행 기준으로 대체로 인식되고 있다. 3단계 과제 수행 능력은 또한 중등과정 이후의 교육(postsecondary education)과정을 위해서도 필요하다. 실제로, 대학에 진학하는 중등교육과정 졸업생 중 17%만이 NALS 1단계와 2단계에 해당하는 점수를 받았고 나머지는 3단계 이상의 점수를 받았다. 미국 주지사 협회(National Governors' Association)와 미국 교육목표 심의위원회(National Educational Goal Panel)는 모두 NALS 3단계를 21세기를 위한 최소 기준으로 정하였다.

NALS 4, 5단계

NALS 4단계 성인은 복잡하고 긴 글에서 정보를 추출하여 통합할 수 있다. 4단계 과제의 한 예는 서로 다른 두 가지 입장의 사설을 비교하는 것이다. 5단계 성인들은 훨씬 더 복잡한 문해력 과제 수행 능력을 갖추고 있다. 이들은 전문 영역에 속하는 길고 읽기 어렵게 적힌 글에서 복잡한 정보를 추출 비교할 수 있다. 예를 들면, 5단계 성인들은 변호사가 예비 배심원에게 이의를 제기할 수 있는 두 가지 방법을 요약 비교할 수 있다거나 아이의 키와 체중에 따라 소아용 약물의 정량을 계산할 수 있다. 4, 5단계의 성인들은 21세기의 삶에 만반의 준비가 된 사람들이다.

IALS의 특징

IALS는 모든 면에서 NALS의 양식을 따랐지만 대상자의 연령을 16~65세로 제한하였다. 표본 집단의 크기는 국가마다 달랐으며 NALS와 IALS의 결과를 비교하는 연구는 이러한 차이점을 보정하였다. 호주, 벨기에(플랑드르어), 캐나다(영어 및 프랑스어), 칠레, 체코, 덴마크, 핀란드, 독일, 헝가리, 아일랜드, 이탈리아, 네덜란드, 뉴질랜드, 노르웨이, 폴란드, 포르투갈, 슬로베니아, 스웨덴, 스위스(프랑스어, 독일어, 이탈리아어), 영국, 미국에 대한 IALS 결과 보고서가

발간되었다.[9]

NALS에 대한 비판

대부분의 다른 표준화 검사 및 국가 차원의 조사들처럼 NALS(확대하자면 IALS)도 비판을 받았다.[10] NALS 자료의 분석 방법에서 1단계와 2단계에 너무 많은 수의 사람들이 해당하였다는 점이 비판을 받았다. 이러한 비판적 주장의 근거는 한 개인이 어떤 단계에 속하기 위해서는 해당 단계의 과제 수행 가능성이 80% 이상이라는 점을 증명하여야 한다는 점이다. 예를 들면, NALS 2단계에 해당하는 사람들 중에는 NALS 3단계 과제를 전부는 아니지만 일부는 수행할 수 있는 사람들이 있다. 또 다른 비판 내용으로는 NALS가 어떤 사람에게는 익숙하지 않은 과제(예를 들면, 당좌 계좌를 가지고 있지 않은 사람에게 수표책의 잔고를 계산하게 하는 것)를 제시하였다는 점이다. 당좌 계좌를 한 번도 개설한 적이 없는 사람이라도 익숙한 내용으로 그와 유사한 수학 연산을 하라고 한다면 그 과제를 완료하였을 수도 있다는 것이다.

이상과 같이 비판이 제기되기는 하지만 NALS 결과는 의료 및 공중보건 영역에서 적용 가능한 것으로 생각된다. 결국 보건의료 체계를 이용하는 성인에게 요구되는 과제는 NALS에서 사용된 과제와 유사하다. 성인이 보건의료 환경에서 제 역할을 하기 위해서는 문해력 기술을 적용하여 신속 정확하게 생소한 글과 활동을 파악하고 판단해야 하는 경우가 많다.

NALS 결과

NALS 자료 분석을 통해 각 단계별 점수를 받은 미국 성인의 백분율이 제시되었다. 그림 3-1은 3개 기술 영역(산문, 문서, 수량 문해력) 각각에 대하여 1단계에서 5단계 점수의 성인 백분율을 나타낸다.

문해력 기술 영역에 따라 차이가 있기는 하지만 NALS 참가자 중 21~23%가

그림 3-1 검사 영역에 따른 NALS 단계 별 미국 성인 비율

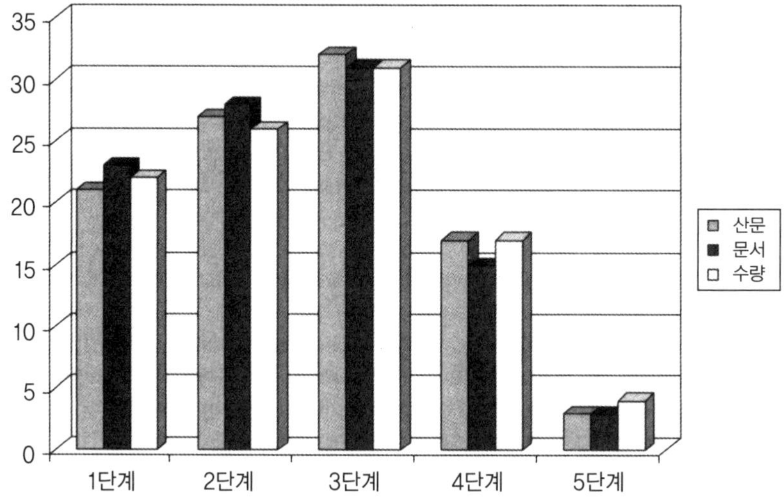

1단계, 25~28%가 2단계, 31~32%가 3단계, 15~17%가 4단계, 3~4%가 5단계의 점수를 얻었다. 그러므로 이 표본 집단의 성인 중 46~51%가 1단계와 2단계의 점수를 받은 것이 된다. 자료가 수집될 당시 성인 인구가 1억 9천만 명이었으므로 거의 9천만 명이 이 검사의 세 가지 영역 중 최소 한 가지에서는 1단계 혹은 2단계의 점수를 받은 것으로 추계된다.[1] 각 단계 내에서 3개 영역의 점수 차이는 크지 않다.

유색인종, 이민자, 장애인, 학교 중퇴자, 65세 이상의 노인들이 상대적으로 NALS 1단계 점수를 받을 가능성이 높다. 그럼에도 불구하고 전체적으로 보자면 1단계와 2단계의 점수를 받은 조사 대상자의 대부분은 미국 태생의 백인 영어 사용자였다.[1] 레더(Reder)[11]는 NALS 1단계 성인의 지역적 분포를 조사하였는데 콜롬비아 지역이 37%로 가장 높은 비율을 나타내었고, 그 다음이 미시시피(30%), 루이지애나(28%), 그리고 앨라배마, 플로리다, 사우스 캐롤라이나 25% 등의 순이었다. 알래스카, 유타, 와이오밍이 11%로 NALS 1단계 비율이 가장 낮았으며, 다음으로 뉴햄프셔와 버몬트가 12%, 콜로라도, 아이다호, 아이오와, 미네소타, 몬태나, 네브래스카가 13%였다. 주 안에서 비교하자면 도시 지역과 저소득 시골 지역의 NALS 1단계 비율이 가장 높았으며, 한 주 안에서

NALS 1단계 성인 비율의 차이가 심한 곳이 있었다. 예를 들면, 유타 주의 남동부에 위치한 시골 지역인 산 후안(San Juan)카운티는 33%인데 비하여 솔트레이크시의 동부 교외 지역인 서밋(Summit)카운티는 7%에 불과하였다. 플로리다 동북부의 클레이(Clay)카운티는 NALS 1단계가 14%였으나 마이애미 데이드(Miami-Dade)카운티는 42%였다. 도심 및 저소득 시골 지역 가운데에는 NALS 1단계 비율이 50%를 상회하는 곳도 있었다.

트윈만(Tuijnman)[12]은 NALS와 IALS 자료를 비교하여 미국은 북유럽 국가 및 네덜란드에 비해서는 수행 능력이 낮았고, 호주, 캐나다, 독일과는 비슷하다는 점을 확인하였다. 또한 미국은 아일랜드, 스위스, 영국보다는 수행 능력이 뛰어났으며, 칠레, 체코, 헝가리, 폴란드, 포르투갈, 슬로베니아를 월등히 앞섰다. 트윈만은 또한 미국의 인구집단 사이에는 상당한 불균형이 존재한다는 점을 발견하였다. 상위 25%에 해당하는 사람들의 평균 점수는 스웨덴 다음으로 2위였지만 하위 25% 국민들의 평균 점수는 스웨덴, 노르웨이, 핀란드, 캐나다 모두 미국보다 점수가 높았다. 최근에 섬(Sum) 등[13]은 NALS와 IALS에서 그다지 높다고 할 수 없는 미국의 점수는 미국 내 불균형 심화 문제와 더불어 세계 경제의 경쟁에서 불리한 요인으로 작용할 수 있다는 점을 시사했다.

문해력 기술이 부족한 성인들의 특성

키르슈(Kirsch) 등[1]은 NALS 1단계 점수를 받은 성인들의 특성을 몇 가지 기술하였는데, NALS 1단계 성인 중 약 25% 정도가 영어를 잘 구사하지 못하는 이민자들이었다. 이들 중에는 다른 언어로는 문해력 기술이 뛰어난 사람이 있을 수도 있겠지만 영어로는 모두 기술이 부족하였다. NALS 1단계 성인 중 33%가 65세 이상 노인들이었다는 점에서 연령에 따른 인지기능의 저하도 한 가지 요인이라고 할 수 있다. 또한 NALS 1단계 성인 중 26%는 신체적, 정신적, 건강상의 문제(가령, 시청각 장애, 학습 장애, 정신 감정 장애)를 가지고 있는 것으로 보고되었다. 그러나 NALS 1단계에서 가장 많은 수를 차지하는 집단은 고등학교나 검정고시(general educational development, GED)처럼 이에 준하는 교육 프로그램을 완료하지 못한 성인들이다. 이 집단이 전체 1단계 성인 중 62%를 차지하였다. 이러한 NALS 1단계 점수를 받은 집단들은 서로 중복되기는 하지만 이들 집단들은 NALS 1단계 점수를 얻게 된 다양한 이유들을 말해준다. 이들은 읽기와 수학 기술을 개발할 수 있을 정도로 충분한 영어 교육을 받지 않았거나 문해력 기술에 영향을 미치는 연령, 신체적, 정신적, 건강관련 요인을 가지고 있을 수도 있다.

NALS 2단계 성인들은 무엇보다 교육측면에서 3단계, 4단계, 5단계 사람들과 차이가 있었다. 2단계 성인 중 4%만이 4년제 대학을 졸업하였지만, 3단계는 10%, 4단계는 22%, 5단계는 30%가 4년제 대학을 졸업하였다. 2단계 성인 중 25%만이 고등학교 이상의 학력을 가지고 있었지만, 3단계는 44%, 4단계는 55%, 5단계는 51%가 최소한 중등과정 이후의 전문대학 정도의 교육 경험을 가지고 있었다. 2단계 성인의 문해력 기술이 부진한 구체적인 이유는 없으나 아마도 이들은 어휘력을 높이고 빠르고 정확하게 읽는 능력을 개발하는 데 문해력 기술을 충분히 활용하지 못했을 것이다.

NALS가 문해력과 건강과의 관련성을 직접 검토하지는 않았지만 이 둘의 관련성은 자료를 통해 분명히 드러난다.[14] 건강은 사회경제적 지위와 관련이 있는데 NALS 단계는 수입과 상관성이 있다. 1단계 성인 중 (검사 영역에 따라) 41~44%가 빈곤선(poverty line) 이하의 저소득 가정이며 2단계 사람들은 20~23%가 그러하였다. 반면에 4단계와 5단계 성인의 빈곤율(poverty rate)은 각각 7~8%, 4~6%였다.

NALS 단계와 건강정보 의사소통

NALS 3, 4, 5단계 성인들을 위한 의사소통법

미국 성인의 50% 이상이 NALS 3, 4, 5단계의 점수를 얻었다. 이들은 대부분의 직장과 일상생활의 여러 측면에서는 제 역할을 해낼 수 있는 기술을 가지고 있더라도 보건의료 환경에서는 여전히 어려움에 직면할 수 있다. 이들의 문해력 기술은 생소한 어휘와 배경 지식이 담겨 있는 건강관련 상황에서는 제대로 발휘되지 않을 수 있다. 게다가 3단계에 해당되는 사람이 대부분인데 이들은 읽기와 수학 기술이 양호하기는 하지만 복잡한 글에서 추론을 끌어내는 것 같은 어려운 과제에서는 실수를 범할 수 있다. *일상어 사용법(plain language approach)*—독자 친화적인 자료를 기획, 저술, 편집, 고안하는 방법—을 주장하는 사람들은 어려운 자료를 읽기 쉽게 만드는 방법을 제안한다.[14,15] 이러한 방법을 활용하면 NALS 3단계 이상 성인들이 보건의료 체계에서 요구되는 과제를 수행하는 데 도움을 줄 수 있을 것이다.

NALS 2단계 성인들을 위한 의사소통법

일상어 사용 노력이 읽기 수준이 좀 더 뛰어난 사람에게 도움이 된다면 NALS 2단계 성인들에도 도움이 될 것이다. 그러나 독자 친화적인 자료만으로는 이들의 의사소통 결핍을 채워주지는 못할 것이다. 자료를 쉬운 언어로 새로 작성하면 반드시 읽고 이해해야 하는 정보의 양이 상당히 증가하게 되고 결국 읽기 기술이 제한적이거나 부족한 성인에게 문제가 될 수 있다. 더구나 보건의료와 관련된 일들은 너무 복잡하기 때문에 간단한 자료로 표현되는 적절한 개수의 단순 작업으로 재편성하기에는 어려움이 있다. 구두 대화, 전화 상담, 매체 자료(예, 오디오테이프, 비디오테이프, 컴퓨터 소프트웨어나 인터넷 접속)와 같은 의사소통 형태가 NALS 2단계 성인들의 과제 수행 가능성을 높일 것이다.

NALS 1단계 성인들을 위한 의사소통법

NALS 1단계 성인들은 보건의료 체계에서 요구되는 문해력 및 수학적 측면에 잘 대처하려면 도움이 가장 많이 필요하다. 예를 들면, 영어를 잘 못하는 성인은 보건의료 영역의 대화에서 통역인이 필요하다. 노인들은 복잡한 지시사항을 이행하고 치료약 처방 내용을 기억하는 데 도움이 필요하다. 장애를 가진 성인(예를 들면, 시력 혹은 청력이 약한 사람)은 장애로 인한 난관을 극복하기 위하여 도움이 필요하다. 그 밖의 NALS 1단계 성인들도 학교에서 문해력 기술을 개발하지 못했을 가능성이 매우 크다. 이러한 사람들 중에는 학습 장애가 있을 수도 있는데 실제로 그들 모두는 읽기 장애를 가지고 있다. NALS 1단계 성인(미국 성인 인구의 20% 이상)은 모두 건강관련 문해력 및 수학 과제 이해에 장애를 가지고 있다. 따라서 보건의료의 공평한 기회 제공을 위해서는 이들을 수용할 수 있는 방편이 제공되어야 할 것이다.

결론

1992년 미국 정부가 실시한 NALS의 결과에 따르면 미국 성인인구의 거의 반이 21세기 삶이 요구하는 문해력 조건을 충족시키지 못한다는 것이다. 이들은 일상생활의 문해력 관련 과제에서 어려움에 직면할 뿐만 아니라 생소한 어휘, 활동, 배경 지식을 담고 있는 건강관련 상황에서는 더욱 큰 곤란을 겪을 수 있다.

NALS 2, 3, 4, 5단계 성인들의 건강관련 의사소통 향상을 위한 투자를 한다면 보건의료 비용의 절감 및 건강 지표의 향상이라는 측면에서 가시적이고 즉각적인 효과를 얻게 될 것이다. 이러한 개선책은 글과 활동 모두에 있어서 의사소통이 최신 매체와 기술들을 너무 독창적인 방법을 활용하지 않도록 중점을 두어야 할 것이다. 보건의료 체계를 효과적으로 이용하도록 NALS 1단계 성인을 도와주는 것은 훨씬 더 어려운 일이고 연구와 개발 그리고 의사소통 서비스의 제공에 있어서 노력을 기울여야 할 것이다.

참고 문헌

1. Kirsch I, Jungeblut A, Jenkins L, Kolstad A. *Adult Literacy in America: A First Look at the Results of the National Adult Literacy Survey*. Washington, DC: National Center for Education Statistics, US Department of Education; September 1993.

2. Sticht T, Armstrong W. *Adult Literacy in the United States: A Compendium of Quantitative Data and Interpretive Comments*. Washington, DC: national Institute for Literacy; 1994.

3. Organisation for Economic Co-operation and Development and Statistics Canada. *Literacy, Economy and Society: Results of the First International Adult Literacy Survey*. Paris and Ottawa: OECD; 1995.

4. Organisation for Economic Co-operation and Development and Human Resources Development Canada. *Literacy Skills for the Knowledge Society: Further Results from the International Adult Literacy Survey*. Paris: OECD; 1997.

5. Organisation for Economic Co-operation and Development and Statistics Canada. *Literacy in the Information Age: Final Report of the International Adult Literacy Survey*. Paris: OECD; 2000.

6. Rudd R, Kirsch I, Yamamoto K. *Literacy and Health in America*. Princeton, NJ: Educational Testing Services; 2004.

7. Kirsch I. *The International Adult Literacy Survey: Defining What Was Measured*. ETS Research Report RR-01-25. Princeton, NJ: Statistics and Research Division of ETS[Educational Testing Services]. 2001.

8. Comings J, Reder S, Sum A. Building a level playing field: The need to expand and improve the national and state adult education and literacy systems. National Center for the Study of Adult Learning and Literacy Occasional Paper, Havard University Graduate School of Education, December 2001. Available at www.gse.havard.edu/~ncsall/research/op_comings2.pdf. Accessed July 16, 2003.

9. Tuijnman A, Boudard E. *Adult Education Participation in North America: International Perspectives*. Ottawa: Statistics Canada; 2001.

10. Sticht T. The International adult literacy survey: how well does it represent the literacy abilities of adults? *Can J Stud Adult Educ*. 2001;15:19-36.

11. Reder S. *The State of Literacy in America: Estimates of the Local, State and National Levels*. Washington, DC: National Institute for Literacy; 1998.

12. Tuijnman A. *Benchmarking Adult Literacy in America: An International Comparative Study*. Washington, DC: US Department of Education; 2000.

13. Sum A, Kirsch I, Taggart R. *The Twin Challenges of Mediocrity and Inequality: Literacy in the United States from an International Perspective.* A Policy Information Center Report. Princeton, NJ: Educational Testing Services; February 2002.

14. Rudd R, Moeykens B, Colton T. Health and literacy: A review of medical and public health literature. In: Comings J, Garner B, Smith C, eds. *The Annual Review of Adult Learning and Literacy.* Vol. 1. San Francisco, Calif.: Jossey-Bass; 2000.

15. Doak LG, Doak CC.(1987). Lowering the silent barriers to compliance for patients with low literacy skills. *Promoting health,* 1987;8(4):6-8.

제4장

문해력 부족의 의미는 무엇인가?

존 스트러커(John Strucker)(EdD)
로잘린드 데이비슨(Rosalind Davidson)(EdD)

19 92년의 미국 성인 문해력 조사(NALS)[1]는 3장에서 자세하게 설명되었 다시피 미국 성인 인구 중 1단계 21~23%, 2단계 25~28%로 46~51%가 하위 2개 단계의 문해력을 가진 것으로 추정하였다.* 그날 일부 신문에서는 머리기사로 "미국인 46%가 문맹"이라고 대서특필하였지만, 이 해석은 사실과 다르고 심각하게 받아들일 만한 것이 못되었다. 사실, 1, 2단계에 해당되는 사람들은 대부분이 문맹이 아니었다. 1단계 성인 대부분은 초등이나 중등 저학년 수준의 문해력 기술을 가지고 있다고 볼 수 있으며 글을 전혀 읽을 수 없는 사람은 소수에 불과했다. 2단계 성인들은 중학교 수준부터 고등학교에 근접하는 수준의 문해력 범위에 해당하였다. 또한 1단계 성인 중 25%는 외국 출신이었고, 이들은 모국어로는 적어도 어느 정도의 문해력 기술을 갖추고 있었을 것이다.** NALS가 미국 교육 정책 입안자에게 던지는 실제 메시지는 문맹이 아닌 *문해력 부족*에 대한 것이었다. 이를 두고 셸(Chall)은 선진 문명사회의 사람들 중 상당수에서 존재하는 "저학력"의 문제라고 언급하였다.[2]

1, 2단계 성인 대부분이 문맹은 아니라고 하더라도 문해력 부족과 낮은 교

---

* 세 가지 영역(산문, 문서, 수량 문해력)에 걸친 점수 범위를 나타낸다.
** 영어 사용자가 아닌 외국 출신 성인들은 4장 끝부분에서 별도로 논의된다.

육수준 때문에 환자 스스로 치료 정보를 얻고 능동적으로 참여할 것을 요구하고 있는 보건의료 체계와의 상호작용에 어려움을 겪을 수 있다. 이런 종류의 어려움은 취업, 평생 교육, 시민 참여 등 커밍스(Comings)와 키르슈(Kirsch)[3]가 설명한 다른 생활 영역의 일반적인 문제와 같은 것이다. 문해력이 부족한 성인들 중에는 *지역사회 대학(community college)****에서 컴퓨터 기초 강좌 수강, 이직을 위한 직업훈련 교육, 투표용지 이해 혹은 건강정보이해능력의 측면에서 환자용 질의서 작성 등에 필요한 읽기와 수학 기술이 부족한 경우가 많다.

4장에서는 읽기 연구자와 임상의학자의 관점에서 두 가지 관련 질문을 제기하고자 한다.

1. 미국 성인들의 문해력 부족은 어떤 양상을 보이는가?
2. 문해력 부족의 다양한 양상이 보건의료 전문가에게 의미하는 바는 무엇인가?

읽기 과정

실제 읽기가 진행되는 과정에 대한 약간의 기본지식으로 논의를 시작하도록 하자. 우수한 독자란 마치 책이 말을 해주고 있는 것처럼 끊어짐이 없이 자연스럽게 연결되는 행위로 읽기를 경험하는 사람이라고 정의된다. 하지만 읽기 교사와 연구자들은 읽기 과정을 구성 부분 혹은 내용에 따라 구분할 필요가 있다고 생각했다. 저명한 학자 고우(Gough)는 유용하면서도 단순화한 한 가지 가정을 제시하였는데 독해를 두 개의 기본 영역 즉, 기록된 기호(symbol)를 단어의 소리로 재인식(decoding)하는 것[소위 "음독(音讀) 기술(print skills)"]과 이 단어의 의미를 아는 것[소위 "의미화 기술(meaning skills)"]으로 나눈다.[4] 이 모형은 상식적이라고 할 수 있지만 읽기 및 난독에 대한 대부분의 최근 연

*** 미국. 지역 주민에게 전문대학 정도의 직업 교육을 하는 기관.(역주)

구들에 토대가 되고 있다.[5~9] 이것은 또한 문해력이 부족한 성인들이 보건의료 체계에서 가질 수 있는 문제를 이해하는 데 가장 좋은 출발점이기도 하다.

재인식 즉 음독 기술 영역에는 글자와 소리의 상응관계에 대한 지식(음향학), 음절 단위에서의 언어(영어) 철자법에 대한 이해, 무의식적이며 유창한 단어 인지 등이 포함된다. 무의식적이며 유창한 단어 인지는 중요한 음독 기술이다. 어떤 독자가 두뇌 활동 에너지의 상당 부분을 기호를 읽는 데 사용해야 한다면 효과적으로 이해하는 데 필요한 정신 에너지는 부족할 것이다.[6] 사실 우수한 독자는 음독을 별다른 노력 없이 무의식적으로 하기 때문에 이례적인 단어나 외래어를 접하는 경우를 제외하고는 그것을 의식조차 하지 않는다.

의미화 기술 영역에는 전통적 개념인 "훌륭한 어휘력" 이상의 것이 포함된다. 실제로 의미 파악을 잘 한다는 것은 많은 어휘의 의미를 아는 것(소위 어휘 지식의 폭)과 이들 어휘들이 다양한 문맥 속에서 취하는 여러 가지 의미와 어감의 차이를 아는 것(소위 어휘 지식의 깊이) 둘 다를 포함한다.[10] 이것은 단순히 어휘의 의미와 용법을 잘 암기하고 있는가의 문제는 아니다. 일상생활에 쓰이는 간단한 명사와 동사(예, "고양이(cat)" 혹은 "뛰다(jump)" 수준을 벗어난 어휘는 조직적인 지식과 개념의 양상을 띠게 되는데 교육을 통해서 그 의미를 배우게 되는 것이다(예를 들면, "은유(metaphor)", "과두 정치(oligarchy)", "광합성(photosynthesis)".[11] 대부분의 사람들은 문학, 사회학, 과학 과목의 읽기가 포함되어 있는 중고등학교 정규 교육을 통하여 이러한 지식과 개념을 얻는다.

읽기 발달 단계

문해력이 부족한 성인들 중에는 유치원에서 12학년에 이르는 동안 난독 장애가 있었던 경우가 많기 때문에 아동의 정상적인 읽기 발달 단계를 이해할 필요가 있다. 하버드 대학의 셸(shall)[2,5]은 아이들이 숙련된 읽기 기술을 한꺼번에 획득하는 것이 아니라 앞의 단계를 완료하고 나면 이에 부수적으로 일어나는 좀 더 발전된 기술을 얻는 식의 분명한 단계를 통하여 획득하는 것이라는 점을 입증하였다.[5,7] 셀의 읽기 발달 단계는 다음에 이어지는 성인 문해력 부족과 저학력의 다양한 양상에 대한 논의에서 참고로 삼는다.

방법론

여기서 제시하고 있는 성인 읽기 문제점 유형 분류는 최근 데이비슨(Davidson)과 스트러커(Strucker)가 실시한 성인 읽기 구성 연구(Adult Reading Component Study, ARCS)에 기초한 것이다. 이 연구에서는 미국 7개 주에서 성인 기초 교육(adult basic education, ABE)과 ESL(English as a second language) 과정에 참여 중인 학생 955명을 대상으로 면접조사와 영어로 된 읽기 진단 종합 검사를 실시하였다. 스페인어 사용자들은 스페인어로 된 이에 상응하는 검사도 받았다. ABE 및 ESL 학생들의 검사 결과에 대하여 각각 군집 분석을 실시하였는데 ABE 학생들에서는 초보적 읽기 수준에서 우수한 고등학교 수준까지 10개의 군집이 도출되었으며 스페인어를 사용하는 ESL 과정 학생들에서는 스페인어와 영어 모두의 읽기 기술을 토대로 6개의 군집이 도출되었다.

이 연구의 목적은 성인 교육 및 ESL 담당 교사들이 교수법을 계획할 때 학업 수준이 서로 비슷한 독자 집단을 확인하는 것이었다. 본 장의 목적에 부합하도록 가장 우수한 ABE 독자로 구성된 군집은 보건의료 체계에서 문해력과 관련된 어려움에 접할 가능성이 거의 없을 것으로 보이기 때문에 제외했다. 나머지 9개 군집은 보건의료 전문가들에게 가장 관련이 있을 공통된 특징에 따라 3개의 집단으로 분류되었다. ESL 성인과 보건의료 체계에 대한 논의는 스페인어 사용 ESL 학생들에 대한 결과 분석을 바탕으로 하였다. ESL 성인의 6개 군집은 스페인어 문해력과 학력 수준에 따라 두 개의 광범위한 범주로 분류되었다.

주목할 점은 이 연구에 참가한 학생들은 면접조사를 받을 당시에 성인 교육 프로그램에 등록하고 있었기 때문에 이들의 기술이 성인 교육 프로그램에 등록하지 않은 성인의 기술도 대표할 수 있는가에 대해서 의문이 제기된다는 것이다. 놀랍게도 이러한 의문점에 대한 검토는 거의 이루어진 바가 없었다. 그러나 대규모의 현재 진행 중인 추적 연구에서 동일 지역에서 교육 프로그램에 등록한 성인과 미등록 성인의 문해력 기술과 분포를 비교한 결과 이들 두 집단의 기술 분포는 거의 유사한 것으로 나타났다.

성인 문해력 부족 양상

지금부터 NALS 1, 2단계 성인들을 좀 더 자세하게 살펴볼 것인데 우선 영어를 모국어로 사용하는 사람들부터 시작하도록 하자. 먼저 기본적인 음독 기술을 익히지 못한 성인부터 살펴보고 그 다음으로 유창하고 자동적인 읽기가 되지 않는 성인, 마지막으로 고등학교 수준의 지식과 어휘를 습득하지 못한 NALS 1, 2단계 성인에 대하여 논의할 것이다. 이들 세 집단과 이들이 가진 위험요인이 표 4-1에 정리되어 있다. 영어를 모국어로 사용하지 않는 사람들에 대해서는 모국어로는 문해력을 갖추고 있고 어느 정도의 교육 수준을 갖춘 사람들과 그렇지 못한 사람들에 관해 논의한다.

기본적인 음독 기술을 익히지 못한 성인들

미국의 교육 체제에서 기본적인 음독 기술은 일반적으로 유치원부터 3학년 과정에서 습득된다.[14,15,18] 이 시기는 아동 1단계에 해당하는 시기로 셀은 *읽기 학습(learning to read)*[5] 단계라고 불렀다. 이 용어는 언뜻 들리는 것처럼 동의어 반복적이거나 평범한 것이 아니다. 이 단계에서 학교는 아이들에게 익숙한 어휘와 주제를 읽게 하는데 그 이유는 아이들이 문자 언어를 유아기에 습득한 구술 언어로 표현해 내는 어려운 과제에 집중할 수 있도록 하기 위해서이다. 이 출발 단계에서는 아이들에게 문자로 새로운 정보를 얻을 것을 기대하지 않는다. 아이들의 주된 일(job)과 아이들 교육의 구성 원칙은 읽기 학습이다.

아이들 중에는 자음과 모음으로 구성된 언어 읽기의 근간이 되는 소리-기호의 대응관계를 쉽게 터득하지 못하는 아이가 간혹 있다. 국립연구위원회(National Research Council, NRC)와 국립읽기전문위원회(National Reading

Panel, NRP)에 따르면 이러한 기본적인 음독 기술을 습득하지 못하는 아이들은 문해력 부족 가정에서 자랐을 가능성이 있다.[14,15] 이 아이들의 경우 가정에서 책을 자주 읽어 주지 않았거나 유아기에 성인 보호자의 구술 언어에 충분히 노출되지 않았을 것이다. 유아기에 구술 언어에의 노출이 부족할 경우 입학 후 아이들의 어휘력뿐 아니라 일생 동안의 어휘력에 영향을 미칠 수 있다.[16]

NRC와 NRP 보고서에 따르면 문제를 가진 아이들 가운데 일부는 영어가 아닌 다른 언어를 쓰는 가정에서 성장하였다.[14,15] 이 아이들은 입학과 동시에 아직까지 유창하게 배운 적이 없는 언어로 읽기 학습을 해야 하는 상황에 직면한다. 이들은 구술 영어는 잘 구사하더라도 읽고 쓰는 어휘를 획득하기 위해서는 전적으로 가정 밖에서의 경험에 의존하고 있다. 특히 부모의 모국어 교육 수준이 낮은 경우에 그러한데 아이들이 모국어로도 읽고 쓰는 어휘에 많이 노출되

표 4-1 미국 성인 문해력 조사(NALS) 1, 2단계 성인의 읽기 양상 및 위험 요인

NALS 1, 2단계 성인의 읽기 양상 (영어 사용 모국인)	문해력 부족의 위험 요인
기본적인 음독 기술을 익히지 못한 경우	아동기에 아래 한 가지 이상의 항목에 해당되는 경우: ■ 빈곤 ■ 문해력 부족 가정 ■ 영어가 능통하지 못한 가정 ■ 난독증 ■ 학교 부진아 지도의 양적 질적 저조
유창하고 자동적인 읽기가 되지 않는 경우	아동기에 아래 한 가지 이상의 항목에 해당되는 경우: ■ 중등도 난독증 ■ 초등학교에서 음운법을 이해하지 못함 ■ 저학년에서 읽기 장애 경험 ■ 초등학교 이후 학교 부진아 지도의 부재
고등학교 수준의 지식과 어휘를 습득하지 못한 경우	아동기에 아래 한 가지 이상의 항목에 해당되는 경우: ■ 다소 느린 읽기 속도 ■ 서툰 철자법 ■ 영어를 쓰지 않는 가정 ■ 읽기를 권장하지 않는 부모 ■ 교육의 질적 수준이 낮은 학교 ■ 아동기 행동 및 정서 장애 ■ 청소년기에 미국으로의 이민

지 않기 때문이다.

소수이지만 난독증인 경우도 있을 수 있다. 다시 말하자면, 교육을 잘 받는다고 하더라도 글자와 소리의 상관관계를 이해하는 데 아주 중요한 음운체계의 인지, 즉 말을 연속된 소리로 분석할 수 있는 능력에 근본적인 문제가 있다는 것이다. 난독증은 신경계통에 근본적인 원인이 있고 일반적으로 유전적이며 경도, 중등도, 중증에 이르기까지 그 정도가 다양하다. 조기 발견과 전문 교사에 의한 교정 활동으로 그 증상과 학업에 미치는 부정적 영향을 완화시킬 수 있다.[17,18]

상기의 위험 요인을 가지고 있는 아이라고 하더라도 대부분은 읽기를 학습하게 된다. 미국의 교육 체제는 읽기 장애 요인이 있는 아이들을 조기에 발견하고 치료해 가고 있다. 읽기 교육 전문가는 난독증 및 기타 학습 장애를 가진 아이들에게 특수 교육 및 교육개혁법 1장(Special Education and Title I)의 프로그램을 통해서 필요한 경우 특수반 수업을 제공한다. 두 개의 언어를 사용하는 아이들과 ESL 아이들 역시 문해력 획득의 특별 관심 대상이다. 그러나 저소득, 문해력 부족 가족, 서툰 영어 구사력, 난독증 등의 위험 요인이 복합적으로 나타날 때는 기초 단계의 읽기 기술을 익히지 못할 총체적 가능성이 매우 크게 증가한다.

예를 들면, 난독증 그 자체가 반드시 학업 성취를 가로막는 것은 아니다. 문해력을 갖춘 중산층 가정의 자녀들은 난독증이 있더라도 대학 교육을 마치고 학위를 받는 경우가 많다. 이것은 대개 부모와 학교가 음독 기술을 강화할 수 있도록 도와주면서 한편으로는 이들이 가진 음독 기술 장애로 인해 학업 기능과 지식의 습득에 방해받지 않도록 조치를 취하기 때문이다. 반면에 가난하고 문해력이 낮은 가정의 자녀들은 부진아 지도가 양적 질적으로 저조한 학교에 다니는 경우가 많다. 더구나 이 부모들은 이러한 과외 지원의 필요성과 적극적 교정을 요구할 필요성을 깨닫지 못할 수도 있다.[13,14] 이런 아이들의 경우 난독증이 심하지 않더라도 학업 성취 결과에 치명적인 영향을 미칠 수 있다. 이 아이들은 재인식 능력이 없기 때문에 수업 혹은 교과서에서 지식과 개념을 습득하지 못한다. 결과적으로 세상에 대한 이들의 지식은 익숙한 것과 대화적인 수준에 머무르게 된다.

다행스럽게도 가장 기초적인 초기 읽기 기술을 습득하지 못한 미국 성인의 수는 상대적으로 아주 적다. ARCS 연구에서는 성인 교육 과정 학생의 10%만이 이러한 읽기 장애 집단에 해당하였다.[19] 이들 성인들은 심각한 난독증의 증상을 가지고 있었고 기억력 및 이해력에 있어서 여러 가지 학습 장애를 나타낸다. 예를 들면, 이들의 현재 작동(working) 혹은 단기(easily accessible) 기억력은 아주 심각할 정도로 그 기능이 감퇴되어서 2~3단계의 지시사항을 이해하거나 혹은 복문을 듣고(예, "쥐를 잡아먹은 고양이가 강아지를 보고 깜짝 놀랐다." The cat that ate the rat was frightened by the dog.) 그 문장 구조를 파악하는 데 어려움을 느끼는 경우가 많다. 이들의 구술 어휘력은 2~3학년 수준이며 상대평가 검사의 경우 최하의 백분위수에 미치지 못하는 정도이고 구체적인 일상적인 대화 수준에 해당된다. 흥미로운 것은 이러한 심각한 읽기 능력 장애를 가진 성인들은 ARCS 연구대상자들 중 성인 교육생 평균보다 연령이 상당히 높다는 점인데 이것은 미국 교육체계가 시간이 지나면서 심각한 초기 읽기 장애 위험을 가진 아동을 발견·교정하는 능력을 개선시켜 왔음을 시사한다.

보건의료 전문가들이 유념해야 할 점은 이러한 성인들은 인쇄물을 하나도 읽지 못하거나 아주 간단한 서식도 작성하지 못할 뿐 아니라 일상적인 보건의료 부문의 상호 작용에서 흔히 사용되는 구술 언어도 잘 이해하지 못한다는 것이다. 이들은 모든 층의 환자들이 어렵다고 생각할 의료 전문 용어뿐 아니라 일반적인 어휘[예, "매년(annual)", "좀처럼(seldom)", "흔히(frequent)"]와 십진법 표기(예, 1,000과 10,000의 비교)와 같은 기본 수학 개념들조차 이해하지 못하고 분수와 백분율은 더욱 어렵게 느낄 것이다.

유창하고 자동적인 읽기가 안 되는 성인들

셸의 그 다음 읽기 발달 단계는 유창함(fluency)이다.[2,5] 2, 3학년 정도가 되면 대부분의 학생들은 정확할 뿐 아니라 유창하면서도 무의식적으로 재인식을 할 수 있게 된다. 이것은 눈으로 읽는 단어들을 재빨리 그리고 특별한 노력을 기울이지 않고 소리 내어(혹은 머리속으로) 발음할 수 있다는 것을 의미한다. 아이들은 입 밖으로 소리를 내서 개별 철자의 소리 혹은 음절을 어우러지게 하는 초보자 수준에서 적당한 난이도의 글을 읽으면서 재인식 과정조차도 의식하지 않는 독자로 발전하였다. 대부분 아이들의 경우 어른의 지도를 받으면서 소리 내어 크게 읽는 기회를 충분히 가지고 적정한 난이도의 흥미로운 읽을 거리에 자극을 받는다면 이러한 변화는 일정 부분 자연스럽게 일어난다. 하지만 NRC 및 NRP 보고서에서 위험 요인 범주에 해당되는 아이들에게는 유창함이 자연스럽게 발달되지 않을 수 있다.[14,15] 유창하고 자동적인 읽기가 가능하기 위해서는 이 아이들에게 각별히 전문적인 학교 수업과 더불어 특수 교사의 교정 지원이 있어야 할 것이다.

　아이들이 4학년이 되기 전까지 유창하고 자동적인 재인식을 하지 못하는 경우 여러 가지 관련 문제들이 쏟아질 것이라고 읽기 학자들은 주장한다.[7,20] 먼저, 이 아이들은 천천히 그리고 더듬거리며 읽기 때문에 이들의 현재 작동 기억력은 과포화상태가 되는데, 특히 4학년 이상 과정에서 접하게 되는 긴 문장의 경우에 더욱 그러하다. 이러한 독자들은 어구를 의미 단위로 합치고 이 어구들이 서로 어떻게 연관되는지를 이해하기까지 긴 문장들을 반복해서 읽어야 한다. 이 과정은 결국 "읽고 배우는" 능력에 장애를 주게 되는데 그 이유는 음독에 너무 많은 노력을 기울이게 되어 이해와 분석을 할 여력이 거의 남아있지 않기 때문이다. 설상가상으로 유창한 읽기 능력을 갖추지 못한 아이들은 읽기를 힘들고 지루한 것으로 생각하고 학교 안팎 모두에서 읽기에 관심을 덜 보이게 된다.

　유창한 읽기 기술을 개발하지 못한 아이들은 중학교 그리고 그 이후의 고등학교 학과목(예, 수학, 과학, 사회, 문학)을 완전히 배우지 못한다. 그래서 이들은 성인기의 학습에 바탕이 될 수 있는 어휘와 개념도 발달시키지 못한다.[7,20] 음독 기술 장애의 문제가 이제는 의미화 기술 영역을 해치는 것이다.

　음독은 "조금" 가능하지만 자연스러운 읽기에 있어 아주 중요한 유창성이 부족한 성인들은 어린 시절 중등도 난독증을 가지고 있었을 가능성이 있다고 ARCS 자료는 시사한다. 검사 결과 이들은 일부 음운 원칙을 학습하기는 하였

지만 유창할 정도로 숙달하지는 못한 것으로 나타난다. 이러한 성인들 중 상당
수는 1~2학년 때 초기 읽기 문제가 발견되어 보조적 도움을 받은 것으로 응답
하였다. 하지만 이러한 도움은 지속적이지 못하였고 중학교에서는 도움을 받
지 못했거나 최소한의 도움밖에 받지 못하였으며 그나마도 고등학교에서는 전
혀 받지 못하였다.[12,20]

이들이 유창성 및 그에 수반되는 어휘력 부족의 문제점에 관심을 기울이는
성인 교육 프로그램에 참가한다면 그 예후는 양호한 편이다. 다행히도 최근에
는 의무교육체계(유치원에서 12학년까지의 교육체계)에서 3학년 이후에 읽기
기술을 완전히 개발하지 못한 아이들에게 좀 더 적극적인 관심을 가지기 시작
하였다. 읽기 지도 교사들이 이 학생들이 중고등학교 교과목을 충분히 배울 수
있도록 이들의 음독 기술 강화에 도움을 주고 있다.

이처럼 유창하게 읽지 못하는 성인 집단의 규모는 상당하며 성인 교육 프로
그램 참가생 중 30%에 이를 것으로 추정된다.[12] 기능적인 측면에서 이들은 도
로 표지판 및 광고, 텔레비전 프로그램 안내, 일과 관련된 간단한 자료 및 서식
을 이해하는 데 필요한 문해력은 어느 정도 갖추고 있다. 이들의 음독 기술(쉽
게 소리로 재인식할 수 있는 단어)과 의미화 기술(어휘 및 기본지식)은 약 4, 5
학년 수준은 되는 편이다. 그러나 구술 어휘력 검사에서 이들이 "안다"고 생각
하는 단어의 정의는 부정확하고 분명하지 않은 경우가 많고[예, "목적지(desti-
nation)"란 "어딘가로 가는 것(going somewhere)"이라든지, "창피(humilia-
tion)"란 "어떤 사람 때문에 화가 난다(someone upsets you)" 등] "노출(expo-
sure)", "모호한(vague)", "효율적인(efficient)"과 같은 비교적 일반적인 어휘
뿐 아니라 구어에서는 자주 사용되지 않지만 문어에서 자주 접하게 되는 구문
상의 "표시어(signal words)"[예, "불구하고(despite)", "그럼에도(neverthe-
less)", "더군다나(moreover)"]도 모르는 경우가 있다. 이들은 읽기를 즐거움으
로 여기지 않으며 긴 글에서 정보를 얻을 능력이 없다.

유창하지 못한 읽기를 보완해줄 만큼 충분한 시간을 가진다면 이들이 신문
의 스포츠 기사와 같은 익숙한 글은 읽고 이해할 수 있다는 점을 보건의료 전
문가들은 알아야 한다. 그러나 주제가 낯선 경우(예, 만성질환의 치료법)에는

아무리 시간이 충분해도 부족한 읽기 능력을 보완하지는 못할 것이다. 이들이 읽기 기술을 어느 정도 갖추고 있기는 하지만 만약 보건의료 전문가가 이들의 질병 상태와 치료에 대한 상세 내용을 전할 때 대화를 나누지 않고 인쇄물에만 의존한다면 그것은 실수를 범하는 일이 될 것이다. 대화를 나누는 중에도 어휘와 개념에 각별히 신경을 기울여야 한다. 이러한 이유에서 비디오테이프와 같은 보건교육 자료는 도우미나 면담과 같은 사후 조치가 없는 경우 이들에게는 효과적이지 않을 수 있다.

고등학교 수준의 지식과 어휘를 습득하지 못한 성인들

셸의 읽기 발달 다음 단계는 *새로운 것을 학습하기 위한 읽기(reading to learn the new)*, 즉 읽기 기술을 사용하여 "새로운 정보, 사상, 태도, 가치를 배우고, 기본지식, 의미화 어휘력, 인지 능력의 발달을 이루는" 5단계이다.

ARCS 자료를 토대로 추정했을 때 성인 기초 교육 프로그램에 참가하는 성인 중 약 40%가 이 단계에서 더 이상 앞으로 나가지 못하는 것으로 보인다. 다시 말하자면 이들은 '새로운 것을 학습하기' 시작하였지만 아직 가야 할 길이 너무 멀다고 할 수 있다. 이들의 음독 기술은 유창하며 9학년 이상의 수준으로 읽기가 가능하지만, 어휘력과 기본지식은 상당히 뒤떨어져 있는 상태이고 간혹 중학교 저학년 수준에 머물러 있는 경우도 있다. 이러한 양상의 성인들은 대부분 난독증과 관련이 있는 신경계통의 음독 장애 증후는 거의 나타내지 않지만 소수는 "부분적인 보상성 난독증 환자(partially compensated dyslexics)"인 경우도 있다.[21~23] 이들은 읽기와 관련해서 초등학교에서 효과적인 도움을 받았고 이들에게서 보이는 초기 음독 기술 장애의 증후는 읽기 속도가 다소 느리다는 점과 철자법이 서툴다는 것이 전부이다.

이들의 어휘력과 기본지식(의미화 기술)이 재인식 능력(음독 기술)을 따라가지 못하는 이유는 무엇인가? 여기에는 많은 이유들이 있을 수 있다. 이들의 어휘력 부족은 아동기 초기에 시작되었을 수 있는데 그 이유로는 부모가 영어를 사용하지 않았거나 영어를 사용했더라도 문해력이 그다지 높지 않아서 아이들에게 책을 읽히거나 좀 더 높은 수준의 구술 언어를 사용하지 않았다는 점을 들 수 있다.[20] 또한 재학 학교의 수준이 낮고 학업 그리고 정서적으로 좀 더 불리한 처지에 있는 아이들에게 지원을 해야 했기 때문에 학교의 도움을 받지 못했을 것이다.[24] 또한 행동 및 정서 장애아였기 때문에 학교에서는 이러한 부분에만 관심을 기울이고 학업적인 면은 도외시했을 수도 있다. 그리고 마지막으로, 청소년기에 미국으로 이민을 온 ESL 학생의 경우 영어로 수학, 과학, 사회, 문학을 공부할 정도로 충분히 영어 실력을 쌓기 전에 미국 고등학교 생활이 끝나버린 것이다.

이 수준의 문해력을 가진 성인은 별 노력을 들이지 않고도 긴 글을 음독할 수 있지만 교육 수준이 낮기 때문에 읽는 내용을 모두 완전하게 이해하지는 못한다. 이들은 서식을 정확하게 작성할 수 있고 대기실에서 잡지와 신문을 열심히 읽고 있는 모습이 눈에 띄기 때문에 보건의료 전문가가 이들의 실제 문해력을 알아차리기란 어려울 것이다.

이들은 명료하게 진술되어 있고 일반 과학이나 건강관리 관련 기본지식이 필요하지 않다면 건강관리 인쇄물을 유용하게 활용할 수 있다. 이들은 폐가 숨쉬기를 담당한다는 사실쯤은 알고 있을 것이며 "호흡"이란 단어가 "숨쉬기"의 동의어라는 사실은 이해하지만 폐의 호흡 작용 혹은 다른 심폐 기관과의 관련성에 대해서는 모를 것이다.

이 집단의 상위에 속하는 사람들은 분명 고등학교 수준의 어휘력과 지식을 보유하고 있다. 하지만 보건의료 전문가가 명심해야 할 점은 어느 정도 읽기 능력을 갖춘 사람이라 해도 과학 및 수학 기본지식은 일반 지식에 비하여 떨어지는 경우가 있다는 사실이다. 대표적인 예로, 그림 어휘력 검사(picture vocabulary test)에서 육각형을 찾아내지 못하거나 개구리가 양서류의 한 종이라는 사실을 모를 수도 있다.

영어를 모국어로 사용하지 않는 사람들

원래부터 이민자들의 입국 항으로 이용되던 곳이 아니었던 노스 캐롤라이나(North Carolina) 및 메인(Maine)과 같은 주에서도 영어를 모국어로 쓰지 않는 사람들의 비율은 신속하게 증가하고 있다. 1990년 인구 총조사에 의하면 미국 인구의 13.9%가 가정에서 영어 이외의 언어를 쓰는 것으로 응답하였다.[25] 2000년 조사에서는 그 수치가 17.9%로 상승하였으며, 이 중 23%는 영어를 "잘 못하거나" "전혀 못하는" 것으로 응답하였다.[26] 영어가 모국어가 아닌 사람 중 70%는 스페인어가 모국어인 사람들이지만 나머지 30%의 언어적 다양성은 실로 놀랄 만한 것이다.[27]

영어를 모국어로 하지 않는 이 비동질 집단을 두 개의 넓은 범주 즉, 모국어로는 문해력이 높고 교육 수준이 상당한 사람들과 그렇지 못한 사람들로 구분하는 것이 보건의료 전문가에게 도움이 될 것이다.

모국에서 고등학교 교육 수료 혹은 재학 경험이 있는 사람들은 일반적으로 기본적인 건강 개념을 이해할 수 있을 정도의 모국어 어휘와 기본지식을 가지고 있다. 문화적 차이로 인한 신념 여부는 별도로 하고 이들은 단지 이러한 개념에 해당하는 영어 단어들을 신속하고 정확하게 모국어로 옮겨주기만 하면 된다. 병원과 지역사회의 번역가들이 대체로 이들의 요구를 충족시켜 줄 수 있다.

모국어로 문해력이 없거나 교육을 잘 받지 못한 사람들은 여러 가지 다양한 문제들을 안고 있다. 이 사람들의 경우 고혈압(high blood pressure)과 같은 어구를 모국어로 번역해 주는 것만으로는 부족하다. 이들에게는 고혈압의 개념 설명과 더불어 심장과 혈관에 대한 기본지식도 필요하다. 다르게 표현하자면, 의료 번역가들은 환자가 질문을 하지 않는 상황에서도 추가적 설명이 언제 필요한지를 간파할 수 있는 선생님과 같은 역할을 해야 한다는 것이다. 또한 번역가들은 현대 의학과 건강과 질병에 대한 전통적 개념이 상충하는 부분을 알기 위해서 환자의 모국 문화에 대해서도 충분히 알고 있어야 한다. 교육 수준이 낮은 영어 사용자처럼 교육 수준이 낮은 비영어 사용자들도 의료 및 보건의 일반 사항을 이해하기 위한 기본지식이 부족하다.

문해력이 부족한 환자들과의 양방향 "교육" 활동

보건의료 전문가들은 암묵적으로든 명시적으로든 교육이 그들의 중요한 한 가지 임무라고 오래전부터 생각해 왔다. 교육 수준이 높은 환자들의 경우에는 질병 상태나 치료에 대하여 간단명료하게 설명을 하고 의문이 있는지 물어보면 충분하다. 이러한 방법은 새로운 정보를 조직화하기 위한 기본적인 체계, 즉 새로운 사실의 첨가, 저장, 분석을 위한 일종의 인지 영역을 환자가 어느 정도 가지고 있거나 만들어 낼 수 있다면 효과가 있다. 교육 수준이 높은 성인은 새로운 정보를 적극적으로 처리하는 데 적응력이 뛰어나고 더욱이 새롭게 받아들인 정보를 확실히 정리할 목적으로 보건의료 전문가에게 자신 있게 질문을 던진다(예, 새로 처방하는 이 약은 … 일종의 항히스타민제입니까?).

이 장에서 논의된 문해력이 부족한 다수의 성인의 경우 단순히 죽 이어서 하는 설명은 그다지 효과적인 방법이 아닐 것이다. 정보를 작은 부분으로 나누어서 각 부분에 대한 설명이 끝날 때마다 구체적인 질문을 던져 환자가 이해하고 있는 내용이 무엇인지 확인하는 것이 더 효과적일 것이다[예, '천식 유발물질(asthma trigger)'이란 무엇을 의미합니까? 혹은 당신에게 '천식을 유발하는 물질은 무엇입니까?(What are your asthma triggers?)']. 이러한 예에서, 보건의료 전문가는 익숙한 어휘인 "방아쇠(trigger)"가 친숙하고 표상적인 의미인 총기의 한 부분이 아니라 "원인을 촉발시키는"이라는 확장된 혹은 은유적 의미로 사용되고 있다는 점을 환자가 이해하는지의 여부를 확인할 수 있다. 이러한 "확인(check-back)" 질문을 할 때 보건의료 전문가는 개방형 질문(예, 지금까지 궁금한 점이 있습니까?)보다는 직접적이고 구체적인 질문을 하여야 한다(예, 새로운 흡입치료제의 1일 권장 횟수는 얼마입니까?).

이러한 상호 의사소통이 의사의 시간을 더 많이 빼앗을 것 같지만 궁극적으로 시간을 들인 만큼의 가치가 있을 것이다. 정책 입안자들 가운데는 건강유지기구(HMOs)에서는 의사들이 문해력 및 교육수준이 낮은 성인들을 진료할 때 더 많은 시간을 사용하도록 여건을 마련해주어야 할 것이며 이것이 장기적으로는 더욱 효과적일 것이라는 점을 주장하는 사람도 있었다. 일반적으로 많이 사용되는 다른 한 가지 방법은 환자가 진료 내용과 치료 처방을 확실하게 이해하는 데 시간이 얼마나 들든지 간에 시간을 할애할 수 있는 특별 훈련을 받은 전분인력을 활용하는 것이다.

결론

읽기 능력의 발달 양상은 누적되는 것이기 때문에 음독 기술(재인식)이 취약한 성인들은 대부분 의미화 기술(어휘력과 기본지식) 역시 취약하거나 매우 취약한 수준이다. NALS 1, 2단계의 영어 사용 인구집단에서 세 가지의 일반적 읽기 양상을 확인할 수 있었다.

- 전체 중 약 10%에 해당하는 작은 규모의 집단은 실질적으로 문맹이라고 간주될 수 있다. 그들은 읽기 학습의 가장 초기 단계도 해내지 못한다. 기호를 재인식하는 능력을 전혀 갖고 있지 않으며 어휘력과 기본지식 수준은 지극히 낮다. 가장 기본적인 구술 언어의 의사소통도 이해를 하는지 확인해보는 특별한 관심이 필요하다.
- 전체의 30%에 해당하는 비교적 큰 규모의 집단은 대부분의 일상생활의 기호를 읽을 수 있고 매우 기본적인 서식을 작성할 능력은 있지만 재인식 기술은 우수하지 못하기 때문에 간단한 글을 읽는 것조차도 힘들고 속도가 느리며 불안하다. 이 때문에 읽기를 회피하는 경향이 있다. 이들의 어휘력과 기본지식 수준은 앞의 집단보다는 높지만 여전히 익숙한 일상적 대화 수준에 국한되는 편이다. 보건의료 전문가들과 구술 언어로 의사소통을 할 때, 특히 익숙한 단어들이 이례적이거나 은유적으로 사용될 때 이해 여부를 확인하는 특별한 관심이 필요하다.
- 약 40%에 해당하는 사람들은 (일부의 경우 고등학교 수준의 재인식 능력에 해당할 정도로) 음독 기술은 비교적 뛰어나지만 독해력은 의미화 기술 때문에 제약을 받는다. 이들은 단지 중학교 수준의 일반 어휘력을

지니고 있으며 기본지식, 특히 과학과 수학 분야의 기본지식에는 상당한 결손이 있다. 내용이 명료하고 기본지식이 그다지 많이 필요하지 않은 경우에는 기록 자료를 통해 정보를 획득할 수 있다.

영어를 모국어로 하지 않는 사람들은 두 가지로 분류할 수 있다.

- 모국어 교육을 충분히 받은 사람들. 문화적인 문제는 별도로 하고 이들은 단지 영어 단어와 용어를 모국어로 옮기기만 하면 된다.
- 모국어 교육이 부족한 사람들. 번역뿐 아니라 습득하지 못한 개념과 기본지식에 대한 자세한 설명이 필요하다.

보건의료 전문가들은 교육자로서 아주 중요한 역할을 띠고 환자와의 구술 대화를 신중하게 분석해야 한다. 문해력이 부족한 성인들은 많은 경우 단순히 의학 전문용어를 사용하지 않는 것만으로는 충분하지 않을지도 모른다. 명백히 의학 전문용어가 아닌 단어도 문제가 될 수 있다.[28] 교육 수준이 높은 성인에게는 기본적인 것으로 간주되는 과학 및 건강관련 기본지식이 문해력이 부족한 성인에게는 없거나 단지 부분적으로만 개발되었을 수 있다.

이러한 역할과 배려가 의료계에 새로운 것은 아니다. 이것은 예나 지금이나 성공한 개업의의 보유 자질 중 한 가지이다. 백 년 전의 의사는 오늘날의 의사보다 훨씬 더 많은 문맹자들 그리고 문해력 부족 환자들과 마주했을 것이다. 오늘날 변화의 장벽은 증가하는 보건의료비, 늘어나는 대기 환자로 의사가 환자에게 쓸 시간이 줄어든다는 사실, 게다가 의술은 점점 더 복잡해지고 환자와의 대화 시간은 과거 어느때보다도 더 많이 필요하다는 점이다.

참고 문헌

1   Kirsch I, Jungeblut A, Jenkins L, Kolstad A. *Adult Literacy in America: A First Look at the Results of the National Adult Literacy Survey*. Washington, DC: National Center for Education Statistics, US Department of Education; September 1993.

2.   Chall JS. Developing literacy in children and adults. In: Wagner D, ed. *The Future of Literacy in a Changing World*. New York, NY: Pergamon; 1987:65-80.

3.   Comings J, Kirsch I. Literacy skills of US adults. In: Schwartzberg JG, VanGeest JB, Wang CC, eds. *Understanding Health Literacy: Implications for Medicine and Public Health*. Chicago, Ill: American Medical Association Press; 2004.

4.   Gough PB. One second of reading. In Kavanagh JF, Mattingly IG, eds. *Language by Ear and Eye*. Cambridge, Mass: MIT Press; 1972:331-358.

5.   Chall JS. *Stages of Reading Development*. New York, NY: McGraw-Hill; 1983.

6.   Perfetti CA(1985). *Reading Ability*. New York, NY: Oxford University Press; 1985.

7.   Stanovich KE. Matthew effects in reading: some consequences of individual differences in the acquisition of literacy. *Reading Res* Q. 1986;21:360-406.

8.   Adams MJ. *Beginning to Read: Thinking and Learning about Print*. Cambridge, Mass: MIT Press; 1990.

9.   Carver RP. Reading for one second, one minute, or one year from the perspective of rauding theory. *Sci Stud Reading*. 1997;1:3-43.

10. McKeown MG, Curtis ME. *The Nature of Vocabulary Acquisition*. Hillsdale, NJ: Lawrence Erlbaum Associates; 1987.

11. Hirsch ED. Reading comprehension requires knowledge—of words and the world: scientific insights into the fourth-grade slump and stagnant reading comprehension. *Am Edu*. Summer 2003.

12. Davidson RK, Strucker J. Patterns of word-recognition errors among adult basic education native and nonnative speakers of English. *Sci Stud Reading*. 2002;6:267-299.

13. The First Five Years: Natioanl Center for the Study of Adult Learning and Literacy, 1996-2001. NCSALL Report 23, October 2002, p 44. Cambridge, Mass: NCSALL.

14. Snow CE, Burns S, Griffin P. Preventing Reading Difficulties in Young

Children. A report of the National Research Council. Washington, DC: Academy Press; 1998.

15. Report of the National Reading Panel: Teaching Children to Read. NIH Publication No. 00-4769. Washington, DC: NIH; 2000.

16. Hart B, Risley TR. *Meaningful Differences in the Lives of Young American Children*. Baltimore, Md: Paul H. Brookes Publishing Co.;1995.

17. Shaywitz SE. Dyslexia. *Sci Am*. November 1996;98-104.

18. Lyon GR. Reading disabilities: why do some children have difficulty learning to read? What can be done about it? *Perspectives,* Spring 2003;29:2.

19. The First Five Years: National Center for the Study of Adult Learning and Literacy, 1996-2001. NCSALL Report 23, October 2002, pp 19-22. Cambridge, Mass:NCSALL

20. Snow C, Strucker J. Lessons from preventing reading difficulties in young children for adult learning and literacy. In: Comings J, Garner B, Smith C, Eds. *Annual Review of Adult Learning and Literacy,* vol. 1. San Franciscom Clif: Jossey Bass; 2000.

21. Bruck M. Word-recognition skills of adults with childhood diagnoses of dyslexia. *Dev Psychol*. 1990;26(3):439-454.

22. Bruck M. Persistence of dyslexic' s phonological awareness deficits. *Dev Psychol*. 1992;28(5):874-886.

23. Fink RP. Literacy development in successful men and women with dyslexia. *Ann Dyslexia*. 1998;48:311-342.

24. Jencks C, Phillips M. America' s next achievement test: closing the black-white score gap. *The American Prospect,* September-October 1998;44-53.

25. US Census Abstracts. Washington, DC: US Census Bureau; 1990.

26. US Census Bureau, Census 2000, summary File 3. (2003). Available at:http://www.census..gov/population/socdem/language/table1txt. Accessed July 16, 2003.

27. Strucker J. NCSALL' s adult reading components study: Spanish speakers in ESL classes. Paper presented at: Annual Meeting of the International Dyslexia Association; June 27, 2002; Washington, DC.

28. Santos M. (2003). *The Vocabulary Knowledge of Language Minority Community College Students* [dissertation]. Cambridge, Mass: Havard Graduate School of Education; 2003.

제5장

환자 입장에서 본 보건의료 부문의 문해력

리마 E. 루드(Rima E. Rudd)(MSPH, ScD)
다이안 렌줄리(Diane Renzulli)(MSPH)
안느 페레이라(Anne Pereira)(MD, MPH)
로렌 돌트로이(Lawren Daltroy)(DrPH)+

앞에서 논의했듯이 기능적 문해력 평가는 기록된 자료를 활용하여 특정 과제를 수행할 수 있는 성인의 능력을 측정하는 것이다. 이러한 평가에 사용되는 자료는 성인이 일상생활에서 접할 것으로 예상되는 일을 대표하도록 다양한 여러 가지 상황에서 추출된다. 1992년 NALS에서는 9천만 명이 거의 모두 읽을 수는 있지만 기록된 자료를 사용하여 일관되고 정확하게 일상 업무를 수행하는 데는 어려움을 느끼는 것으로 나타난다.[1,2]

그럼에도 불구하고 오늘날 산업국은 국민들의 문해력이 높다고 가정하는 환경을 만들어 간다. 도처에 널려 있는 표지판과 게시판에 장소 표시, 광고, 경고문이 적혀 있고 거리, 광장, 기관, 시설 등의 이름과 번호가 붙어 있다. 공공기관의 복도와 사무실에는 각종 표지 및 안내문으로 가득하다. 국민들은 공공장소에서 그리고 공공 및 사설 시설물 안에서 기록물에 둘러싸여 있는 것이다. 이들은 장소를 찾아가고 안내문에 게시되거나 구두로 설명되는 지시사항을 잘 따르고 필요한 서류를 작성하기 위해서 읽기, 쓰기, 셈하기 기술을 사용해야 한다. 실례로 지역사회의 사회보장부서에서 요구되는 상황을 가정해 보자.

+로렌 돌트로이 박사는 2003년 9월에 작고했음.

사회보장부서는 번화가에 위치해 있다. 방문객과 간혹 잡담이나 하는 경비원을 제외하면 사회보장 전문가라고는 한 명도 없는 대기실은 8개의 창구가 출입문을 마주하고 있는 직사각형의 넓은 공간이다. 각 창구에는 번호가 붙어 있다. 이들 창구가 있는 벽의 중앙에는 방문객들에게 '번호표를 뽑으시오, 창구로 오기 전에 서류를 작성하시오, 무료 상담 전화로 문의하시오' 라는 안내문들이 전광판에 나오고 있다. 꽤나 간단하게 쓰인 이 안내문들은 전광판에서 빠르게 지나가지만 않으면 이해가 쉬울 것이다. 출입구에서 방문객들에게 방향 안내를 해주는 입간판에는 메디케어에 관한 정보를 얻을 수 있는 곳이 어딘지 적혀 있지 않다. 메디케어 담당 사무실이라는 것을 알려주는 여타의 안내지 혹은 포스터도 전혀 없다. 선반에는 여러 가지 서식 가운데 메디케어 신청서가 있지만 메디케어 서비스 그 자체에 대한 정보는 없다.

Alice Kuo, ScM, Student, Health Literacy Graduate Course at the Havard School of Public Health; 2002; Boston, Mass.

이 경우에 속독 능력이 매우 중요하다. 하지만 인쇄물은 문해력에 심각한 문제가 있는 사람에게는 부적절한 것이다. 퍼셀-게이츠(Purcell-Gates)[4]는 중서부지역의 한 도시에서 아이들을 키우고 있는 기혼 여성 제니(Jenny)의 경험에 주목한다. 제니는 우편물이나 소포 등 현대 문명의 이기를 사용할 수 없으며 글을 읽을 줄 모른다. 미국 본토 출신의 영어 사용자이며 7학년까지 교육을 받은 제니는 문맥 속에서 단어 몇 개만 인지할 수 있다. 그래서 제니는 글로 된 세상에서 방향을 찾으려면 자신의 지식과 경험 그리고 색깔과 모양 따위의 지표 도구뿐 아니라 주변 사람마저도 활용해야 한다. 완전 문맹이라는 사실이 이례적이기는 하지만 제니는 읽을 줄 아는 사람들을 포함해서 현대 사회의 성인들이 많이 사용하는 대처 방법을 개발한 것이다.

대처 방법은 얼마든지 있을 수 있겠지만 이것은 또한 착오, 불편, 제약을 가지고 올 수 있다. 보건의료 부문과 건강관련 행위에서는 착오가 불편이상의 더 심각한 문제가 된다. 어떤 사람의 문해력 기술이 부진하고/하거나 요구되는 문해력 수준이 일반인의 문해력 기술에 비하여 높은 경우 초래되는 결과는 치명적인 것으로 건강에 직접적으로 영향을 미칠 수 있다.

5장에서는 미국 성인들의 평균적인 기능적 문해력과 보건의료 부문에서 요구되는 문해력 사이의 간극을 집중적으로 다룬다. 먼저 건강관련 상황과 건강관리를 비롯한 여러 부문에서 접하게 되는 문해력의 필요성에 관해 설명하고 그 다음으로 환자의 권리 및 보건의료제공자 간의 상호관계라는 관점에서 건강정보이해능력을 검토한다. 마지막으로 시사점과 필요한 대책에 대한 논의로 끝을 맺는다.

건강관련 상황

기능적 문해력은 항상 특정 상황 내에서 작용한다. 하지만 건강관련 행위는 매우 많고 그 상황은 매우 다양하다. 어느 하루 동안 성인은 건강증진과 건강보호, 질병예방, 진료 및 치료와 같은 매우 광범위하고 다양한 건강관련 행위에 관여하게 된다. 이러한 행위들은 가정, 직장, 지역사회, 보건의료 부문 등에서 일어난다.

가정에서 흔히 이루어지는 행위에는 가정용 제품의 영양소 함량 표시나 설명서를 읽는 것, 청소 용품 혹은 청소기의 사용 설명서를 따르는 것, 몸이 아픈 아이 혹은 노인을 돌보는 것, 만성질환 증상을 살펴보는 것, 추후 치료의 지시사항을 이행하는 것, 그리고 증가 추세에 있는 것으로는 관공서나 보험회사의 서류를 작성하는 일 등이 있다. 게다가 성인들은 뉴스 기사를 읽고, 보고, 듣게 되며 친지들과 건강관련 주제에 대해 토론한다. 직장에서 근로자들은 여러 가지 다양한 물질들에 대해 알 권리가 있으며 안전 안내문과 특수 안전 장비를 사용하고, 건강과 안전에 관하여 혼자서 혹은 친구 및 동료들과 같이 결정을 내린다. 기타 건강관련 행위에는 질병예방 활동이나 조기발견을 위한 조치에 관련한 것들이 있다. 집단검진 이용에 대한 학교 가정 통신문은 공중보건 안내의 유용한 도구이며 행동 지침이다. 또한 성인들은 투표 행위를 통해 건강 정책 및 법안 마련에 참여한다. 물론 성인들은 환자일 수 있으며 이 경우에는 보건의료제공자와의 대화와 토론에 참여하고 권고사항을 따라야 한다. 따라서 가정, 직장, 지역사회, 그리고 다양한 보건의료 부문 모두 "건강관련 상황 (health context)"이 된다.

사방에서 불협화음들이 건강관리 상황을 둘러싸고 있으며 위태롭게 한다. 건강은 중요한 화두거리임에 틀림없으며 일반 대중이 높은 관심을 가지고 있는 분야이다. 사람들은 이야기를 나누고 충고를 주고 받는다. 건강에 관한 이러한 관심은 텔레비전과 라디오, 신문과 잡지, 인터넷 채팅방, 정부와 민간 부문의 인터넷 홈페이지 및 인쇄물, 그리고 수많은 시청각 광고와 전단지에도 매일 반영되고 있다.

인터넷, 대중매체, 보건의료 부문의 자료

다양한 매체를 통하여 전달되는 건강관련 메시지와 정보의 접근성에 대해 몇몇 연구가 수행되었다. 미국 성인 약 6백만 명이 평소에 의료 자문을 얻기 위해 인터넷에 접속을 하는데 이것은 보건 전문가를 실제로 방문하는 것보다 더 높은 수치이다.[6] 그러나 최근의 조사에 따르면 인터넷상의 건강정보는 (10학년 이상의) 매우 높은 읽기 수준으로 기록되어 있어서 일반인은 이해하기 어렵다는 점이다.[7] 예를 들면, 칠드런즈 파트너십(Children' s Partnership)에서 교육, 가족, 금융, 정치, 건강, 주거, 일자리, 소양 계발 등에 관한 웹사이트 1,000 개를 연구한 결과 단지 10개(1%)의 웹사이트만이 고등학교 학력 수준 이하의 문해력을 가진 성인에게 적합한 것으로 나타났다.[8]

그래버(Graber) 등[9]은 인터넷 건강관련 사이트의 개인정보 보호 정책에 관한 연구에서 개인정보 보호 안내문을 공시하는 사이트를 읽을 수 있으려면 평균적으로 대학 2년의 학력 수준이 필요하다는 사실을 발견했다. 크로프트 (Croft)와 피터슨(Peterson)[10]에 의하면 인터넷상의 천식에 대한 교육 정보들이 플레쉬-킨케이드(Flesch-Kincaid) 공식으로 점수화했을 때 평균 10.3 읽기 수준을 가지고 있었다. 전체적으로 언뜻 살펴보기만 하더라도 다수의 웹사이트 정보가 책과 소책자의 정보에 비하여 반드시 읽기에 수월하지만은 않다는 점

을 알 수 있다.[11]

건강 제품이 광고를 통하여 잘 팔려나가고는 있지만 정작 중요한 건강관련 사항들은 분명하게 전달되지 않거나 쉽게 이해되지 않는 경우가 많다. 예를 들어, 벨(Bell) 등[12]의 조사 결과 소비자에게 직접 전달되는 많은 잡지 광고들은 의료적 주의 사항과 그 치료에 대하여 단지 피상적인 정보만 제공하고 있었다. 카핑스트(Kaphingst)[13]는 소비자에게 직접 전하는 광고에서 중요한 상황 설명이 누락되어 있고 참고 자료의 가독성 점수는 고등학교 수준의 범위에 해당하였으며 인쇄 광고물의 내용 중 요약 부분은 대학 수준이라고 지적하였다.

상당수의 연구 논문은 보건 교육 자료의 읽기 수준이 그 개발 대상자인 대중의 읽기 수준을 훨씬 초과하고 있다는 일관된 결과들을 제시하고 있다.[14] 연구자들은 첫째 암, 당뇨병, 천식, 에이즈 등과 같은 특정 질병에 대한 자료와 둘째 복약, 자가 치료, 환자 동의 관련 자료와 문서를 검토한 기타 자료의 가독성을 평가했다. 250편 이상의 연구 논문에서 건강관련 자료가 미국 평균 성인의 8~9학년 수준의 읽기 기술을 훨씬 상회하는 수준으로 작성되어 있다는 점을 제시하고 있다.[14]

인터넷이든 책자 형태든 간에 활용 가능한 자료에 존재하는 이런 차이는 정보에의 접근성에 제약을 가하게 되고 궁극적으로는 건강 활동을 방해한다.[15~17] 결과적으로 평균적 성인은 건강 문제의 해결을 위한 수많은 해결 방안과 다양한 정보원 사이에서 취사선택을 해야 하는 상황에 직면하게 된다. 일반인의 읽기 수준과 이러한 정보의 이해를 위해 개인에게 요구되는 인지능력 사이의 합의점에 대하여 아직 완전한 연구가 수행되지는 않았다. 그러나 병원, 건강관리 센터, 의원과 같은 공식적인 보건의료 부문에서 요구되는 문해력을 좀 더 세밀하게 검토하고 문해력을 요구하는 고정관념에 대한 재평가를 시도하고 있다.

통념

사람들이 실제로 가진 문해력 기술과 보건의료 체계의 과정 및 절차에서 요구되는 문해력 간의 불일치는 평균적인 문해력 기술에 대한 기대치와 추측 때문이라고 할 수 있다. 예를 들면, 공중보건 캠페인은 위험과 가능성과 같은 복잡한 개념의 이해를 전제로 하는 경우가 많다.[18] 보건의료 전문가들은 일반적으로 사람들이 인체의 여러 장기와 기관계의 이름, 위치, 기능 등을 알고 있다고 생각하지만 이러한 정보는 유치원에서부터 12학년에 이르는 교육체계 중 어느 교육 과정에서도 다루고 있지 않는 부분이다. 민간 보험과 국가 보장 프로그램의 절차 및 서류는 사람들이 서류, 법률·행정 용어와 절차, 산술적 계산 등에 익숙하고 능숙하다는 점을 가정한다. 그렇지만 대부분의 경우에 이러한 가정은 잘못되었다.

제1회 미국 성인 문해력 평가(NALS) 결과가 1993년에 발표되었고, 다른 나라들과의 심층 비교 분석 결과는 2000년과 2001년에 발표되었다.[1,2,19] 미국 성인의 평균 점수는 NALS 2단계와 3단계의 접점에 해당하였다. 3장에서 언급한 것처럼 교육학자들과 교육 경제학자들은 NALS 3단계 기능이 21세기 미국의 경제 활동과 시민 생활에 완전하게 참여하는 데 필수적이라는 점에 의견을 같이한다. 그러나 학제 간 정보 소통은 속도가 아주 느리며 건강관련 표시, 메시지, 정보 전달 소책자, 환자용 전단지, 서류, 문서개발 책임자들 중 상당수는 이러한 결과가 던지는 시사점을 인식하지 못하고 있다.

결과

NALS 분석 결과 문해력 기술이 부족한 사람들은 문해력 문제로 곤란을 겪고 있다는 사실조차 거의 인식하지 못하는 것으로 나타났다.[1] 결과적으로 도움이 필요한 사람이 적극적으로 도움을 구하지 않을 수도 있다는 것이다. 실제로 건강정보이해능력에 대한 연구에서 잘 읽지 못하면 당혹감 혹은 수치심을 동반할 수 있는 것으로 나타난다.[22]

NALS를 통하여 문해력 기술이 낮은 혹은 부족한 환자의 경우 그와 관련된 부수 결과 혹은 연상 작용이 확인된 이후 건강정보이해능력 조사 연구가 수행되기 시작하였다. (TOFHLA 혹은 REALM으로 측정한 바에 따라[‡]) 읽기 기술이 충분하지 못한 환자들은 읽기 기술을 잘 갖춘 환자들에 비하여 건강 상태가 양호하지 않다고 생각하거나,[23] 입원을 해야 하거나,[24] 자신의 만성질환 및 그 관리 방법을 잘 모르거나,[25~28] 첫 진료시 병세가 진행된 상태일[29] 가능성이 더 높다. 이를 비롯한 여러 가지 다른 결과들은 뒷장에서 좀 더 깊게 다루어지게 될 것이다. 전체적으로 보건의료 전문가들이 환자의 건강성과를 위하여 문해력 기술 저조 혹은 부족이 안고 있는 함축적 의미를 고려해야 한다는 것이 연구 결과이다.

보건의료 부문과 문해력의 필요성

넓은 의미에서 보건의료 체계를 항해한다는 것에는 정보 및 정보원 확보, 의사 결정 및 활동에의 참여, 필요한 절차 및 계획안의 실행 등의 영역을 포괄하는 광범위한 행위가 포함된다. 사람들은 보건의료 시설이나 치과 시설을 찾아 들어가고 방향을 안내해주는 자료나 도구를 이용하고 필요한 서류를 작성하고 시술에 대한 환자 동의서를 제출하며, 자신의 느낌과 경험을 표현할 적절한 단어를 선택할 때 어려움에 직면할 수 있다.

물리적 항해

지도, 방향 안내문, 표지판, 일정표 등과 같은 도구들이 게시되어 있거나 쉽게 눈에 띄는 곳에 있어서 외부인이나 방문객이 보건의료 시설에서 길을 잘 찾아갈 수 있도록 도와준다. 하지만 보건의료 시설에 있는 게시물 및 도구들은 다수의 사람들에게는 당연하게 여겨지는 문해력 기술을 필요로 한다. 자료 중에는 빽빽하거나 읽기에 어려운 글로 적혀 있는 것도 있고 많은 문서 양식과 도

---

‡ Test of Functional Health Literacy in Medicine(TOFHLA)과 Rapid Estimate of Adult Literacy in Medicine(REALM)은 10장에서 자세하게 기술됨.

안들은 현학적인 활동과 관찰력을 요구하기 때문에 더 어려워진다. 건물 외벽, 병원 로비, 복도에 붙은 게시물과 방향 표지판의 용어와 표현은 읽거나 발음하는 데 어려운 것들이 간혹 있다. 예를 들면, 병원에는 흔히 "입원(admitting)", "접수(receiving)", "외래 진료(ambulatory care)", "응급실 입구(emergency entrance)" 등이 적힌 출입구가 여러 개 있다. "walk-in" 대신 "ambulatory"를 쓰면 혼동이 생길 수도 있다. 앰뷸런스(ambulance) 역시 드나드는 문이 있을 것 아닌가. 또한 병원 표지판 중에는 기증자의 이름이 머리글로 제일 상단에 적혀 있는 경우가 많다. 일반인 가운데는 고유 명사와 의학 용어를 구별해내지 못하는 사람도 있을 수 있다.[30,31] 이에 따르는 착오와 비용, 시간 손실, 심적 불편에 대한 기록은 거의 없다.

전반적으로 표지판 및 게시물을 늘어놓고 있는 환경은 높은 수준의 문해력을 요구한다. 이러한 환경에 들어서는 사람은 글자에 압도당하는 느낌을 받을 것이다. 이 내용은 아래의 글에 잘 나타난다.

> 소아방사선과로 가려면 먼저 이 넓은 병원의 공공 구역을 헤집고 나가야만 한다. 사람들로 가득 차 있고 분주한 상황을 상상해보라. 천장과 벽에 방향 표지판이 붙어 있고, 게시판에 포스터들이 있으며, 진열 칸에는 각종 안내문들이 가득하고, 벽에 붙은 명판들에는 방 번호와 형광색 기증자 이름과 연혁이 적혀 있다. 기호 문자가 화장실, 공중전화, 현금입출금기 등을 알려주고 있고, 화살표는 진행 방향과 모퉁이를 나타내는 데 쓰이며, 복도는 색깔 구분이 되어 있다. 본관 출입구 바로 맞은편에는 안내 창구가 있어서 문해력이 부족한 사람이 도움을 받을 수 있지만 직원이 항상 있는 것은 아니다.
>
> **Paul Gilbert,** ScM, Student, Health Literacy Graduate Course at the Havard School of Public Health; 2002; Boston, Mass.

글자가 빈틈이 없이 가득 들어찬 환경은 읽기 능력이 매우 뛰어난 사람에게도 혼란을 줄 수 있다. 난해한 용어 사용도 마찬가지일 것이다. 예로, 한 병원 응급실 입구 게시판에 환자 분류(triage)라는 단어가 사용된 것이 관찰되었다.

한 환자가 응급실의 대기실에 들어서면 유리벽을 마주하게 된다. 그 옆에는 의자, 수족관, 아동용 물건들로 가득한 좌석 공간이 있다. 유리에는 왼쪽 측면을 따라 환자 분류(TRIAGE)라는 글씨가 비스듬히 적혀 있다. 여기가 제일 먼저 들려야 할 곳이라는 것을 알려주는 표시는 어디에도 없다. 많은 환자들이 이 지점을 그냥 지나쳐 응급실 안으로 더 들어가서는 접수라는 표지판과 책상 그리고 컴퓨터에 앉아 있는 직원을 보게 된다. 이 과정에서 경비원, 환자 분류 간호사, 접수계 직원 등이 환자를 환자 분류 표시가 있는 곳으로 되돌려 보낼 것이다.

    Stephan C. Porter, MD, Student, Health Literacy Graduate Course at the Havard School of Public Health; 2002; Boston, Mass.

환자 분류라는 단어는 외래어여서 발음하기에도 어려울 뿐 아니라 일반인에게는 생소한 의미이다. 결과적으로 이 표지는 진료 절차를 간소화하지도 못하고 오히려 직원의 입장에서는 긴장을 해야 하고 방문객에게는 당혹감을 줄 수 있다.

의료 시설의 근무자들은 특정 시술 및 검사에 사용되는 용어를 알고 있지만 외부의 일반인은 이런 용어를 접할 기회가 거의 없다. 그래서 "핵의학(Nuclear Medicine)", "뇌파 검사(EEG)", "심전도(EKG)", "근전도(EMG)", "호흡기 질환(Pulmonary Diseases)", "신장학(Nephrology)", "류마티즘학(Rheumatology)" 등과 같이 방향 표지판 및 장소 게시판에 적혀 있는 의학 전문 용어와 약어는 병원 내에서 길을 찾는 데 어려움을 가중시킨다.[31] 교육학자들은 대중의 문해력 기술, 의사소통의 상황, 사람들이 수행해야 하는 과제, 자료 자체의 난이도 모두가 재고되어야 한다고 주장한다. 이 모든 요소들이 조화를 이룰 때만 원활한 의사소통이 이루어진다.[2,4] 이러한 조화가 개인 차원에서는 가능하지 않더라도 보건의료 체계와 거기서 만들어지는 자료는 일상어를 채택할 수 있을 것이고, 대략 8학년 읽기 수준으로 추정되는 "평균적 기능"으로 맞추려는 노력을 해 볼 수 있을 것이다.

서류 및 개방형 서식

서류(예, 구직 신청서, 대중교통 일정표, 지도 등과 같은 간단한 서식 혹은 그림으로 정보를 제공하는 것)는 문장으로 제시되는 자료보다 이해가 더 어려울 수 있다. 왜냐하면 서류에는 완전한 문장이나 문단이 사용되지 않기 때문이다. NALS 결과에서 성인은 산문 자료에 비하여 서류에 덜 익숙한 것으로 나타난다.[1] 그럼에도 불구하고, 특히 이용자들이 빈칸을 채워 넣어야 하는 서류 및 개방형 서식이 곳곳에서 중요하게 사용되고 있다.

> 의료 관련 서류를 받아들었을 때 그 내용을 이해할 수 없을 정도로 복잡해서는 안 된다고 생각합니다. … 좀 더 간단명료해야 한다고 생각합니다.
>
> ***Margarite Smith,*** parent, *In Plain Language* video transcript, 2002.

서류를 작성하는 일이 의식처럼 치러져야 하기 때문에 진료 접근성이 방해를 받을 수 있다. 이러한 서류에는 보험 양식, 메디케이드 혹은 메디케어 서식, 병력 혹은 치과 병력 서식 등이 있다.[32,33] 또한 추후 통보나 검사 결과가 자세한 논의나 설명도 없이 서식으로 제시되는 경우도 흔하다. 병원의 유방촬영실에서 환자가 접하게 되는 서류와 추후 통보에 대하여 생각해 보자.

> 환자는 영어나 스페인어로 유방촬영에 관한 질의서를 작성하여야 한다. 이질의서는 고등학교 졸업 이상의 읽기 수준(SMOG 읽기 평가)으로 작성되어 있다. 검사 결과는 환자에게 우편으로 통보된다. 주와 연방 법규에서는 유방촬영 시설들은 "비전문 용어"를 사용하여 유방촬영 결과를 서면으로 제공하도록 명시하고 있음에도 불구하고, 이 결과는 고등학교 졸업 이상의 수준(SMOG 읽기 평가)으로 적혀 있다. 그 결과 보고서에는 아무런 설명이 없는 전문 용어들이 많고 더 쉬운 말로 충분히 대치될 수 있는 단어들도 많다. 질의서 혹은 결과 보고서 어느 것도 건강정보이해능력 연구자들이 추천하는 대로 수신자의 의견을 반영하지 않았다.
>
> ***Rosemary Frasso Jaramillo,*** ScM, Student, Health Literacy Graduate Course at the Harvard School of Public Health; 2002; Boston, Mass.

우편 통지와 검사 결과 그리고 서류에 사용되는 어려운 서식, 양식, 어휘 때문에 의료 이용객들이 이들을 이해하고, 처리하며, 회신을 하는 데 도와줄 직원을 배치해야 한다면 앞뒤가 맞지 않는 일처리 방식일 것이다. 즉 도서관 사서, 평생 교육 담당자, 사회복지사 등과 같은 지역사회 자원이 환자의 자료 해석과 서류 기입을 도와주어야 한다는 것이다. 이 정도 수준의 보조 활동은 목격된 바도 급료가 지불 된 바도 없다.[34,35]

서면 안내

보건의료 체계는 시술, 투약, 부작용, 자가 치료 등에 관련된 안내 및 지침을 서면 자료로 전달한다. 이 자료들은 평균적 성인의 읽기 능력을 초과하는 수준으로 작성되는 경우가 많다. 제약 회사, 비영리 단체, 영업 사원이 포장 상자 안에 넣는 지시사항들은 평균 10학년의 가독 점수를 가지고 있는 것으로 연구자들에 의해 밝혀졌다.[36,37] 응급실의 퇴원 안내문은 6학년에서 13학년 정도의 가독 점수인 것으로 평가되었다.[38,39] 천식 관리 계획에 관한 국가 지침은 5학년 이하의 읽기 수준을 목표로 하였으나 2002년도에 발표된 계획서 중 어느 것도 이 목표에 부합하지 않았다.[40] 서면 안내서의 개발 목적이 구두 의사소통의 부족을 보충하기 위함이었지만 8학년 이상의 수준으로 작성된 서면 자료는 문해력이 부족하거나 저조한 사람들은 물론 평균적인 미국 성인에게도 도움을 주지 못한다.

환자 권리

사회 정의와 권리라는 관점에서 건강정보이해능력을 검토한 연구들은 거의 없다. 미국 성인들은 명확하지 않은 건강관련 정보를 정기적으로 접하기는 하지만 이것은 권리에 비하여 정보 접근이 제한적이라는 점에서 충분하다고 할 수 없다. 환자의 권리와 책임은 병원 및 기타 의료기관의 출입구에 게시되어 있거나 유인물의 형태로 접할 수 있다. 이 중요한 정보는 존엄과 자율이라는 중요한 문제를 언급하는 것이며 다양한 형태로 나타날 수 있다. 병원과 의료 시설 중에는 딱딱한 어휘와 복잡한 문장 형식으로 법규인 것처럼 정보를 제시하는 곳도 있다. 예를 들어 아래의 표현은 어느 병원에 게시되어 있는 환자 권리(SMOG 21단계)를 인용한 것이다.

- 치료 담당의사 혹은 그 외의 인물의 이름 그리고 가능한 경우 전문 과목 협진 내용을 담당 의료 기관에게 요구할 권리.
- 시설의 수용 범위 내에서 모든 합리적인 요구사항에 대해 신속하고 적절한 답변을 받을 권리.
- 응급 상황의 경우 경제적 지위나 병원비 지불 조건에 따른 차별 없이, 그리고 병원비 지불 가능성에 대한 사전 검토로 치료가 지연되더라도 건강상 물리적인 위험이 부과되지 않는 경우가 아니라면 병원비 지불 가능성에 대한 사전 검토로 치료를 지연시키지 않고 신속하게 소생 치료를 받을 권리. 그리고 상기의 시설이 공인된 응급 의료를 갖추고 있는 경우 이 권리는 아직 환자로 등록되지 않은 사람이나 시설 내에 있는 모든 사람들에게도 확대 적용된다.

반면에, 아래는 환자의 입장에서 새로 작성된 동일한 내용의 권리 문구(SMOG 12단계)로 소아 병원 출입구에 게시된 것이다.

- 이 병원에서는 많은 사람들이 귀하의 자녀를 보살핍니다. 귀하는 이들의 신원과 이들이 하는 일의 내용을 알 권리가 있습니다.
- 귀하는 자녀에게 어떤 일이 왜 일어나고 있는지 물어볼 수 있습니다. 쉽게 그리고 일상어로 귀하에게 관련된 내용을 성심껏 설명해 드리겠습니다.
- 귀하의 자녀는 병원비 지불 가능성에 상관없이 응급상황에서 소생 치료를 받을 권리를 가지고 있습니다. 이것은 병원의 기존 환자뿐 아니라 초진 환자에게도 적용됩니다.

위의 두 게시물이 요구하는 가독 수준은 현격하게 차이가 난다. 처음 것은 불합리한 장애물이 되며 환자 권리를 위태롭게 한다. 당연히 이해가 어려운 게 시물은 엄밀히 말해서 유용하지 않다.[30,31]

개인정보 보호권

1996년에 제정된 건강 보험 승계 및 책임에 관한 법령(Health Insurance Portability and Accountability Act; HIPAA)으로 미연방 정부가 정한 사생활 보호 기준은 2003년 4월에 그 효력이 발효되었다. 원래 의무 기록의 활용과 제공에 있어 환자에게 더 많은 권한을 부여하기 위하여 고안된 것으로, 규정에 따르면 보건의료제공자는 개인 의료 정보의 사용에 대하여 환자에게 공개해야 한다. 환자의 권리 또한 구체적으로 명시되어야 한다. 그러나 환자가 자신의 새로운 권리를 이해한다는 증거 제시는 의무 사항이 아니다. 법에 따르면 환자는 새로운 규칙과 규정에 대한 설명을 들었다는 것에 서명을 하면 된다. 규정의 어떤 부분에도 환자의 이해 여부에 대한 내용은 없으며 글의 적절한 읽기능력 수준을 제시하거나 글의 문체와 양식을 제안하지도 않는다. 결과적으로, 서류에서는 환자의 권리에 대한 진술을 어렵게 만드는 언어가 사용될 것이다. 예를 들어, 환자는 자신의 건강정보에 대하여 다른 의료 기관과 비교해 보고 결정 내용을 바꿀 권리가 있다는 점을 환자에게 알려야 할 때 의료 기관이 어떤 선택을 하는지 살펴보자.

귀하는 아래에 명시된 개인정보 담당 직원에게 철회 진술서를 제출함으로써 이미 본 병원에서 조치를 취한 경우를 제외하고 귀하의 "1급 비밀 정보"와 관련이 있는 위임 혹은 모든 위임장을 철회할 수 있습니다.

반면에 한 병원의 개인정보 보호 안내문은 다음과 같다.

귀하는 언제라도 동의서를 취소할 수 있습니다.

사전 동의

연구과제에 참여할 때마다 성인은 동의서에 서명을 해야 한다.[*1] 연방법에서는 연구 내용, 검사와 시술, 예상 결과 등을 설명해주는 공식적인 연구 참여 동의 안내문을 의무화한다. 연구 참여 동의서를 받는 목적은 연구 참여 여부를 두고 참여자들의 자율성을 보장하기 위해서이다. 따라서 동의라는 공식적인 절차는 건강정보이해능력의 중요한 한 가지 측면이고 이해력을 필요로 한다. 그러나 지난 30년 이상 동안 출간된 보고서에는 동의서에 사용된 어휘가 너무 전문적인 것들이어서 어렵다는 점이 조명된 바 있다.[41~45] 어려운 문장과 과학 용어들은 의미를 모호하게 한다. 결과적으로 미국 성인들은 진정으로 동의를 할 입장이 아닐 수도 있다는 것이다.

> 내가 서명해야 할 서류들은 산더미 같았다. … 나는 서명을 하기는 했지만 내가 무엇에 서명을 하고 있는지는 알지 못했다.
>
> *Karen Rivera,* parent and patient, In *Plain Language* video transcript; 2002.

9개의 임상시험에 참여한 환자들을 대상으로 한 콕스(Cox)의 연구[46]에서 연구에 참가한 환자 모두가 안내문 중에는 이해하기에 너무 어려운 내용이 있다고 생각했고, 그들 중 절반은 그 내용이 쓸모없다고 지적하였다. 파슈-올로(Paasche-Orlow) 등[47]의 연구에서는 임상연구심의위원회(Institutional Review Boards, IRB)에서 제시한 표본 글의 평균 가독 점수는 IRB가 제시한 기준을 2.8 등급 정도 초과하였다. 동의서에 사용된 전문 용어를 성인이 이해하지 못하는 점에 대해 법 조항을 자세하게 검토하는 일은 남은 과제이다.

---

* 사전 동의는 8장에서 좀 더 상세하게 다루어짐.

환자와 의료제공자 간의 의사소통

환자와 의료제공자 산의 의사소통에 내한 연구 결과는 3징에서 디루기는 히였지만 여기서 언급하는 내용은 보건의료 전문가들이 자기만 아는 언어를 사용하고 서먹하게 대하며 사람들에게 익숙하지 않고 충분히 알지도 못하는 전문 분야의 시술을 받으라고 한다는 점이다.[48]

> 의사와 약사들은 툭하면, 그러니까, 좀 어려운 그런 말을 써요. … 있어 보이는 말, 가방끈 긴 말을 쓰면 우리 같은 사람들은 따라 읽기도 힘들죠.
>
> **Miguel Cruzado, Sr,** Public Works Department Employee. In *Plain Language* video transcript; 2002.

읽기는 복잡한 한 가지 현상의 일부분일 뿐이다. 사람들은 문해력 기술의 개발과 더불어 의미화(개별 단어의 재인식 기술과 대조개념임)를 위한 읽기, 정확하게 기술하는 능력, 직접 대면하지 않고도 의사를 전달하고 이해할 수 있는 능력, 상황을 설명하고 이해하는 능력, 광범위한 실용 어휘의 구사 및 이해, 추상 개념의 표현 및 이해 등 수많은 다른 기술들도 개발한다.[49] 언어학자와 읽기 전문가들은 읽기, 언어 구사력, 듣기 이해력과 같은 다양한 기술들 사이에 연계성이 있음을 주장하였다.[50] 그래서 건강 성과 및 환자가 가진 기술과 역량 사이의 관련성은 읽기에 국한되는 것이 아니라 문해력 기술의 전반적인 영역에 연관될 수 있다는 것이다.

의료, 간호, 치과, 정신건강 영역의 건강 상담자들은 환자의 구술 기술에 의존하게 된다. 환자는 의사가 진단을 할 수 있도록 경험과 증상을 설명해야 한다. 청각 기능, 소위 듣기 이해기술 또한 중요하다. 의사의 말과 의견, 검사결과에 대한 설명, 조언 등은 치료와 자가 치료를 위해 중요한 요소들이다. 결과적으로, 환자의 구두 표현력과 이해력은 환자의 경험을 풍부하게 할 수도 제한할 수도 있다.

구술 표현력과 이해력이 높은 환자라도 보건의료제공자와 의사소통을 할 때 여전히 어려움을 겪을 수 있는데, 이것은 이야기 나눔과 교감 활동에 지위와 권한의 불평등이 작용하기 때문이다. 게다가 환자는 질병, 스트레스, 공포, 혹은 불편함 등으로 신체적 혹은 인지적 장애를 가질 수 있다. 앞에서 언급하였듯이 수치심 혹은 당혹감은 고도의 문해력이 필요한 보건의료 부문에서 환자 자신의 의사 표현 능력을 위축시킬 수도 있다.[51,52] 환자의 문해력 기술은 저조하든 높든 간에 말이나 글로 의료 전문가들이 사용하는 과학 용어와 전문 용어의 영향을 받기도 한다. 환자의 문해력 기술이 매우 중요하지만 보건의료 분야 종사자들의 어휘와 의사소통 기술 또한 중요하다.

보건의료 담당자들은 글이나 말의 형식으로 된 건강정보의 명확성을 끊임없이 향상시킬 필요가 있다. 읽기, 쓰기, 표현하기는 고등 교육기관에서의 세밀한 조율을 거치고 나면 고학력의 전문 지식을 갖춘 청중 간의 대화와 토론 수준에 맞추어진다. 하지만 일상어로 의사소통하는 능력은 다른 전문적인 역량과 더불어 보건의료 분야 종사자들의 중요한 기능으로 간주되어야 한다.

시사점 및 향후 과제

1장에서 설명된 것처럼 건강정보이해능력은 건강관련 자료, 메시지 전달자의 의사소통 기술, 삶의 경험의 변화, 교육, 그리고 신체 기능 상태, 정신 질환, 스트레스, 우울 등과 같은 중복장애 상태 등을 비롯한 여러 요인에 반응하여 기울기도 하고 다시 차오르기도 하는 역동적인 기능이다. 건강정보이해능력은 또한 수많은 전제와(나) 교란변수가 있다는 차원에서 이해되어야 한다. 여기에는 학력과 같은 분명한 요인뿐 아니라 난독 혹은 사회적 박탈 등과 같은 요인도 포함된다. 이러한 문제에 대한 추가적인 연구가 필요하다.[3]

1998년 사회경제적 지위 및 건강 연감(the 1998 Socioeconomic Status and Health Chartbook)에는 교육, 소득, 건강 상태를 연결시킨 광범위한 연구 결과가 요약되어 있다.[53] 가구당 소득은 교육 수준이 높을수록 증가한다. 기대 여명은 가구당 소득과 비례하고, 만성질환, 전염성 질환, 손상으로 인한 사망률은 교육과 완전히 반비례한다. 흡연, 좌식 생활양식, 과음 등과 같은 건강상 유해 행동은 저소득 및 저학력과 관련이 있다. 치과 검진, 집단검진, 비입원 치료 등은 고소득 및 고학력과 상관성이 있다.[53] 물론, 여기에서 인용한 연구는 교육과 (이나) 소득을 사회경제적 지위의 지표로 사용하였지 앞으로 검토되어야 하는 변수로는 사용하지 않는다. 최근까지 문해력 등 교육에 연계된 요인들을 좀 더 밀접하게 조사한 연구들은 거의 없었다. 국립의료원(National Institute of Health)은 2003년부터 교육과 건강의 연관성 탐구에 지원하기 시작하였다.

건강정보이해능력은 여전히 새로운 연구 분야이다. 혁신적이고 정밀한 연구 조사로 새로운 내용이 많이 밝혀질 것이고, 환자의 필요와 환자의 입장을 반영한 검증된 개선 노력들이 보건의료 및 그 성과를 향상시킬 수 있을 것이다. 그러나 먼저 보건의료 체계에 문을 두드리는 성인들의 건강정보이해능력 기술에 관한 잘못된 생각부터 바로잡아야 한다.

참고 문헌

1. Kirsch IS, Jungeblut A, Jenkins L, Kolstad A. *Adult Literacy in America: A First Look at the Results of the National Adult Literacy Survey.* Washington, DC: National Center for Education Statistics, US Department of Education; September 1993.

2. Kirsch I. *The International Adult Literacy Survey: Defining What Was Measured. ETS Research Report RR-01-25.* Princeton, NJ: Statistics and Research Division of ETS [Educational Testing Services];2001.

3. Rudd R. Literacy implications for health communications and for health. In: Murray M. ed. *Conference Report: Health and Literacy Action Conference.* Newfoundland, Canada: Memorial University of Newfoundland Division of Community Health; 2001:11-24.

4. Purcell-Gates V. *Other People's Words: The Cycle of Low Literacy.* Cambridge, Mass: Havard University Press; 1995.

5. Rudd R. Literacy and Health: Recalibrating the Norm. Oral Session 3292 Presented at 130th Annual Meeting of the American Public Health Association; November 11, 2002; Philadelphia, Pa.

6. Fox S, Raine L. *Vital Decisions: How Internet Users Decide What Information to Trust When They or Their Loved Ones Are Sick.* Washington,

DC: Pew Internet & American Life Project; 2000.

7. Hochhauser M. Patient education and the web: what you see on the computer screen isn't always what you get in print. *Patient Care Manag.* 2002;17(11):10-12.

8. Lazarus W, Mora F. *Online Content for Low-Income and Undeserved Americans: The Digital Divide's New Frontier.* Santa Monica, Calif: The Children's Partnership; 2000.

9. Graber MA, D'Alessandro DM, Johnson-West J. Reading level or privacy policies on Internet health web sites. *J Fam Pract.* 2002;51(7):642-645.

10. Croft DR, Peterson MW. An evaluation of the quality and contents of asthma education on the World Wide Web. *Chest.* 2002;121(4):1301-1307.

11. Zarcadoolas C, Blanco M, Boyer J. Unweaving the web: an explanatory study of low-literate adults' navigation skills on the world Wide Web. *J Health Commun.* 2007;7:309-324.

12. Bell RA, Kravitz RL, Wilkes MS. Direct-to-consumer prescription drug advertising, 1989-1998: a content analysis of conditions, targets, inducements and appeals. *J Fam Pract.* 2000;49(4):329-335.

13. Kaphingst KA. *Examining the Educational Potential of Direct-to-Consumer Prescription Drug Advertising* [dissertation]. Boston, Mass: Havard School of Public Health; 2002.

14. Rudd RE, Moeykens BA, Colton TC. Health and literacy: a review of medical and public health literature. In Comings J, Garner B, Smith C, eds. *The Annual Review of Adult Learning and Literacy.* San Francisco, Calif: Jossey-Bass;2000:158-199.

15. Meade CD, Diekmann J, Thornhill DG. Readability of American Cancer Society patient education literature. *Oncol Nurs Forum.* 1992;19(1):51-55.

16. Davis TC, Crouch MA, Willis G, Abdehou DM. The gap between patient reading comprehension and the readability of patient education materials. *J Fam Pract.* 1990:31(5);533-538.

17. Alexander RE. Readability of published dental educational materials. *J Am Dent Assoc.* 2000;131(7):937-942.

18. Rudd R, Comings J, Hyde J. Leave no one behind: improving health and risk communication through attention to literacy. *J Health Commun.* 2003;8[suppl 1]:104-15.

19. Sum A, Kirsch I, Taggart R. *The Twin Challenges of Mediocrity and Inequality: Literacy in the United States from an International Perspective.* A Policy Information Center Report. Princeton, NJ: Educational Testing Services; February 2002.

20. Comings J, Sum A, Uvin J. *New Skills for a New Economy: Adult Education's*

Key Role in Sustaining Economic Growth and Expanding Opportunity. Boston, Mass: MassINC, The Massachusetts Institute for a New Commonwealth; December 2000

21. Comings J, Reder S, Sum A. *Building a Level Paying Field.* Cambridge, Mass: National Center for the Study of Adult Learning and Literacy, Havard University; December 2001.

22. Parikh NS, Parker RM, Nurss JR, Baker DW, Williams MV. Shame and health literacy: the unspoken connection. *Patient Educ Couns.* 1996;27:33-39.

23. Baker DW, Parker RM, Williams MV, Clark WS, Nurss J. The relationship of patient reading ability to self-reported health and use of health services. *Am J Public Health.* 1997;87(6):1027-1030.

24. Baker DW, Parker RM, Williams MV, Clark WS. Health literacy and the risk of hospital admission. *J Gen Intern Med.* 1998 Dec.;13(12):791-798.

25. Kalichman SC, Rompa D. Functional health literacy is associated with health status and health-related knowledge in people living with HIV-AIDS. *J Acquir Immune Defic Syndr.* 2000 Dec;25(4):337-344.

26. Williams MV, Baker DW, Parker RM, Nurss JR. Relationship of functional health literacy to patients' knowledge of their chronic disease: a study of patients with hypertension and diabetes. *Arch Intern Med.* 1998;158(2):166-172.

27. Williams MV, Baker DW, Honig EG, Lee TM, Nowlan A. Inadequate literacy is a barrier to asthma knowledge and self-care. *Chest.* 1998;114(4):1008-1015.

28. Schillinger D, Grumbach K, Piette J, et al. Association of health literacy with diabetes outcomes. *JAMA.* 2002;288(4):475-482.

29. Bennett CL, Ferreira MR, Davis TC, et al. Relation between literacy, race, and stage of presentation among low-income patients with prostate cancer. *J Clin Oncol.* 1998;16(9):3101-3104.

30. Rudd R. When words get in the way: problems navigating health care. In: Program & Abstracts, 128th Meeting of the American Public Health Association; November 12-15, 2000; Boston, Mass. Abstract 6695.

31. Rudd R, Bruce K. *Navigation Study, Report to NCSALL, 1999.* Cambridge, Mass: National Center for the Study of Adult Learning and Literacy, Havard University; 1999.

32. Pereira A, Zobel E, Rudd R. Literacy demand of Medicaid applications. Paper presented at The 129th Meeting of the American Public Health Association; October 23, 2001; Atlanta, Ga.

33. Friedman R, Barclay G, Rudd RE. A case study for oral health: assessment

of literacy barriers. In: Program & Abstracts, 129th Meeting of the American Public health Association; October 23, 2001; Atalnta, Ga. Abstract 31357.

34. Molnar C. Addressing challenges, creating opportunities: fostering consumer participation in Medicaid and children's health insurance managed care programs. *J Ambul Care Manage*. 2001;24(3):61-68.

35. Sofaer S. *A Classification Scheme of Individuals and Agencies Who Serve as Information Intermediaries for People on Medicare*. New York, NY: School of Public Affairs, Baruch College; May 2000.

36. Basara LR, Juergens JP. Patient package insert and design. *Am Pharm*. 1994;34(8):48-53.

37. Ledbetter C, Hall S, Swanson JM, Forrest K. Readability of commercial versus generic health instructions for condoms. *Health Care Women Int*. 1990;11(3):295-304.

38. Powders RD. Emergency department patient literacy and the readability of patient-directed materials. *Ann Emerg Med*. 1988;17(2):124-126.

39. Williams DM, Counselman FL, Caggiano CD. Emergency department discharge instructions and patient literacy: a problem of disparity. *Am J Emerg Med*. 1996;14(1):19-22.

40. Forbis FG, Aligne CA. Poor readability of written asthma management plans found in national guidelines. *Pediatrics*. 2002;109(4):52.

41. Morrow GR. How readable are subject consent forms? *JAMA*. 1980;244:56-58.

42. Baker MT, Taub HA. Readability of informed consent forms for research in a Veterans Administration medical center. *JAMA*. 1983;250(19):2646-2648.

43. Hammerschmidt DE, Keane MA. Institutional Review Board(IRB) review lacks impact on the readability of consent forms for research. *Am J Med Sci*. 1992;304(6):348-351.

44. Philipson SJ, Doyle MA, Gabram SG, Nightingale C, Philipson EH. Informed consent for research: a study to evaluate readability and processability to effect change. *J Investig Med*. 1995;43(5):459-467.

45. Davis TC, Holcombe RF, Berkel HJ, Pramanik S, Divers SG. Informed consent for clinical trials: a comparative study of standard versus simplified forms. *J Natl Cancer Inst*. 1998;90(9):668-674.

46. Cox K. Informed consent and decision-making: patients' experiences of the process of recruitment to phases I and II anti-cancer drug trials. *Patient Educ Couns*. 2002;46(1):31-38.

47. Paasche-Orlow MK, Taylor HA, Brancati FL. Readability standards for informed-consent forms as compared with actual readability. *N Engl J Med*. 2003;348:721-726.

48. Williams MV, Davis T, Parker RM, Weiss BD. The role of health literacy in patient-physician communication. *Fam Med.* 2002;34(5):383-389.

49. Rudd R. *How to Create and Assess Print Materials.* Available at www.hsph.havard.edu/healthliteracy/materials.html. Accessed Jun 24, 2003.

50. Snow CE. The theoretical basis for relationship between language and literacy in development. *J Res Child Educ.* 1991;6(1):5-10.

51. Rudd R, DeJong W. *In Plain Language* [videotape]. Available at www.hsph.havard.edu/healthliteracy/video.html. Accessed June 30, 2003.

52. AMA Foundation. *Low Health Literacy: You Can't Tell By Looking* [videotape]. Available at www.kumc.edu/service/acadsupt/edtech/ gjames/amaliteracy/amafoundationstreams.htm. Accessed June 30, 2003.

53. Pamuk E, Makuc D, Heck K, Reuben C, Lochner K. *Socioeconomic Status and Health Chartbook. Health, United States, 1998.* Hyattsville, Md: Center for Health Statistics; 1998.

제3부

건강정보이해능력과 의사소통

데브라 L. 로터(Debra L. Roter)(DrPH) 편술

서론

의료분야에서 기본적인 치료 수단으로서 의사소통의 역할은 의학의 역사와 더불어 줄곧 중요하게 여겨졌다. 오늘날 의료커뮤니케이션은 환자와 의료제공자 간의 직접적인 교류는 물론이고 글, 시청각 보조 자료, 인터넷을 통한 교류 등 다양한 형태를 취한다.

3부에서는 먼저 건강정보이해능력 및 환자와 의료제공자의 관계에 대해서 논한다. 6장에서는 건강정보이해능력의 부족이 환자와 담당자 간의 의사소통에 영향을 미친다는 점과 그로 인한 의료 대화가 환자와 의료제공자 간의 관계를 어떤 식으로 결정짓는지에 대한 기본 틀을 제시한다. 이 기본 틀은 의사소통 3단계를 중심으로 구축된다. 의사소통 단계별 방법을 통하여 의사들은 환자의 참여와 협력을 조장하게 되고 환자는 치료과정에 더 많은 참여를 하게 된다.

7장에서 쿠퍼(Cooper) 등은 구체적으로 의사결정에 관한 커뮤니케이션을 중심으로 건강정보이해능력과 치료 방법 결정에 환자를 참여시키는 권한을 부여하려는 의사의 노력 사이의 연관성을 탐구한다. 참여적 의사결정과 문해력 부족 간의 연관성에 대한 직접적인 조사 연구가 거의 없기 때문에 쿠퍼 등은 문해력 부족과 참여적 의사결정 둘 다에 연관이 있는 여러 가지 사회적 요인

(예, 연령, 인종, 사회경제적 지위)을 검토한다. 또한 문해력이 치료에 대한 환자의 참여에 영향을 미칠 수 있다는 점을 검토하고 마지막으로 향후의 연구 방향을 제시한다.

8장에서 파슈-올로(Paasche-Orlow)는 문해력이 부족한 인구 집단이 직면하는 동의 절차의 어려운 점들을 비판적으로 검토한다. 파슈-올로는 동의서의 목적을 분명히 하고 실제로 동의서를 받는 과정에서 원래의 취지에서 벗어나는 경우에 대해서 설명한다. 특히, 동의 절차의 요소들을 자세하게 설명하고 이 각각의 요소가 문해력이 부족한 환자에게 구체적으로 어떤 어려움이 되는지에 주목하며 동의서 서식의 가독성을 다룬다.

인터넷과 컴퓨터 기술은 문해력이 부족한 사람에게 새로운 국면의 의사소통 위험(과 기회)을 제공한다. 마지막으로 9장에서 바우어(Baur)는 문해력이 부족한 사용자에게 있어서 인터넷을 통한 의료 정보의 접근성과 유용성을 점검한다. 접근성의 문제, 전문적 기술의 필요성, 글자 정보의 구성정도 등 문해력이 부족한 사람들이 가질 수 있는 어려움을 설명한 후에 이러한 어려움을 극복할 수 있는 방법을 제안한다. 결론에서 바우어는 문해력 부족 인구 집단을 특징짓는 건강과 사회적 불평등 조장의 한 요인인 인터넷이 모든 사람에게 건강정보를 최대한 효율적으로 전달할 수 있는 도구로 발전할 수 있는 방안을 설명한다.

제6장

건강정보이해능력과
환자-보건의료제공자의 관계

데브라 L. 로터(Debra L. Roter)(DrPH)

의료 행위는 가장 직설적인 상황에서 이루어지는 복잡한 절차이다. 그것은 환자와 의사가 의료 교류의 특성과 방법에 대해 유사한 경험과 기대 그리고 생각의 공유가 없을 때 훨씬 더 복잡해진다. 보건의료의 인종적, 민족적 불균형에 대한 의학원(Institute of Medicine)의 최근 보고서는 사회적으로 취약한 다문화 환자 집단에 양질의 보건의료 서비스와 문화적 차이를 고려한 의사소통을 제공하려는 노력 그리고 그 건강상 결과에 관하여 전국적인 관심을 불러일으켰다.[1] 건강 불균형과 관련하여 인종 및 민족적 차이에 비해 상대적으로 연구가 부족하기는 하지만 대인 역학관계 및 보건의료 서비스의 질적인 면에 영향을 미치는 다른 요인들도 있다. 이 요인들은 사회적으로 취약한 인구 집단에서 특히 많이 발견되는 것으로 자존감이나 자의식 형성에 기여하는 개인의 심리적, 사회적 환경 즉 나이, 사회 계층, 교육, 성별 등과 같은 것들을 들 수 있다.[2] 이러한 맥락에서 환자의 건강정보이해능력이 의료커뮤니케이션에 미치는 영향을 검토할 수 있을 것이다.

진료를 받는(medical visit) 동안 의사소통의 내용과 분위기를 주도하는 적극적 매개자는 의사라고 주로 생각하지만 의사가 환자에게 일방적으로 영향을 미치는 것은 아니다. 상호 작용이라는 것은 전적으로 양방향으로 이루어지는 과정이며 환자와 의사 모두 서로에게 그리고 의료커뮤니케이션의 성질에 큰 영향을 미친다는 점은 분명하다.

　6장에서는 한 가지 기본 틀을 통해 건강정보이해능력 부족이 환자와 의료제공자 간 의사소통에 미치는 영향을 검토하고 이러한 의사소통이 환자와 의료제공자 관계의 성격을 어떻게 규정하는지 연구한다.

문해력 부족이 환자와 의사의 의사소통에 미치는 영향 이해의 기본 틀

문해력 부족이 환자와 의료제공자 관계와 환자의 건강관련 행동 그리고 결과적으로 불량한 건강 상태에 영향을 미치게 되는 일차적인 요인이 의료커뮤니케이션 장애일 것이라고 많은 연구자들은 생각한다.[3,4] 그러나 의료적 만남(medical encounter)에서 문해력 부족의 대인 역학관계는 충분히 연구되지 않았고 건강정보이해능력이 의사소통에 영향을 미치게 되는 경로를 이해하려는 틀을 제시하고자 하는 노력도 거의 없었다. 이런 틀을 개발하는 데 있어 프레이레(Freire)의 연구가 유용한 시발점이 된다.[5]

　프레이레가 사용한 방법은 원래 성인에게 문해력 기술을 교육하기 위하여 개발되었지만 그의 착안은 지역사회 개발, 건강 및 복지 사업 홍보, 예방적 건강 행위의 채택 등 좀 더 폭넓은 지역사회 기반 보건 교육의 목표 성취에 유용한 것이었다.[6] 프레이레는 사회적 취약 인구집단의 경제적, 정치적, 사회적 관계를 학습자를 수동적 객체로 취급함으로써 무기력하게 만드는 종래 교육 경험의 반증으로 간주한다. 이와 대조적으로 성인 교육은 학습자가 능동적인 학습 매개자가 되어 교육 경험으로 개인적 변화를 가져오고 "비판 의식"을 깨달을 수 있도록 역량과 자신감을 고취시킬 수 있어야 한다. 이러한 변화는 경험 말하기와 되돌아보기, 비판적 대화에의 참여, 의식적 실천이라는 세 가지 중요한 성인 교육 경험에 기인한다.[5]

　이러한 점에 비추어 의료 방문 시 대인관계 상황을 유추해 볼 수 있을 것이다. 의사가 사용하는 의사소통 방법에 따라 의료 대화에서 환자들은 더 소극적으로 되거나 의존적으로 되기도 하고 대화에 전적으로 참여하고 적극적으로 협조하게 되기도 한다.[7] 그림 6-1은 진료 시의 의사소통 단계를 설명해 주는 틀인데 이것은 프레이레의 핵심적인 강화 경험에 상응하는 것이다. 이 틀을 사용하여 문해력이 부족한 환자와의 의료커뮤니케이션 역학관계를 규명하고 그 의사소통의 결과를 개선할 수 있을 것이다.[7~9]

의사소통 제1단계는 환자가 자신의 이야기를 함으로써 의료 대화에 환자가 참여하는 것(patient participation in the medical dialogue)이다. 이야기를 구성하고 전달하는 과정 자체가 환자 자신의 자존감과 자기인식을 확인할 수 있는 수단이라고 할 수 있다. 이것은 성인 학습자의 삶의 경험의 가치를 확인시

그림 6-1 환자-의사 간 참여 지향적 의사소통법의 기본 틀

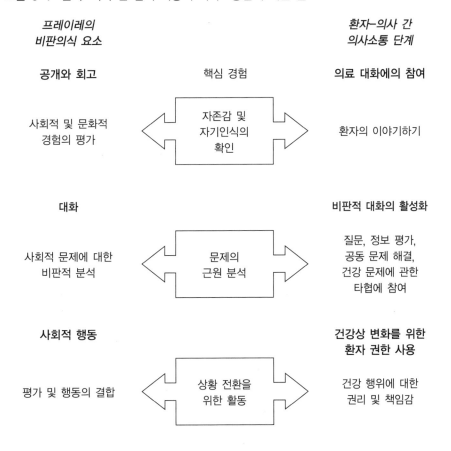

켜 주는 프레이레의 공개(disclosure)와 회고(reflection) 과정과 유사하다. 구두 표현과 관련이 있는 묘사 기술과 구성 기술이 부족한 문해력 부족 환자의 경우 병적 상황을 알아들을 수 있도록 이야기하는 것이 어려울 수도 있다. 따라서 환자가 이야기를 구성할 수 있도록 도움을 주는 의사의 의사소통 기술이 특별히 중요한 것이다.[10]

의사소통 제2단계는 질문, 정보 평가, 공동의 문제 해결, 의료 결정에 관한 타협 기술 등을 통한 비판적 대화의 활성화(activation of critical dialogue)이다. 이 단계는 프레이레의 대화 및 비판적 분석과 유사한 것으로 개인이 처한 상황 및 그 상황의 핵심 요인과 환경에 대한 검토를 촉진하는 과정이다. 복잡한 의료 설명문과 전문용어에 대한 기억이나 이해에 수반되는 인지적인 문제와 질문을 하거나 의료 전문지식의 어려움을 선뜻 내비치기 싫어하는 경향으로 인해 문해력 수준이 낮은 환자에게 특히 곤란한 상황이 발생한다. 이런 환자의 경우 문해력이 상대적으로 좀 더 높은 환자에 비하여 대화에 참여시키려는 의사의 기술이 더 많이 필요하다.

마지막으로 의사소통 제3단계는 환자로 하여금 인지된 선택을 하게 하고, 개인의 현재 건강 상태에 대한 사회적, 환경적, 개인적 상황을 조절하고 책임 지도록 하는 변화를 위한 환자 권한 부여(patient empowerment for change) 단계이다. 이 마지막 단계는 프레이레의 마지막 단계와 가장 가까운 것으로 행동을 통하여 삶의 환경을 조절하고 변화시킬 수 있는 개인의 능력에 대한 깨달음으로 한 개인을 수동적 주체에서 능동적 참여자로 변화시키는 과정이다.

각각의 의사소통 단계와 그리고 단계별로 환자에게 도움을 주기 위해 의사에게 필요한 기술에 대하여 다음 단락에서 논의할 것이며 이것은 표 6-1에 나열되어 있다. 가능한 경우 의사소통 각 단계를 뒷받침해 주는 증거들도 제시한다.

의료 대화에의 참여

물질적, 정서적, 사회적 의미를 모두 담고 있는 삶의 경험을 설명하고 회고하는 것은 가장 기본적인 자아 표현 수준의 확인 과정이다. 엥겔(Engel)은 "임상

표 6-1 환자 참여도 향상을 위한 의사소통 각 단계별 의사의 주요 의사소통 기술

의사소통 단계별 기술	참여적 의사소통
의료 대화에의 참여	• 자료 수집 기술(개방형 질문과 면담, 특히 심리사회적 영역에서) • 관계형성 기술(공감, 위로, 관심, 인정 등의 정서적 반응. 단, 이야기 도중 끼어들지는 말 것) • 협력 기술(말로 하든 하지 않든 관심의 표현, 부연 설명 및 해설. 단, 어투가 권위적이지 않을 것)
비판적 대화의 활성화	• 환자 교육 및 상담(의료 및 치료 정보 제공, 생활양식 및 자가 치료 정보 제공, 치료 상담, 생활양식 및 심리사회적 문제 상담) • 관계형성 기술(공감, 위로, 관심, 인정 등 정서적 반응. 단, 이야기 도중 끼어들지는 말 것) • 협력 기술(말로 하든 하지 않든 관심의 표현, 부연 설명 및 해설, 환자의 기대와 의견 및 건의 사항 문의, 공동 문제 해결)
건강상 변화를 위한 환자 권한	• 환자 교육 및 상담(정보의 평가, 치료 상담, 생활양식 및 심리사회적 문제 상담) • 관계형성 기술(격려 및 위로) • 협력 기술(부연 설명 및 해설, 환자의 의견 및 건의 사항 문의, 난상토론, 타협 및 공동 문제 해결)

상황에서 필요한 대인관계는 상호보완적이고 기본적인 인간의 욕구, 특히 알고 이해하고자 하는 욕구와 상대방에게 알리고 이해받고 싶은 욕구에 달려있다."라고 언급하였다.[11] 삶의 경험이 가지는 가치와 의미를 확인하는 과정에서 회고의 기회를 가지게 되고 환자는 증상의 수동적 보고자에서 자신의 건강 문제에 대한 능동적 "공동연구자"로 바뀐다.[6] 회고 과정에서 드러나는 문제는 의료 방문 때 논의거리가 된다.

의료 대화에 환자의 참여도를 높일 수 있는 중요한 의사소통 기술에는 자료 수집, 관계 형성, 협력 등이 있는데[12] 이것들은 원래 심리요법 문헌에서 유래되어 면담 기술에 적용된 것이다. 의사 방문 시 가장 초보적인 수준의 환자 참여는 반응적이 되는 것이라고 볼 수 있다. 즉, 의사는 질문하고 환자는 대답을 하는 것이다. 하지만 의사소통 요소가 확대되어 환자들이 명료하고 논리적으로 자신의 이야기를 할 수 있다면 완전한 참여로 변화될 수 있을 것이다.

자료 수집 기술은 형식과 내용 둘 다에서 융통성을 지닌 다양한 질문 행위를 의미한다. 의사 방문 동안 환자로 하여금 단답식으로 대답하게 하는 폐쇄형 질문을 할 경우 환자의 참여 기회는 제한된다. 반면 개방형 질문은 그 특성상 폐쇄형 질문에 비하여 대답을 할 때 환자 재량의 여지가 더 많다. 환자가 알고 있고 관심을 가지고 있는 일상의 경험 및 상황에 관한 질문은 터놓는 이야기의 요소와 의미의 질을 향상시킨다. 진심어린 격려, 공감, 위로, 개인적 배려 등의 관계 형성 기술은 라뽀(rapport)와 신뢰를 최대한 활용함으로써 환자가 솔직하고 자세하게 자신의 이야기를 터놓고 말할 수 있는 분위기를 조성한다. 협력 기술 또한 관심의 유발과 표명, 해설, 부연 설명, 의견 문의, 캐어묻기 등을 통해 환자의 참여를 적극적으로 유도함으로써 환자의 이야기하기를 더 쉽게 만든다. 또한 의사가 덜 권위적인 자세를 취하는 경우에 환자는 방문 동안에 더 적극적으로 대화에 참여하게 된다. 권위적이지 않은 태도에는 많이 듣고 말을 적게 함으로써 대화의 주도권을 줄이고 고개를 끄덕이고 눈을 맞추고 몸을 환자 쪽으로 기울임으로써 관심을 표명하는 것 등이 포함된다.

문해력 부족이 의료 방문 동안의 구두 표현에 미치는 영향

문해력이 낮은 환자들은 아픈 증상을 설명할 때 큰 어려움에 직면할 수 있다. 문해력 부족과 언어 표현의 제한성 간에 연관성이 있음을 제시한 흥미로운 자료가 있다. 여기서는 문해력이 부족한 환자는 문해력이 있는 환자에 비하여 자세하고 논리적이며 일관성 있게 증상과 병력을 자연스럽게 이야기할 수 있는 자질이 부족하다는 점을 제시하고 있다. 문해력을 갖춘 사람과 부족한 사람에 따라 표현 방법, 문장 구조, 말의 수준 등이 다르기 때문에 의사소통상의 어려움이 발생한다. 더구나 포커스 그룹 가운데 문해력이 부족한 환자들의 진술을 들어보면 환자의 이야기가 쉽게 전달되지 않는 것은 의사와 의사소통을 하려고 할 때 환자 자신의 이야기를 들어주고 있지 않다는 생각 때문이라는 점이다.[13]

구두 언어와 문해력 습득에 관한 많은 문헌은 어린이[14~16] 혹은 언어의 사회적, 이데올로기적 맥락과 일반적 사용에 초점을 맞추고 있다.[17,18] 특별히 흥미로운 것은 보편적인 배경, 지식, 경험을 지니는 "공감형성(contextualized)" 언어와 공유된 경험과는 독자적인 "비공감형성(decontextualized)" 언어를 구분하는 언어학자들의 연구이다.[16,18] 비공감형성 언어는 다른 사람에게 어떤 사건이나 심정을 설명하려고 매우 상세하게 추상 관념이나 기발한 언어 혹은 비유를 사용한다. 예를 들면, 의료 상황에서 흉통을 비공감형성 표현으로는 "지긋이 아프고 가슴 위에 코끼리가 한 마리 앉아 있는 것처럼 무겁다"는 식이 될 것이다. 한편 "가슴 여기가 아파요. 안 좋은데 설명할 수가 없습니다"처럼 그다지 특이한 점이 없는 설명은 문해력이 부족한 사람에게 더 전형적인 설명으로 진단을 내리는 의사에게는 그다지 도움이 되지 않는다. 의사에게 증상 혹은 질병 경험을 설명하는 것과 함께 관료직 및 전문직의 공적 분야의 의사소통에서 보완되어야 할 것은 좀 더 묘사적이고 의미 함축적인 언어 기술인데,[15] 이러한 종류의 언어는 문해력이 낮은 개인에게는 어려운 것일 수 있다.

최근 개발도상국의 의료커뮤니케이션에 이 연구가 던지는 의미를 탐구한 바가 있었다.[15] 그 결과 문해력은 의사가 환자에게 한 이야기 그리고 대중매체를 통한 건강 메시지 등 딱딱한 구어체에 대한 기억과 이해를 강화하는 것으로 밝혀졌다. 또한 문해력 기술이 건강에 관해 적절하게 설명할 수 있는 개인의 능력과 연관이 있음을 증명하였다. 이 연구의 시사점은 문해력 부족이 건강 메시지의 기억에 장애가 될 뿐만 아니라 표현력의 부족으로 인해 문해력이 부족한 환자들은 병력을 잘 기술하지 못하고 자료 수집과 근원적인 증상 확정 과정을 복잡하게 만들 수 있다는 것이다.

자료 사가(史家)로서의 환자의 역할은 의사 방문 만족도의 중요한 요소이기 때문에 구두 언어 능력의 부족은 진단의 정확성뿐만 아니라 대인관계의 만족도에도 영향을 미친다.

비판적 대화의 활성화

의료 대화는 논의 주제 확정, 정보 탐색, 반성적 고찰, 문제 제시, 공동 문제 해결 등의 창구를 제공한다. 대화에 적극적으로 참여하게 되면 환자는 반응적인 모습에서 진취적인 모습으로 바뀌고 주도권을 가지고 의사를 표현하고 그들의 필요를 충족시킨다. 의료 대화에 환자의 적극적인 참여도를 높이기 위한 개선책으로는 의료 방문 시 논의해야 할 질문, 관심사, 문제를 환자가 확인, 부연 설명, 사전 검토할 수 있도록 도와주는 지침 혹은 알고리즘을 들 수 있다.[9] 또한 의사가 다양한 방법으로 환자의 적극성을 유도할 수 있는데,[20] 여기에는 적절한 정보와 익숙한 용어 그리고 일상어를 사용하고 직접적이고 알아 듣기 쉬운 상담을 통해 환자들이 무엇을, 언제, 얼마 동안, 왜 해야 하는지 짐작할 수 있도록 하는 것이 포함된다. 게다가 환자가 설명하는 내용을 반문하고 환자의 의문점과 기대 그리고 선호하는 바를 단도직입적으로 물어봄으로써 환자를 의료 대화로 끌어들이고 치료 처방 및 생활양식 변화에 대한 타협과 문제 해결을 원활하게 한다. 결론적으로 질병을 극복해나가는 것에 대한 환자의 느낌과 생각 그리고 환자의 의료적 상태와 치료를 위해 필요한 생활습관과 심리사회적 요구에 대해 환자들과 논의할 때 관계형성 기술은 중요하다.[21] 의견의 수렴과 확인 기술의 사용, 가령 환자가 전달받은 정보를 이해하였는지 확인하는 검토 과정은 이해력과 기억력에 각별히 중요하고 꼭 필요한 것이다.

문해력 부족 및 기억력과 이해력 손상

고고인류학 문헌에 따르면 원시부족사회의 문맹 성인들은 서사와 구전 역사를 기억해내는 특출한 능력을 가지고 있었다는 증거가 있지만 문자 사회에서 문해력이 부족한 성인이 특별한 기억 기능을 가지고 있다는 증거는 없다. 마찬가지로 기능적으로 문맹인 성인이 문해력 결핍에 대처하기 위하여 사용하는 보완책도 신속하고 복잡한 메시지를 기억하는 능력으로까지 전이되지는 않는 것으로 보인다. 이러한 의문점에 대한 초기 연구의 하나로 스토퍼(Stauffer) 등은 문해력이 부족한 성인이 30분짜리 일상 텔레비전 뉴스에서 들은 정보를 기억하고 사용할 수 있는 능력을 조사하였는데,[23] 기억력은 읽기 수준과 상관관계가 매우 높다는 점을 발견하였다. 대학생들은 (기초 교육 프로그램에 참가하고 있는) 문해력 부족 성인들과 비교해 보았을 때 뉴스 프로그램 시청 직후 자가 기억력 검사에서 최소 55% 더 높은 점수를 얻었고 정보 획득에 대한 선다형 검사에서는 63% 더 높은 점수를 얻었다.[23] 읽기와 쓰기 기술을 개발하는 교육 과정은 구두 및 시각 자료 모두를 조합하고 기억해내는 능력 역시 향상시킨다고 연구자들은 생각한다. 또한 뉴스 방송은 대체로 복잡한 문장, 긴 단어, 전문 용어를 사용함으로써 문해력이 낮은 시청자들에게는 어려움을 준다는 점도 지적했다.

의료 상황에서 복잡한 설명을 이해하고 기억하는 것은 모든 환자들에게 어려운 일이지만 문해력 기술이 좋지 않은 환자들에게는 더욱 그러하다. 윌리엄스(Williams) 등[24]의 보고에 따르면 문해력 기술이 부족한 환자들은 환자 교육을 받은 후에도 문해력을 갖춘 환자들에 비하여 자신의 만성질환에 대한 기본 지식조차 가지고 있지 않을 가능성이 높았다. 이들의 연구에서는 고혈압과 당뇨병 환자의 거의 절반 정도가 기능적 건강정보이해능력이 부족한 것으로 나타났으며, 이 환자들은 질병 지식, 관련 행동양식 위험요인, 자가 관리 기술 등에 대한 검사에서 유의하게 낮은 점수를 얻었다. 또한 앞에서 언급한 포커스 그룹 토론에서 읽기 능력이 낮은 사람들은 다수가 의사들의 의료 문제 및 치료 방법에 대한 설명을 이해할 수 없다고 지적하였다.[13] 잘 이해되지 않지만 이 환자들은 의사에게 질문을 한 적이 거의 없다고 진술하였다.

문해력 부족 환자들의 의사소통 역학과 의료 방문 시의 그들의 경험에 대한 직접적인 조사는 거의 수행되지 않았으며 대부분 소규모 연구에 국한되어 있다.[24,25] 쉴링거(Schillinger) 등[26]의 최근 연구는 예외적이다. 이 연구에서는 영어 및 스페인어를 사용하는 당뇨병 환자 400명 이상을 대상으로 기능적 건강정보이해능력 수준을 평가하고 일대일 의사소통 표준 측정 도구를 사용하여 6개월 동안 의사와의 의사소통을 환자가 평가하도록 하여 두 평가 점수 간의 상관성을 검토하였다. 연구 결과 7개 의사소통 영역 중 일반적 명료성, 건강 상태에 대한 설명, 치료 과정에 대한 설명 영역 등 3개 영역 전반에서 기능적 건강정보이해능력의 부족이 일대일 치료 과정의 질적 저하와 상관성이 있다는 점이 발견되었다. 문해력과 의사소통 질적 평가와의 관련성은 다양한 교란변수에 대한 통계적 보정 과정을 거친 후에 더욱 높아졌다. 이러한 변수에는 환자들의 모국어가 영어인지 스페인어인지 여부, 의사의 스페인어 사용 여부, 환자와 의사의 관계 형성 기간, 다양한 사회인구학적 상태 및 건강 상태 등이 포함되었다.

환자의 관심사와 기대에 대한 의사의 관심 및 반응을 환자가 평가한 점수는 건강정보이해능력 저조와는 상관성이 없는 것으로 나타났기 때문에 환자의 문해력 결핍이 영향을 미치는 것은 의사가 환자의 문제에 대하여 관심과 우려를 나타내 보이는 상호 작용의 역학관계라기보다는 환자의 의사소통의 인지적 차원이라는 것이 연구자들의 생각이다. 다행스럽게도 기억력 결핍은 교정 가능한 것으로 보인다. 이 연구의 녹음 자료 분석에서 쉴링거 등[22]은 의사들이 당뇨병 환자를 진료하는 동안 들려준 새로운 개념에 대한 기억력 및 이해력을 평가하는 과정에서 인지력의 문제를 고려하는 경우 의사가 중요한 정보를 확인하고 강조하지 않은 환자들에 비하여 당화 혈색소(glycated hemoglobin, HbA_{1c})의 농도가 평균보다 낮을 가능성이 더 높다는 점을 발견하였다.

문해력 부족과 관련이 있는 기억력 및 논리력 장애는 인지 기능과 신체적 기능 저하를 동시에 겪는 노인들에게 특히 더 심각하다. 노인 인구 다수의 경우에서 발견되는 현격한 문해력 부족은 실질적인 문해력의 결여와 고혈압과 당뇨병 등의 일반적인 만성질환뿐 아니라 개심술, 화학요법, 신장 투석 등의 시술과 관련된 인지기능 저하 양자 모두에 의한 것일 수 있다.[27] 다른 사람들에 비하여 인지적 보완 요소가 더 적은 문해력 부족 환자의 경우에 인지기능 저하의 영향이 더 일찍 나타나며 훨씬 더 심각할 수 있으리라고 추론해 볼 수 있다.

마지막으로, 수량 문해력 기술 부진은 무엇보다도 환자의 건강 위험도 이해능력을 특별히 침해할 수 있다. 슈워츠(Schwartz) 등[28]은 수량 기술이 부족한 것으로 판명된(가령, 동전을 무작위로 1000번 던졌을 때 같은 면이 나올 횟수를 정확하게 예측하지 못하는) 연구 대상자 중 1/3은 자신들에게 제공된 위험 감소 자료를 잘못 해석한다는 점을 알게 되었다. 따라서 암 발생 위험과 조기 검진의 편익에 대한 수량 정보는 기본적인 확률 및 수량 개념을 가진 사람들에게만 유의미하다는 것이다. 유사한 맥락에서 데이비스(Davis) 등[29]은 읽기 기술이 5학년 이하인 여성은 9학년 이상인 여성보다 암 관리에서 유방촬영의 중요성의 이해 정도가 1/3 수준이라고 확인하였다.

건강상 변화를 위한 환자 권한

권한이란 말 속에는 본인, 가족, 지역사회를 위하여 좋지 않은 현상을 변화시키기 위해 신중한 행동을 취할 수 있는 능력이라는 의미가 들어 있다.[5] 건강의 측면에서 환자의 권한이란 본인, 가족, 지역사회를 위하여 건강상 좋지 않은 현상을 변화시키기 위하여 신중한 행동을 취할 수 있는 능력을 말하는 것이다. 의료계는 오래전부터 환자의 건강 행위 실천에 대한 책임성을 중요하게 여겨 왔지만 의사들이 환자의 권한을 촉진시킬 수 있다는 점에는 거의 주목하지 않았다.[9]

7장(의료 면담에서의 참여적 의사결정과 환자 문해력과의 관련성)에서 좀 더 자세하게 논의되겠지만 참여적 의사 결정(participatory decision-making, 이하 PDM) 방식은 질병 치료의 결정에 환자의 참여 유도 정도를 나타내는 지표로 사용되었다. 의료 성과 연구(Medical Outcome Study, MOS)가 치료 결정의 선택, 조절, 책임성 등에 대한 환자의 보고내용을 평가하는 PDM의 측정을 선도하였다.[30] 의사 결정의 공유라는 측면에서 의사의 의료 행위와 환자의 경험은 그 범위가 매우 넓은 것으로 밝혀졌다. 가장 주목할 것은 1차 진료의사 혹은 면담 기술 훈련을 받은 의사가 상대적으로 의사 결정 과정과 그 후속 조치들에 환자의 참여도를 더 높이는 것으로 보고되었다는 것이다. MOS의 연구가 참여적 의사 결정을 높일 수 있는 특별한 기록 내용을 찾아내지는 못했지만 다른 관찰 연구들에서 숙련된 의사가 사회심리학적 문제를 논하고 진심어린 격려를 해주며 개방적 태도로 질문을 하고 환자의 의견을 물으며 양방향 의사소통 기술이 뛰어나며 심리적으로 더 사려 깊고 말하는 태도가 권위적이지 않은 것으로 나타났다.[31]

이러한 기술들은 환자의 자신감과 자기 자신을 위한 실천력을 키우는 정도로까지 치료적 관계의 영향력을 확대시킬 수 있다. 환자의 권한을 위해 이러한 기술들을 활용하는 데 있어 의사의 의사소통 역할은 자신감과 실천력을 형성하고 진심으로 격려를 해주며 건강 행위의 선택, 조절, 책임감을 알아주고 강화해주는 분위기를 제공하는 것이다. 핵심적인 기술은 진심어린 격려를 함으로써 생기는 관계 형성에 관한 것과 어떤 행동 계획에 있어서의 후속 조치들에서 행동력과 자신감을 고양시킬 수 있는 협력 기술이다.

문해력 부족 환자들에 대한 의사의 인지

문해력 부족은 아주 일반적인 현상이기 때문에 의사들은 문해력이 부족한 환자들을 일상적으로 접할 수 있다. 그럼에도 불구하고 의사들은 대체로 환자들의 문해력 결손을 거의 인지하지 못한다. 바스(Bass) 등[32]의 연구에서 성인 의료 문해력 속성 평가 개정판(Rapid Estimate of Adult Literacy in Medicine-Revised, REALM-R)의 환자 점수를 1차 진료 전공의들이 문해력 장애의 유무로 환자를 분류한 것과 비교해 보았다. 읽기 수준이 6학년 미만인 환자 중 문해력 장애가 있는 것으로 분류된 경우는 10% 미만이었고 읽기 결손이 있는 환자 중 90%를 담당 의사가 알아차리지 못했다. 산부인과 혹은 여성 에이즈 진료소의 여성들을 대상으로 한 린다우(Lindau) 등[33]의 연구에서도 역시 환자들의 문해력 장애에 대한 전공의들의 인지 수준은 낮았고, 읽기 기술이 부족한 환자 중 1/4 정도만을 정확하게 파악하고 있는 것으로 밝혀졌다. 두 연구 모두에서 전공의들이 문해력이 있는 환자를 문해력 기술이 부족한 것으로 드물게나마 잘못 분류한 경우도 있는 것으로 지적되었다.

의사들의 인지 수준이 낮은 것이 놀라운 일만은 아니다. 성인 기능 건강정보이해능력 검사(Test of Functional Health Literacy in Adults, TOFHLA)에서 기능적 건강정보이해능력이 낮은 것으로 판명된 환자 세 명 중 한 명은 읽고 이해하는 데 어려움이 없다고 응답하였다는 파리크(Parikh) 등[34]의 연구 결과를 검토해 보자. 이 환자들은 본인의 문해력 결손 사실조차 알고 있지 못하거나 연구자들에게 문해력 결손을 시인하고 싶지 않았을 수 있다. 이 연구에서 읽기에 어려움이 있다고 시인한 환자 중 40%는 수치심을 드러내었고 이 중 과반수는 잘 못 읽는다는 사실을 배우자나 자녀들에게 결코 이야기한 적이 없었다. 문해력 결손이 있는 환자의 75%가 담당 의사에게 문해력 기술의 부족을 절대 언급한 적이 없다는 점은 주목할 만하다.

낭혹삼 때문에 의사에게 본인이 문해력 문제를 이야기하지 않은 환자도 있겠지만, 읽기 능력이 부족한 포커스 그룹 토론 내용을 보면 의사가 환자의 문해력 장애를 이해하려고 하거나 설혹 이해한다고 하더라도 어떤 방식으로든 환자에게 도움을 줄 수 있을 것이라고 생각하는 환자는 많지 않다.[35] 실제로 최근까지 의사들이 문해력이 낮은 환자들과 더 원활한 의사소통을 하도록 하는 방안을 제시한 문헌은 거의 없었다. 따라서 문해력이 낮은 환자를 알아차린다고 하더라도 이들의 요구에 적절하게 대응할 만한 자신이 있는 의사는 거의 없는 실정이다.[3]

환자의 건강정보이해능력 부족이 초래하는 결과를 개선한다는 것은 의사소통의 문제라고밖에 결론 내릴 수 없다.

결론

약 반 세기 전, 프랫(Pratt) 등[36]은 의사소통 단절 고리(communication-limitation cycle) 속에서 말이 없는 환자는 의사의 설명을 기다리는 반면 의사는 이를 관심이 없거나 의사에 대한 불신으로 해석한다고 설명하였다. 당시의 상황은 오늘날의 상황 설명에도 적절하다.

… 환자가 잘 알지 못한다고 생각될 때 의사는 자신의 지식을 환자가 이해할 만한 언어로 바꾸는 데 엄청난 어려움이 있을 것이라고 생각하고 환자가 겁에 질릴 위험도 있다고 생각한다. 그래서 의사는 환자와 자세하게 이야기 나누는 것을 피하게 되고, 환자 역시 이런 부족한 정보에 무덤덤하게 반응하고 의사에게 관례적인 질문을 하거나 질문을 자제함으로써 환자는 문제 이해력이 떨어진다는 의사의 생각을 공고하게 만든다. 게다가 이것은 문제에 대한 토론을 비켜 가려는 의사의 성향을 강화하기도 한다. 의사가 제대로 안내해 주지 않으면 환자의 치료순응 수행 수준이 저조해지고 따라서 의사는 실제보

다 훨씬 더 낮게 환자의 능력을 평가한다.

진료 시간과 진료 생산성의 압박이 모든 의사들을 괴롭히고 있는 상황에서 환자 중심의 의사소통법이 이미 시간의 압박을 받고 있는 분위기에서 진료 시간의 연장을 가지고 올 수 있다는 우려가 많다. 실제로 평균 진료시간이 지난 10년간 10% 정도 증가하였다는 최근의 보고는 진료 지침의 보급과 예방 및 상담 서비스에 대한 기대에 많은 부분 기인한다.[37,38] 그렇지만 모순되게도 이러한 시간 부담의 상당부분을 차지하는 환자 교육과 상담에 들이는 노력은 많은 환자들에게서 최적의 효과를 얻고 있지 못하다는 것이다.

마지막으로, 특별히 주목할 사실은 의료 대화의 능동적이고 완전한 협력자로서 환자를 참여시키려는 의사들의 노력은 문해력 기술이 부족하거나 경계역 수준의 환자뿐 아니라 모든 환자들에게 도움이 될 것이라는 점이다.

참고 문헌

1. Cooper LA, Roter DL. Patient-Provider Communication: The Effect of Race and Ethnicity on Process and Outcomes of Health Care. In Smedley BD, Stitch AY, Nelson AR, eds. *Unequal Treatment: Confronting Racial and Ethnic Disparities in Health Care*. Committee on Understanding and Eliminating Racial and Ethnic Disparities in Health Care. Washington, DC: National Academies Press, 2003, 552-593.

2. Roter D, Hall JA. *Doctors Talking to Patients/Patients Talking to Doctors: Improving Communication in Medical Visits*. Westport, Conn: Auburn House; 1992.

3. Ad Hoc Committee on Health Literacy for the Council on Scientific Affairs, American Medical Association. Health literacy: report of the Council on Scientific Affairs. *JAMA*. 1999;281:552-557.

4. Williams MV, Davis T, Parker RM, Weiss BD. The role of health literacy in patient-physician communication. *Fam Med*. 2002;34:383-389.

5. Freire P. *Education for Critical Consciousness*. New York, NY: Continuum Press; 1983.

6. Wallerstein N, Bernstein E. Empowerment education: Freire's ideas

adapted to health education. *Health Educ Q.* 1988;15:379-394.

7. Roter D. The medical visit context of treatment decision-making and the therapeutic relationship. *Health Expect.* 2000;3:17-25.

8. Roter DL, Hall JA. *Doctors Talking with Patients: Patients Talking with Doctors,* 2nd ed. Westport, Conn: Auburn House. In press.

9. Roter DL, Stashefsky-Margalit R, Rudd R. Current perspectives on patient education in the US. *Patient Educ Couns.* 2001;44:79-86.

10. Haidet P, Paterniti D. "Building" a history rather than "taking" one: a perspective on information sharing during the medical interview. *Arch Intern Med.* 2003;163:1134-1140.

11. Engel GL. How much longer must medicine's science be bound by a seventeenth century world view? In: White D, ed. *The Task of Medicine: Dialogue at Wickenburg.* Menlo Park, Calif.: The Henry J. Kaiser Family Foundation; 1988:114-136.

12. Roter D. The enduring and evolving nature of the patient-physician relationship. *Patient Educ Couns.* 2000;39:5-15.

13. Baker DW, Parker RM, Williams MV, et al. The health care experience of patients with low literacy. *Arch Fam Med.* 1996;5:329-334.

14. LeVine R, Dexter E, Velasco P, LeVien S, Joshi A. Matenal literacy and health care in three countries: a preliminary report. *Health Trans Rev.* 1994;4:186-191.

15. Dexter ER, LeVine SE, Velasco PM. Maternal school and health-related language and literacy skills in rural Mexico. *Comp Educ Rev.* 1998;42:139-162.

16. Snow C. Linguistic development as related to literacy. In: Eldering L, Leseman P, eds. *Early Intervention and Culture. Preparation for Literacy: The Interface between Theory and Practice.* Utrecht, Netherlands: Netherlands National Commission for Unesco; 1993:133-148.

17. Gee JP. *Social Linguistics and Literacies.* London: Taylor and Francis Ltd; 1996.

18. Street B. *Literacy in Theory and Practice.* Cambridge, Mass.: Cambridge University Press; 1984.

19. Suchman AL. Roter D, Green M, Lipkin M Jr. Physician satisfaction with primary care office visits. Collaborative Study Group of the American Academy on Physician and Patient. *Med Care.* 1993;31:1083-1092.

20. Roter DL, Hall JA, Kern D, Barker LR, Cole KA, Roca RP. Improving physicians' interviewing skills and reducing patients' emotional distress: a randomized clinical trial. *Arch Intern Med.* 1995;155:1877-1884.

21. Roter D. The enduring and evolving nature of the patient-physician

relationship. *Patient Educ Couns*. 2000;39:5-15.

22. Schilinger D, Piette J, Grumbach K, et al. Closing the loop: physician communication with diabetic patients who have low health literacy. *Arch Intern Med*. 2003;163:83-90.

23. Stauffer J, Frost R, Rybolt W. Literacy, illiteracy, and learning from television news. *Commun Res*. 1978;5:221-231.

24. Williams MV, Baker DW, Parker RM, Nurss JR. Relationship of functional health literacy to patients' knowledge of their chronic disease: a study of patients with hypertension and diabetes. *Arch Intern Med*. 1998;158:166-172.

25. Roter DL, Rudd RE, Commings J. Patient literacy: a barrier to quality of care. *J Gen Intern Med*. 1998;13:850-851.

26. Schillinger D, Bindman A, Stewart A, Wang F, Piette J. Health literacy and the quality of physician-patient interpersonal communication. *Pat Educ Couns*. 2004;3:315-323.

27. Baker DW, Gazmararian JA, Sudano J, Patterson M, Parker RM, Williams MV. Health literacy and performance on the Mini-Mental State Examination. *Aging Ment Health*. 2002;6:22-29.

28. Schwartz LM, Woloshin S, Welch HG. The role of numeracy in understanding the benefit of screening mammography. *Ann Intern Med*. 1997;127:966-972.

29. Davis TC, Williams MV, Marin E, Parker RM, Glass J. Health literacy and cancer communication. *CA Cancer J Clin*. 2002;52:134-149.

30. Kaplan SH, Greenfield S, Gandek B, Rogers W, Ware JE. Characteristics of physicians with participatory decision-making styles. *Ann Intern Med*. 1996;124:497-504.

31. Roter D, Larson S, Shinitzky H, et al. Use of an innovative video feedback technique to enhance communication skills training. *Med Educ*. 2004;38(2):145-157.

32. Bass PF III, Wilson JF, Griffith CH, Barnett DR. Residents' ability to identify patients with poor literacy skills. *Acad Med*. 2002;77:1039-1041.

33. Lindau ST, Tomori C, McCarville MA, Bennett CL. Improving rates of cervical cancer screening and Pap smear follow-up for low-income women with limited health literacy. *Cancer Invest*. 2001;19:316-323.

34. Parikh NS, Parker RM, Nurss JR, Baker DW, Williams MV. Shame and health literacy: the unspoken connection. *Patient Educ Couns*. 1996;27:33-39.

35. Baker DW, Parker RM, Williams MV, et al. The health care experience of patients with low literacy. *Arch Fam Med*. 1996;5:329-334.

36. Pratt L, Seligmann A, Reader G. Physicians' views on the level of medical information among patients. *Am J Public Health*. 1957;47:1277-1283.
37. Carr-Hill R, Jenkins-Clarke S, Dixon P, Pringle M. Do minutes count? Consultation lengths in general practice. *J Health Serv Res Policy*. 1998;3:207-213.
38. Yarnall KSH, Pollock KI, Ostbye T, Krause KM, Michener JL. Primary care: is there enough time for prevention? *Am J Public Health*. 2003;93:635-641.

제7장

의료 면담에서의 참여적 의사결정과 환자 문해력과의 관련성

리사 A. 쿠퍼(Lisa A. Cooper)(MD, MPH)
매리 캐더린 비치(Mary Catherine Beach)(MD, MPH)
사라 L. 클레버(Sarah L. Clever)(MD, MS)

환자의 의료적 의사결정 참여는 지난 몇 십 년 동안 임상, 윤리, 의학 교육 문헌에서 폭넓은 관심을 받아왔다. 참여적 의사결정(participatory decision-making, PDM)은 자율성 존중의 원칙, 즉 "간섭을 받지 않으며 유의미한 선택을 방해하는 이해력 부족과 같은 제약이 없는 자기 규율"로 정의된 원칙에 윤리적 기초를 두고 있다.[1] 이것은 의료의 고유한 중요한 측면이지만 문해력 부족 환자와 관련해서는 상대적으로 연구가 덜 된 영역이다.

의사와 환자 간에 의사결정의 협의 혹은 참여적 의사결정이라는 개념은 번(Byrne)과 롱(Long)[2]의 환자 중심주의의 한 요소로 처음 소개되었다. 그 이후로 몇 가지 모형 및 정의가 연구 및 임상 문헌을 통하여 개발되었다.[3~6] 이들 정의는 세부적인 내용에서 차이가 있지만 암묵적이든 명시적이든 모두 공통적으로 건강 경험의 의미 개발과 의료 면담(medical encounter)에 있어서 목표의 중요성을 부각시키기 위한 개별적 혹은 협력적인 방안으로서 환자에 대한 포괄적 접근에 가치를 부여하고 있다.

미드(Mead)와 바우어(Bower)[7]는 환자 중심주의에 관한 경험적 문헌의 검토 과정에서 생물심리사회적(biopsychosocial) 관점, "인간으로서의 환자", 권한과 책임감의 공유, 치료 협력, "인간으로서의 의사" 등 환자 중심주의의 5가지 개념 영역을 확인하였다. PDM은 "권한과 책임감의 공유" 영역에 가장 잘 반영되는데, 환자는 능동적 소비자이자 동시에 모든 정보를 알고 존중을 받으며 치료에 대한 의사결정에 능동적으로 참여할 권리 등 어떤 표준적인 정보를 획득할 권리를 가진 잠재적 비판가로 여겨지고 있다.

또한 의사의 PDM 유형은 치료 결정에 환자를 참여시키려는 의사의 태도로 정의될 수 있다. 이것은 의사의 태도에 관한 몇 가지 항목에 대한 환자의 보고로 측정되었다. 이 항목에 해당되는 의사의 태도로는 치료 결정을 내릴 때 환자에게 선택, 통제, 책임성을 부여하는가,[8] 치료 방안에 대한 장·단점을 논하는가, 어느 방안을 선호하는지 말할 기회를 주는가, 치료 결정을 내릴 때 환자가 선호하는 바를 고려하는가 등이다.

의사결정 참여에 대한 한 가지 정의에서 참여에는 세 가지 요소가 있다고 기록한다. 첫 번째는 *정보의 교환(information exchange)*으로 환자와 의사가 각각 증상과 치료 방법에 관한 정보를 공유하는 것이다. 다음은 *검토(deliberation)*로 선호하는 치료방법이 무엇인지 표현하고 토론하는 것이다. 마지막은 *최종 치료방법 결정(decision on the treatment to implement)*이다. 검토 과정을 통하여 환자와 의사 모두 합의에 도달하기 위한 노력을 하고 최종 결정을 도출해낸다.[10]

7장에서는 논리의 전개를 위하여 PDM은 환자와 의사 양쪽의 역할이 동일하게 중요하며 앞의 세 가지 요소(정보의 교환, 검토, 결정)를 모두 포함하는 과정이라고 정의된다. 계속해서 환자 치료에 있어서 PDM의 중요성을 논하고, PDM과 문해력 둘 다에 관련이 있는 환자 요인을 검토하고, 환자의 문해력이 PDM에 미칠 수 있는 영향에 대하여 논한다. 마지막으로는 PDM의 개선 방안과 향후 연구 분야에 대한 논의로 끝을 맺는다.

환자 치료에 있어서 PDM의 중요성

PDM은 환자에게 중요하다. PDM이 환자중심 의사소통의 한 요소이니만큼 이러한 의사소통 행위는 당화 혈색소(A_{1c}) 및 혈압 등의 질병 조절 지표를 개선하고, 신체적·정서적 건강 상태, 기능, 통증 조절을 향상시키는 등의 중요한 환자 치료 결과와 깊은 연관성이 있는 것으로 나타난다.[11~13] 특히 의료 영역에서 의사가 PDM 유형을 사용하였을 경우는 환자 만족도가 높았다.[14] 연구에 따르면 상호 소통적 치료(와 특히 PDM)에 대한 환자 평가는 의료 서비스 이용률 및 치료의 연속성과도 상관성이 있다.[14,15]

레르만(Lerman) 등[16]은 (1) 의사의 환자 참여 권장, (2) 정보 교환 정도, (3) 환자의 의사결정 참여 등 비교적 뚜렷한 세 가지 요소들을 평가하기 위해 환자의 치료 참여 인지도(Patient's Perceived Involvement in Care Scale)라는 조사 도구를 만들었다. 이 요소들 중 의사의 참여 권장과 환자의 의사결정 참여는 환자의 치료 만족도와 유의한 관련성이 있었다. 의사의 참여 권장과 정보 교환은 환자들의 질병 이해, 질병에 대한 확신, 질병에 대한 의식적 통제, 기능 회복에 대한 기대에 있어서 진료 후 변화에 대한 환자의 생각과 일관되게 연관성이 있었다.

의료 방문 동안의 환자 역할에 대한 환자의 인식을 다룬 한 연구[17]에서는 연령, 성, 질병의 위중도, 의사가 판단한 예후 등을 보정하였을 때 "능동적" 환자는 "수동적" 환자에 비하여 의료 방문 1주일 후 불안함이 줄어들고, 증상은 더욱 완화되었으며, 전반적 질병 상태가 더 호전되었다는 응답을 한다고 보고했다. 환자가 참여하기를 원하는 역할이 이러한 차이를 만든 것은 아니었다. 능동적 환자들은 치료 하루 후에는 자신의 질병에 대한 걱정이 줄고, 질병 조절감이 증가하며, 담당의사에 대한 만족도도 높아졌다고 응답하였다. 따라서 이 연구에서는 환자가 치료에 참여한다는 느낌을 가지는 것은 질병과 회복에 대한 태도와 관련이 있는 것으로 보인다는 결론을 내렸다. 또한 이러한 역할 인식에 영향을 미치는 요인들을 파악하고 능동적 역할 인식의 편익이 실효를 거둘 수 있는 환자, 질병, 환경 유형을 이해하기 위한 향후의 연구 과제를 제시하였다.

PDM과 관련된 환자 요인

PDM과 관련된 요인들 중 몇 가지는 환자의 문해력 수준과도 관련이 있었다. 이 요인에는 낮은 사회경제적 수준과 저학력, 고령, 민족 및 언어 등의 문화적 요인, 건강 상태 등이 포함된다. 각각의 요인에 대한 자세한 설명은 다음과 같다.

낮은 사회경제적 수준/저학력

PDM에 대한 연구결과 학력 수준이 낮은 환자들은 자신들의 의료 방문을 참여적이지 못하다고 스스로 평가하는 것으로 나타났다.[8,18] 또한 알려진 바에 따르면 의사들은 특히 상류 계층의 환자에게 더 많은 설명을 해 주지만 나중에 물어보면 사람들이 원하는 정보의 양은 계층에 따른 차이가 없다. 펜들톤(Pendelton)과 보크너(Bochner)[19]는 영국의 일반 상담 79건에 대한 비디오 연구에서 환자의 사회적 계층이 의사가 얼마나 많은 설명을 자발적으로 제공하는가를 판단하게 하는 유의한 예측인자라는 점을 발견하였다. 의사들은 의료 방문 동안 상위 계층의 환자들에게 다른 계층에 비하여 자발적으로 더 많은 설명을 제공하였다. 이 연구자들은 하위 계층의 환자들은 설명에 관심이 적으며 질문을 하는 데 소심한 것으로 생각되기 때문에 의사들이 이러한 환자들에게 자발적으로 설명을 하지 않으려는 경향이 있다는 점을 지적하였다. 웨이츠킨(Waitzkin)이 미국에서 수행한 대규모 연구에서는 학력 수준이 높은 환자들과 사회경제적 상위층의 환자들은 다른 환자들에 비하여 의사와의 면담 시간을 더 많이 가지면서 이해하기 쉬운 언어로 더 많은 설명을 듣는다고 밝혔다.

고령

노인 환자들은 의료 방문 동안 더욱 수동적이며 치료 의사결정 과정에 적극적으로 참여하지 못한다. 의료 성과 연구(Medical Outcomes Study, MOS)는 344

명의 의사들의 진료 대상자 중 8,000명 이상의 환자들에 대한 조사에 기초하여 75세 이상의 환자들은 젊은 환자군(30세 미만)에 비하여 참여적인 의사 방문을 가진 횟수가 유의하게 낮다고 응답한 점을 발견하였다. 흥미로운 것은 참여적 방문이 가장 두드러진 집단은 65~74세군과 45~64세의 중년군으로 약간 더 젊은 환자군이었다는 점이다. 이러한 결과에 대한 설명으로 가능한 것은 고령 환자들은 전형적으로 문해력 수준이 낮으며 젊은 환자군에 비하여 정규 교육을 받을 기회가 적었고[21] 인지 기능을 비롯하여 기능 저하를 나타낼 수도 있다는 점이다. 이로 인해 의사들은 환자를 의사결정에 참여시키는 데 주저하게 된다.

문화적 요소

인종, 민족, 언어 등의 문화적 요인 및 의사와 환자 사이의 인종적·민족적 일치 여부 역시 PDM과 관련이 있다.

소수민족 환자들

의사들은 흑인과 라틴 아메리카계 환자들, 그리고 경제적 수준이 낮은 환자들에게 동일한 의료기관 내에서도 더 나은 계층의 환자들에 비하여 정보, 격려 섞인 대화, 숙련된 임상 기술을 적게 제공한다는 연구결과가 있다.[22~26] 1차 진료를 받은 환자들을 대상으로 한 최소 두 개의 연구에서 소수민족이라는 조건은 (방문이 참여적이지 못하였다는) 평가와 관련성이 있었다.[8,18] 다른 한 사례는 볼티모어-워싱턴 DC의 대도시권 1차진료 의사와 환자를 대상으로 현재 진행 중인 연구의 예비 자료에서 찾아볼 수 있다.[27] 이 자료에서 나타난 바에 따르면 흑인 환자들은 백인 환자들에 비하여 의료 방문 시간이 더 짧으며 의사가 권위적으로 대화를 이끌어가는 편이다.

영어 구사력이 좋지 않은 환자들

영어가 유창하지 못한 환자들은 치료의 상호 소통적 측면에서 만족도가 떨어지며[28] 치료 의사결정에 참여가 부족하고 의사와 의사소통을 하는 데 있어 예상보다 더 어렵게 느껴진다고 응답한다.[29] 이것은 부분적으로는 환자의 낮은 문해력이 원인일 수 있는데 왜냐하면 영어가 유창하지 못한 사람들은 읽기 능력이 부족할 가능성이 있기 때문이다.[30] 2,659명의 극빈자 및 소수민족 급성 질환자(영어 사용자 1,892명, 스페인어 사용자 767명)를 대상으로 한 급성질환 치료 단면 연구에서 영어판 성인 기능적 건강정보이해능력검사(Test of Functional Health Literacy in Adults, TOFHLA)와 스페인어판 TOFHLA를 사용한 결과 영어 사용 환자의 35%와 스페인어 사용 환자의 62%가 모국어로 건강정보를 이해하는 능력이 부족하거나 혹은 경계역 수준이었다. 부족한 혹은 경계역 수준의 기능적 건강정보이해능력을 가진 (60세 이상) 노인층 비율은 영어 사용 환자에서 81%, 스페인어 사용 환자에서 83%(57/69)로 젊은 환자에 비하여 유의하게 높았다(P<0.001).[31]

동일 민족

대도시 지역에서 1차 진료를 받은 1,816명의 관리 의료(managed care) 성인 가입자를 대상으로 한 전화 면담조사에서 쿠퍼-패트릭(Cooper-Patrick) 등은 환자와 의사 간의 인종 혹은 민족적 일치 여부와 의사의 PDM 유형에 대한 환자의 평가를 검토하였다.[18] 환자 표준 집단은 43%가 백인, 45%가 흑인, 12%는 기타 인종·민족 집단이었다(5%가 아시아계, 5%가 남미계, 2%는 아메리카 원주민). 의사와 환자 간의 인종적 일치 여부가 PDM에 미칠 수 있는 영향을 연구하기 위하여 담당의사의 인종·민족과 PDM 유형에 따라 환자들을 분류하였고 환자의 연령, 성별, 교육 정도, 결혼 상태, 건강 수준, 의사에게 진료받은 기간 등을 보정한 후 담당 의사의 인종별로 환자의 인종을 파악하였다. 흑인 환자가 백인 의사를 방문한 경우 백인 환자가 백인 의사를 방문한 경우에 비하여 참여도는 훨씬 낮았다($\beta^*=-4.3$; SE=1.7, P<.02, 보정된 수치임). 아시아계나 남미계 환자들이 흑인 의사를 방문한 경우 참여적 진료를 받은 것은 흑인

---

* 베타 계수는 의사와 인종이 같은 경우의 환자와 그렇지 않은 경우의 환자 사이의 PDM 평균 점수의 차이를 나타낸다.

환자들에 비하여 그 수가 적었다. 그러나 이 결과는 매우 작은 크기의 표본에 기초한 것이다. 환자들이 아시아계 혹은 남미계 의사를 방문하였을 경우 인종 간 PDM 점수의 차이는 크지 않았다. 하지만 이 연구의 표본에는 남미계 의사는 단 두 명밖에 없었고 따라서 남미계 의사들의 PDM 유형에 관한 신뢰할 만한 결론이 도출되지 못했다.

의사와 환자 관계에 있어서 인종적·민족적 일치가 가지는 전반적인 의미를 탐구하기 위해서 쿠퍼-패트릭 등은 의사와 환자 간의 인종·민족 일치와 PDM 유형 사이의 관련성을 평가하였다. 담당의사와 동일한 인종의 환자들은 인종이 다른 환자들에 비하여 담당 의사를 유의하게 더 참여적이라고 평가하였다($\beta = +2.6$; SE=1.1, P<.02, 보정된 수치임).[18]

의료 방문 추후 조사와 녹음테이프 분석을 통한 최근의 한 단면 연구에서, 쿠퍼 등[32]은 인종적 일치 여부와 실제 환자와 의사의 의사소통 행동의 관련성을 조사하였다[성인 환자 252명(백인 142명, 흑인 110명)과 1차진료 의사 31명(백인 13명, 흑인 18명)]. 인종이 일치하는 경우는 불일치하는 경우에 비하여 방문 시간이 더 길었고(+2.15분; 95% 유의구간, 0.60~3.71) 환자들에게 긍정적인 영향을 미쳤다는 평가가 더 높았다(+0.55점; 95% 유의구간, 0.04~1.05). 더구나, 인종이 같은 환자 방문의 경우 만족도가 더 높았고 담당 의사를 더 참여적이라고 평가하였다(+8.42점; 95% 유의구간, 3.23~13.60)는 점[32]은 기존의 연구[18] 내용과 일치하였다.

만성질환자들

만성질환자가 실제로 의사결정 참여를 어느 정도 선호하는지 혹은 어느 정도 경험하는지에 대해서는 비교적 알려진 바가 없다. 여기에 개괄적으로 소개된 연구들은 PDM에 대한 환자들의 선호도와 실제 PDM은 건강 상태에 따라 다르다는 점을 제시한다. 또한 연구에 따르면 기능적 건강정보이해능력이 부족한 환자들은 그렇지 않은 환자들에 비하여 우울증과 인지기능 장애 등 신체적, 정신적 건강 상태가 좋지 않을 가능성이 높은 것으로 나타난다.[33~36] 건강정보이해능력이 PDM과의 상관성에서 만성질환은 공통 요인이라고 할 수 있다. 건강정보이해능력이 건강 상태와 상관성이 있다는 면에서 이 연구들은 환자의 문해력 수준이 의료 의사결정의 참여도와 관련이 있을 것이라는 점을 이해하는 데 유용하다.

고혈압

한 연구[37]에서 고혈압 환자 210명과 세 가지 진료 유형의 의사 50명을 대상으로 의사결정의 세 가지 요소에 대한 설문조사가 수행되었다. 이 연구에서 환자의 41%가 고혈압에 대한 더 많은 정보를 필요로 했다. 의사들은 환자가 느끼는 치료 논의의 필요성을 29%에서 과소평가하였고 11%에서는 과대평가하였다($k=0.22$). 환자 중 53%가 의사결정에의 참여를 선호한 반면 의사들은 환자 중 78%가 의사결정 참여를 원한다고 판단하였다. 의사결정에 주도적으로 참여하기를 원하지 않았던 환자들은 다수가 치료 평가에는 참여를 원하였다. 따라서 연구자들은 고혈압 치료 의사들이 정보와 검토에 대해서 환자가 느끼는 필요성은 과소평가하고 환자의 의사참여 욕구는 과대평가한다고 결론지으면서 이러한 상이점을 개선한다면 의사소통과 의사결정을 향상시킬 수 있다고 제안하였다.

질병 범주에 따른 변이

아로라(Arora)와 맥호르니(McHorney)[38]는 MOS[만성질환(고혈압, 당뇨병, 심근경색, 울혈성 심부전, 우울증) 환자 대상의 4년 관찰 연구]의 2,197명 환자 자료를 이용하여 환자가 의료적 의사결정에 참여하기를 선호하는 결정 요인을 규명하고자 하였다. 그 결과 대다수의 환자들(69%)은 의료적 결정권을 의사에게 위임하는 것을 선호하였다. 경미한 고혈압 증세만 있는 환자들에 비하여 중증 당뇨병 환자($OR=0.62$; $P=.04$)와 경증의 심장질환자($OR=0.45$; $P=.02$)는 능동적 역할에 대한 선호도가 떨어졌다. 하지만 우울증 환자들은 의사결정에 적극적으로 참여하려는 경향이 있었다($OR=1.64$; $P=.01$). 결론적으로 대다수의 환자들이 의사에게 의사결정권을 위임하기를 선호한다고 하더라도 의사결정에의 참여에 대한 선호는 환자의 질병 범주에 따라 상당한 차이가 있다.

천식

대학병원의 호흡기질환 병동에서 치료를 받는 천식 환자 128명을 대상으로 한 일개 단면 조사 연구에서는 환자의 의료적 의사결정 참여에 대한 호흡기 전문의의 태도를 천식 환자가 평가하도록 해서 그 관련 요소를 파악하고 천식 치료 결과와의 관련성을 조사하였다.[39] 그 결과 의사들의 PDM 유형에 대해 환자들이 평가한 평균 점수는 72점(100점 만점)(95% 유의구간, 65~79)이었다. PDM 점수는 의료기관 방문 기간($r=0.63$), 환자 만족도($r=0.53$), 의사와 환자의 관계 유지 기간($r=0.37$), 정규교육($r=0.22$; $P=.023$) 등과 유의한 관련성이 있었다($P<.0001$). PDM 유형 점수가 특별히 더 높게 보고된 경우는 방문 시간이 20분 이상 지속될 때와 환자가 특정 의사와 6개월 이상 관계를 유지했을 때였다. 또한 PDM 점수는 천식 행동 수칙 안내문의 소지 여부($r=0.54$; $P<.0001$), 천식 유병 일수($r=0.36$; $P=.0001$), 천식 증상($r=0.23$; $P=.017$), 천식 관리 결정에서의 자율성 선호도($r=0.28$; $P=.0035$) 등과 유의한 관련성이 있었다. PDM 점수가 50 미만인 환자들은 질병별 검사 도구와 단축형 36(SF=36) 건강 조사 1.0판의 전 영역에 걸쳐 삶의 질이 상당히 낮은 것으로 응답하였다. 다중 회귀분석 결과 PDM 유형은 방문시간 및 의사와 환자의 관계 유지 기간과 관련성이 있었다($R^2=0.47$, $P=.0009$). PDM 점수에서 표준 편차의 감소에 따른 보정 교차비는 천식 입원이 2.0(95% 유의구간, 1.2~3.2), 재입원이 2.5(95% 유의구간, 1.2~4.2)이었다. 결론적으로 담당의사의 PDM 유형에 대한 환자의 응답은 건강관련 생활 수준, 업무 장애(work disability), 최근 응급의료 서비스 이용 경험 등과 유의한 관련성이 있었고 좀 더 오래 방문 시간을 가지고 특정 의사와의 관계를 지속하는 등 관리상의 요인은 좀 더 참여적인 의료 방문이 되는데 독립적인 관련성을 가지고 있다.

당뇨병

펜들톤(Pendleton)과 하우스(House)는 소규모 연구를 통하여 도시에 거주하는 저소득 당뇨병 외래환자들은 치료적 의사결정에 거의 관심이 없다는 점을 발견하였다.[40] 25개의 재향 군인 의료시설에서 당뇨병 치료를 받는 2,000명의 환자를 대상으로 한 최근의 한 연구에서는 담당의사의 PDM 유형에 대한 환자 평가, 의사의 의사소통 기술(physician communication, 이하 PCOM), 당뇨병 자가 치료에 대한 이해 정도 등이 환자들의 당뇨병관리 자가 보고 내용에 미치는 영향을 평가하였다. 이 연구 결과에서 PDM 유형과 PCOM이 각각 높게 평가받을 경우 환자들의 자가 관리도 우수한 것으로 평가되었다(모든 분석 모형에서 $P < .01$)[9]. 통합 분석 모형에서 PCOM은 환자들의 자가 관리의 유의한 독립적 예측인자였지만(표준 $\beta = 0.18$; $P < .001$) PDM은 유의하지 않았다. 통합 분석 모형에 이해도 항목을 추가하였을 경우 PCOM의 자가 관리 예측 효과가 감소하였다(표준 $\beta = 0.10$; $P = .004$). 환자들의 이해도는 자가 관리 능력과 매우 밀접하고 독립적으로 연관되어 있었다(표준 $\beta = 0.10$; $P < .001$). 이 연구에서 저자들은 재향 군인 의료시설의 당뇨병 환자들의 경우 의료제공자들의 의사소통 효율성에 대한 평가가 PDM 유형보다 더 중요한 당뇨병 자가 관리 예측인자라고 결론을 짓고 있다. 환자의 자가 치료 행동 이해도는 PDM 유형과 PCOM이 환자들의 자가 관리에 미치는 효과의 강력한 예측 인자였으며 의료제공자들이 가진 PDM 유형과 PCOM에 대한 의존성을 감소시킴으로써, 환자의 이해도나 자신감 증대를 통해 자가 관리를 향상시킬 수 있는 가능성을 높였다.[9] 앞 장에서 논의된 것처럼 복잡한 설명을 이해하는 것은 문해력이 낮은 환자들에게는 특별히 문제가 된다. 이 연구 결과 의사의 의사소통 기술은 문해력이 부족한 환자들의 이해력을 높이는 중요한 수단임을 알 수 있다.

환자의 문해력이 환자의 치료 참여에 미칠 수 있는 영향력

문해력 부족과 PDM 간의 관련성을 직접적으로 검토한 연구는 없지만 문해력이 부족한 환자의 치료 참여도가 낮을 것이라고 생각할 만한 근거는 많다. 이러한 잠재 기제들 때문에 문해력 부족 환자의 정보 교환 능력은 손상된다. 이러한 정보 교환 장애는 의료제공자와 환자 쌍방 간에 이루어진다고 볼 수 있다.

첫째, 문해력이 부족한 환자들은 의료 이용이 겁난다고 응답하며[41] 깊은 수치심을 가지고 있어서 문해력 부족 상태를 공개하기가 더욱 어려워진다.[41,42] 이미 환자와 의사의 권한 역학 관계에서 불평등이 내재해있는 상황에서 환자 측에 또 다른 부족한 느낌이 생긴다면 환자의 권한을 더 축소시키게 되고 PDM의 근간을 해칠 것이다.

둘째, 문해력이 낮은 환자들은 기록을 통한 의사소통뿐만 아니라 구두 의사소통에도 어려움을 느낄 것이다. 이러한 어려움은 문해력 부족 환자와 의료제공자 간에 사용하는 어휘의 차이와 또한 문해력을 갖춘 사람과 부족한 사람 사이의 말의 구조 및 복잡성의 차이에 기인한다고 할 수 있다.[43] 예를 들면, 문해력 기술이 미숙한 환자들은 과거 병력을 자세하게 이야기하고 의사들의 질문에 답을 하고 의사에게 던질 질문을 떠올리는 데 어려움이 있을 수 있다.

셋째, 여러 가지 이유로 문해력이 낮은 환자는 건강 상태에 대하여 상대적으로 잘 알지 못한다고 응답하는데, 이로 인해 자가 관리에서 능동적인 역할을 할 수 있는 능력이 제한된다. 예를 들면, 문해력이 낮은 환자들은 고혈압, 당뇨병,[44] 천식[45]과 같은 만성질환에 대한 지식이 상대적으로 부족한 것으로 나타났다. 또한 읽기 기술이 미숙한 환자일수록 가족계획[46]과 자궁경부암 예방에 대한 지식수준이 낮았다.[47] 문해력이 낮은 환자들의 예방적 의료서비스 이용률이 낮다는 것은 그리 놀라운 사실이 아니다.[48] 지금까지 진행된 질병 연구 결과 건강정보이해능력이 자가 관리에 있어서 절대적이라는 점은 분명하다.

환자의 문해력과 PDM

환자의 문해력과 PDM에 대한 환자 보고 간의 직접적인 관련성에 대한 연구는 많지 않다. 공공복지 기금 2001년 보건의료 질 평가 조사(Commonwealth Fund 2001 Health Care Quality Survey)에서는 인종, 민족의 대표성을 가진 것으로 추출된 미국 거주 성인들의 단면 조사 표본을 대상으로 보건의료서비스 경험에 관한 정보를 수집하였다.[29] 조사의 질문 내용은 일반적으로 이용하는 의료기관과 환자-의사 의사소통 등 보건의료 체계에서의 경험에 대한 것이었다. 추가적으로 응답자의 인구학적 정보, 사회경제적 상태 및 건강상태 자가 평가, 건강정보이해능력, 가정에서 사용하는 기본 언어, 외국 출생 여부 등을 조사하였다. 조사 결과 보고서에는 처방약제의 설명문을 읽고 이해할 수 있는 능력을 응답자의 자가 평가로 측정하였을 때 건강정보이해능력 부족은 응답자의 기대치에 미치지 못하는 의사결정 참여도 등 의료제공자들과의 의사소통이 원활하지 못한 점과 상관관계가 있다는 점이 포함되어 있다.[29]

환자의 기억력, 이해력, 치료 순응도를 높이기 위해서 권장되는 내용은 의사들이 환자에게 새로운 개념을 이해시키고 환자에게 맞추어 차후의 관련 정보를 제공하는 것과 같은 PDM 의사소통 기술을, 특히 기능적 건강정보이해능력이 낮은 환자들에게는 더욱더 사용해야 한다는 점이다. 쉴링거(Schillinger) 등[49]은 직접 관찰을 통하여 공립 병원의 1차진료 의사가 외래 환자 진료 동안 새로운 개념에 대한 환자의 기억력과 이해력을 얼마나 평가하고 있는지 측정하였다. 연구자들은 기능적 건강정보이해능력이 낮은 74명의 영어 사용 당뇨병 환자와 38명의 의사 사이의 녹음 자료를 분석하였다. 그리고 임상 데이터베이스와 원무과의 데이터베이스 정보를 사용하여 의사의 양방향 의사소통 방법 채택과 환자의 혈당 조절 사이에 관련성이 있는지를 검토하였다. 연구 결과, 의사가 새로운 개념에 대한 환자들의 기억력과 이해력을 평가한 것은 61건의 방문 중 12건(20%)이었고 124개의 새로운 개념 중 15개(12%)에 대해서였으며, 담당의사가 기억력과 이해력을 평가한 경우의 환자는 그렇지 않은 경우에 비하여 A_{1c} 수치가 평균보다 더 낮은 것으로($\leq$8.6%) 나타났다(OR, 8.96; 95% 유의구간: 1.1~74.9; P=.02). 다변량 로지스틱 회귀분석 결과 건강정보이해능력 수준이 높은 것(OR, 3.97; 95% 유의구간: 1.09~14.47; P=.04)과 의사가 양방향 의사소통 방법을 적용하는 것(OR, 15.15; 95% 유의구간: 2.07~110.78; P<.01)이 혈당 조절과 관련성이 있는 두 가지 독립 변수였다. 결론적으로 기능적 문해력이 낮은 당뇨병 환자들을 치료하는 1차진료 의사들은 새로운 개념에 대한 환자들의 기억력이나 이해력을 거의 평가하지 않았고 의사소통에서 이 단계를 간과하는 것은 임상적으로 중요한 암시를 얻을 수 있는

기회를 놓친다는 것이다.[49]

앞의 연구자들이 건강정보이해능력이 부족한 환자와 그렇지 않은 환자 간에 의사들의 의사소통 유형을 비교한 추후 연구에서 건강정보이해능력이 부족한 환자들은 일반적인 대화의 명료성, 건강 상태에 대한 설명, 치료 과정의 설명 등의 영역에서 의사소통이 더욱 원활하지 못하였다고 응답하는 경우가 더 많았다.[50] 이러한 점들이 의사결정에 참여하는 환자들의 역량에 확실한 영향을 미치게 될 것이다.

PDM 향상을 위한 임상적 의사결정 보조도구 및 기타 행동 전략의 사용

몇몇 중재프로그램들은 암과 기타 만성질환자 및 집단검진 수검 여부를 판단해야 하는 사람들의 의사결정 참여도를 향상시키기 위하여 의사결정 보조도구(환자들에게 정보와 혹은 의사결정 체계를 제공해 주는 교육 매체)를 이용하였다.[51~56] 연구결과들에 대한 최근의 고찰 결과에서는 통상적인 진료와 비교하였을 때 의사결정 보조도구를 사용한 경우 치료적 선택사항의 장단점에 대한 지식수준과 현실적 기대감을 높이고 의사결정에 있어서 소극적인 면을 감소시키며 정보를 충분히 제공받지 못했다는 느낌에서 오는 의사결정상의 갈등을 감소시키는 것으로 나타났다.[58] 한편, 의사결정 보드와 그림 설명이 있는 팸플릿 등의 단순한 보조도구들은 좀 더 상세한 보조도구들(예를 들면, 양방향 CD-ROM과 비디오테이프)과 비교할 때, 환자들의 지식에 있어서는 차이가 크지 않지만 현실적 치료 기대감을 높이고 의사결정상의 갈등을 감소시키는 데 있어서는 다른 편익이 있다. 의사결정 보조도구들은 불안의 정도 혹은 (의사결정 과정 혹은 의사결정 자체에 대한) 만족도에는 거의 영향을 미치지 않았고 보조도구의 종류에 따른 효과는 의사결정의 내용에 따라 다양하였다.[56]

이들 중재프로그램들 중 몇 가지는 사회경제적 하위층, 소수민족, 문해력이 낮은 환자들과 같은 특정 인구집단을 대상으로 하였다. 하위 사회경제 계층의 전립선암 신환자 대상의 한 중재프로그램에서는 CD-ROM 프로그램을 활용한 의사결정 과정 공유에 대한 만족도가 높음에도 불구하고 문해력 점수가 낮은 환자들은 상대적으로 문해력 수준이 높은 환자들에 비하여 프로그램 참가 후에도 지식수준이 더 낮았다. 이것은 건강정보이해능력이 낮은 환자들의 의사결정 협력 프로그램을 성공적으로 이끌기 위해서는 대상 인구집단과의 통합된 노력이 필요하다는 점을 시사한다.

지역사회 보건 요원들을 보건의료 서비스의 지도자로 활용하고 만화로 된 월간 정보지를 제공하는 새로운 중재프로그램이 도시지역 저소득 소수민족 고혈압 환자들을 대상으로 현재 조사가 진행 중이다.[58] 문해력이 낮은 환자들과의 파트너십 및 의사결정 협력을 위한 보건의료제공자의 의사소통 기술 향상에 초점을 맞춘 중재프로그램이 또 하나의 유망한 전략이다. 상기의 연구에는 자기 주도적 개인 학습용 CD-ROM을 통한 개별화 의사소통 기술을 사용하는 의사 측의 개선책도 포함되어 있다. 환자와 보건의료제공자에게 동시에 중재프로그램을 적용하는 연구는 별로 없기 때문에 보건의료제공자와 환자에게 동시에 중재프로그램을 적용하는 것이 의사결정의 협력, 특히 노인층, 소수민족, 문해력이 낮은 환자들과 같은 취약한 계층 환자들의 협력을 성공적으로 얻어내는 데 필요한지 여부를 규명하는 데 이 연구가 도움이 될 것이다.

향후 연구 방향

지금까지 건강정보이해능력과 PDM과의 관련성에 대해 알고 있는 내용에는 몇 가지 사실과 다른 점이 있음을 확인했다. 우선 앞으로의 연구에서는 보건의료제공자 및 환자 양측의 자가 보고와 직접 관찰 방식을 사용하여 의사와 문해력 부족 환자 간의 의사결정 협력의 평가 향상에 초점을 맞추어야 한다.[59,60] 특히, 저소득층, 소수민족, 영어가 능통하지 않은 사람, 노인, 만성질환자 집단을 대상으로 하는 연구에는 건강정보이해능력과 환자와 보건의료제공자 간의 의사소통에 대한 평가가 포함되어야 한다. 둘째, 문해력 부족 환자들에게 적합한 임상적 의사결정 보조도구를 이용하고 보건의료제공자와 보건의료 체계를 대상으로 환자의 치료 참여를 증가시킬 수 있도록 하는 것 등 환자 교육, 적극적 참여 유도, 권한 부여 등의 임상적 개선책의 개발과 검증이 필요하다.

추가적 연구가 기대되는 세 번째 영역은 문해력이 부족한 사람들에게 자신의 건강관리와 관련된 결정에 좀 더 능동적으로 참여할 수 있는 권한을 부여하는 지역사회 단위의 참여 연구이다. 최근 한 연구에서는 시카고 서부 지역 57개 구역(저소득 도시 지역사회)의 지원자들을 대상으로 가정 내 인터넷 교육을 통한 중재프로그램의 고안과 실행을 위한 지역사회 기반 참여 연구 방법을 사용하였다.[61] 이들 지원자들과 대조군은 프로그램 시작 전과 1년 후에 면담조사를 받았다. 이 연구의 목적은 가정 내 인터넷을 통한 건강정보 획득이 저소득 도시 지역주민들의 권한 부여에 긍정적으로 영향을 미치는지 여부를 평가하는 것이었다. 25명의 지역 주민들이 이 인터넷 중재프로그램의 단계를 모두 완료하였고, 이들의 이웃 35명이 대조군으로 무작위로 선정되었다. 개입 연구 대상자들은 연구 기간 동안 웹 TV를 통해 인터넷에 접속하고 교육 및 기술적인 지원을 받았으며 해당 지역 고유의 건강관련 웹페이지에 접속을 허가받았다. 연구 결과, 연구 초기에 개입 연구군의 참여도는 대조군과 비슷하였지만 인터넷 접속과 교육을 받은 후에는 건강 의사결정 관련 참여도가 개입 연구군의 경우 유의하게 증가한 반면 대조군에서는 유의한 변화가 일어나지 않았다. 정보화 기술에 대한 친밀도와 이해도 또한 개입 연구군에서는 증가하였지만 대조군에서는 증가하지 않았다. 이 연구자들은 지역사회 기반 참여 연구가 활용될 때 인터넷을 통한 지역 특화 건강정보 및 일반 건강정보의 획득이 환자의 참여 권한을 늘리고 정보 기술에 대한 이해도를 높일 수 있다고 결론지었다.

결론

결론적으로 PDM은 환자들의 정보 이해력 및 기억력, 환자 만족도, 건강 성과의 향상 등과 같은 편익을 제공한다는 점이 증명되었다. PDM과 건강정보이해능력과의 관련성을 다루는 연구가 많지는 않지만 PDM이 낮은 경우는 저학력, 노인층, 소수민족, 환자와 의사의 민족적 불일치, 불량한 건강 상태 등과 같은 건강정보이해능력 부족의 연관 요인들과 관련이 있었다. 의사결정 협력이 시청각 자료 및 컴퓨터 프로그램과 같은 복잡한 기술의 사용을 필요로 하는지 혹은 팸플릿 인쇄물, 신문, 의사결정 보드 등과 같은 단순한 방법으로도 동일한 결과를 얻을 수 있는지에 대해서는 명확하지 않다. 향후 연구에서는 문해력 부족 환자의 PDM 장애로 작용하는 의사소통 문제점의 성격을 규명하고, 문해력 부족 환자 집단의 의사결정 협력으로 도출되는 구체적 효과를 치료와 건강 성과에 대한 환자 보고로 연계시키는 것에 집중해야 한다. 앞으로 문해력 부족 환자들의 건강관리에 대한 의사결정 참여도를 증가시키기 위해 가장 효과적인 환자와 의료제공자, 보건 체계, 지역사회 기반의 방안을 규명할 수 있어야 할 것이다.

참고 문헌

1. Beauchamp TL, Childress JF. *Principles of Biomedical Ethics*. New York, NY: Oxford University Press; 2001.

2. Byrne P, Long B. *Doctors Talking to Patients*. London: HMSO; 1976.

3. Brody DS. The Patient's role in clinical decision-making. *Ann Intern Med*. 1980;93:(5):718-722.

4. Charles C, Gafni A, Whelan T. Shared decision-making in the medical encounter: what does it mean? (or it takes at least two to tango). *Soc Sci Med*. 1997;44(5):681-692.

5. Stewart M, Brown BJ, Weston WW, McWhinney I, McWilliam CL, Freeman TR, eds. *Patient-centered Medicine: Transforming the Clinical Method*. Thousand Oaks, Calif:Sage;1995:216-228.

6. Laine C, Davidoff F. Patient-centered medicine. A professional evolution. *JAMA*. 1996;275(2):152-156.

7. Mead N, Bower P. Patient-centeredness: a conceptual framework and review of the empirical literature. *Soc Sci Med*. 2000;51(7):1087-1110.

8. Kaplan SH, Gandek B, Greenfield S, Rogers W, Ware JE. Patient and visit characteristics related to physicians' participatory decision-making style:

results from the Medical Outcomes Study. *Medical Care*. 1995; 33: 1176-1183

9. Heisler M, Bouknight RR, Hayward RA, Smith DM, Kerr EA. The relative importance of physician communication, participatory decision making, and patient understanding in diabetes self-management. *J Gen Intern Med*. 2002;17(4):243-252.

10. Charles C, Gafni A, Whelan T. Decision-making in the physician-patient encounter: revisiting the shared treatment decision-making model. *Soc Sci Med*. 1999;49(5):651-661.

11. Greenfield S, Kaplan SH, Ware JE Jr, Yano EM, Frank HJL. Patients' participation in medical care: effects on blood sugar and quality of life in diabetes. *J Gen Intern Med*. 1988;(3):448-457.

12. Kaplan SH, Greenfield S, Ware JE Jr. Assessing the effects of physician-patient interactions on the outcomes of chronic disease. *Medical Care*. 1989;27:S110-S127.

13. Stewart MA. Effective physician-patient communication and health outcomes: A review. *Can Med Assoc J*. 1995;152:1423-1433.

14. Kaplan SH, Greenfield S, Gandek B, Rogers WH, Ware JE. Characteristics of physicians with participatory decision-making styles. *Ann Intern Med*. 1996;124:497-504.

15. Marquis MS, Davies AR, Ware JE Jr. Patient satisfaction and change in medical care provider: a longitudinal study. *Med Care*. 1983;21(8):821-829.

16. Lerman CE, Brody DS, Caputo GC, Smith DG, Lazaro CG, Wolfson HG. Patients' Perceived Involvement in Care Scale: relationship to attitudes about illness and medical care. *J Gen Intern Med*. 1990;5(1):29-33.

17. Brody DS, Miller SM, Lerman CE, Smith DG, Caputo GC, Patient perception of involvement in medical care-relationship to illness attitudes and outcomes. *J Gen Intern Med*. 1989;4(6):506-511.

18. Cooper-Patrick L, Gallo JJ, Gonzales JJ, et al. Race, gender, and partnership in the patient-physician relationship. *JAMA*. 1999;282:583-589.

19. Pendleton DA, Bochner S. The communication of medical information in general practice consultations as a function of patients' social class. *Soc Sci Med*. 1980;14A:669-673.

20. Waitzkin H. Information giving in medical care. *J Health Soc Behav*. 1985;26:81-101.

21. Gazmararian JA, Baker DW, Williams MV, et al. Health literacy among Medicare enrollees in a managed care organization. *JAMA*. 1999;281(6):545-551.

22. Bartlett EE, Grayson M, Barker R, Levine DM, Golden A, Libber S. The

effects of physician communication skills on patient satisfaction, recall, and adherence. *J Chron Dis.* 1984;37:755-764.

23. Epstein AM, Taylor WC, Seage GR III. Effects of patients' socioeconomic status and physicians' training and practice on patient-doctor communication. *Am J Med.* 1985;78:101-106.

24. Hooper EM, Comstock LM, Goodwin JM, Goodwin JS. Patient characteristics that influence physician behavior. *Med Care.* 1982;20:630-638.

25. Ross CE, Mirowsky J, Duff RS. Physician status characteristics and client satisfaction in two types of medical practice. *J Health Soc Behav.* 1982;23:317-329.

26. Wasserman RC, Inui TS, Barriatua RD, Carter WB, Lippincott P. Pediatric clinicians' support for patients makes a difference: and outcome-based analysis of clinician-patient interaction. *Pediatrics.* 1984;74:1047-1053.

27. Cooper-Patrick L, Ford DE, Vu HT, Powe NR, Steinwachs DM, Roter DL. Patient-physician race concordance and communication in primary care. *J Gen Intern Med.* 2000;15:106.

28. Baker Dw, Hayes R, Fortier JP. Interpreter use and satisfaction with interpersonal aspects of care for spanish-speaking patients. *Med Care.* 1998;36(10):1461-1470.

29. Collins KS, Hughes DL, Doty MM, Ives BL, Edwards JN, Tenney K. *Diverse Communities, Common Concerns: Assessing Health Care Quality for Minority Americans.* New York, NY: The Commonwealth Fund; 2002.

30. Report of the National Work Group on Literacy and Health. Communicating with patients who have limited literacy skills. *J Fam Pract.* 1998;46(2):168-176.

31. Williams MV, Parker RM, Baker DW, et al. Inadequate functional health literacy among patients at two public hospitals. *JAMA.* 1995;274(21):1677-1682.

32. Cooper LA, Roter DL, Johnson RL. Ford DE, Steinwachs DM, Powe NR. Patient-centered communication in race-concordant and race-discordant primary care visits. *Ann Intern Med.* 2003;139:907-915.

33. Baker DW, Parker RM, Williams MV, Clark WS, Nurss J. The relationship of patient reading ability to self-reported health and use of health services. *Am J Public Health.* 1997;87(6):1027-1030.

34. Baker DW. Reading between the lines: deciphering the connections between literacy and health. *J Gen Intern Med.* 1999;14(5):315-317.

35. Baker DW, Gazmararian JA, Sudano J, Patterson M, Parker RM, Williams MV. Health literacy and performance on the Mini-Mental State

Examination. *Aging Ment Health*. 2002;6(1):22-29.

36. Gazmararian J, Baker D, Parker R, Blazer DG. A multivariate analysis of factors associated with depression: evaluating the role of health literacy as as potential contributor. *Arch Intern Med*. 2000;160(21):3307-3314.

37. Strull WM, Lo B, Charles G, Do patients want to participate in medical decision making? *JAMA*. 1984;252(21):2990-2994.

38. Arora NK, McHorney CA. Patient preferences for medical decision making: who really wants to participate? *Med Care*. 2000;38(3):335-341.

39. Adams RJ, Smith BJ, Ruffin RE. Impact of the physician's participatory style in asthma outcomes and patient satisfaction. *Ann Allergy Asthma Immunol*. 2001;86(3):263-271.

40. Pendleton L, House WC. Preferences for treatment approaches in medical care. College students versus diabetic outpatients. *Med Care*. 1984;22(7):644-646.

41. Baker DW, Parker RM, Williams MV, et al. The health care experience of patients with low literacy. *Arch Fam Med*. 1996;5(6):329-334.

42. Parikh Ns, Parker RM, Nurss JR, Baker DW, Williams MV. Shame and health literacy: the unspoken connection. *Patient Educ Couns*. 1996;27(1):33-39.

43. Roter DL, Rudd RE, Comings J. Patient literacy. A barrier to quality of care. *J Gen Intern Med*. 1998;13(12):850-851.

44. Williams MV, Baker DW, Parker RM, Nurss JR. Relationship of functional health literacy to patients' knowledge of their chronic disease. A study of patients with hypertension and diabetes. *Arch Intern Med*. 1998;158(2):166-172.

45. Williams MV, Baker DW, Honig EG, Lee TM, Nowlan A. Inadequate literacy is a barrier to asthma knowledge and self-care. *Chest*. 1998;114(4):1008-1015.

46. Gazmararian JA, Parker RM, Baker DW. Reading skills and family planning knowledge and practices in a low-income managed-care population. *Obstet Gynecol*. 1999;93(2):239-244.

47. Lindau ST, Tomori C, Lyons T, Langseth L, Bennett CL, Garcia P. The association of health literacy with cervical cancer prevention knowledge and health behaviors in a multiethnic cohort of women. *Am J Obstet Gynecol*. 2002;186(5):938-943.

48. Scott TL, Gazmararian JA, Williams MV, Baker DW. Health literacy and preventive health care use among Medicare enrollees in a managed care organization. *Med Care*. 2002;40(5):395-404.

49. Schillinger D, Piette J, Grumbach K, et al. Closing the loop; physician

communication with diabetic patients who have low health literacy. *Arch Intern Med*. 2003;163(1):83-90.

50. Schillinger D, Bindman A, Stewart A, Wang F, Piette J. Health literacy and the quality of physician-patient interpersonal communication. *Pat Educ Couns*. 2004;3:315-323.

51. Liao L, Jollis JG, DeLong ER, Peterson ED, Morris KG, Mark DB. Impact of an interactive video on decision making of patients with ischemic heart disease. *J Gen Intern Med*. 1996;11(6):373-376.

52. Schapira MM, Meade C, Nattinger AB. Enhanced decision-making: the use of a videotape decision-aid for patients with prostate cancer. *Patient Educ Couns*. 1997;30(2):119-127.

53. Whelan T, Gafni A, Charles C, Levine M, Lessons learned from the Decision Board: a unique and evolving decision aid. *Health Expect*. 2000;3(1):69-76.

54. Gomella LG, Albertsen PC, Benson MC, Forman JD, Soloway MS. The use of video-based patient education for shared decision-making in the treatment of prostate cancer. *Semin Urol Oncol*. 2000;18(3):182-187.

55. DePalma A. Prostate Cancer Shared Decision: a CD-ROM educational and decision-assisting tool for men with prostate cancer. *Semin Urol Oncol*. 2000;18(3):178-181.

56. O' Connor AM, Stacey D, Entwistle V, et al. Decision aids for people facing health treatment ot screening decisions. *Cochrane Database Syst Rev*. 2003;(2):CD001431. Review.

57. Kim SP, Knight SJ, Tomori C, et al. Health literacy and shared decision making for prostate cancer patients with low socioeconomic status. *Cancer Invest*. 2001;19(7):684-691.

58. Cooper LA, Roter DL, Bone LR, Miller E, et al. Patient-physician partnership to improve high blood pressure adherence. *Circulation*. 2003;109:293.

59. Elwyn G, Edwards A, Mowle S, et al. Measuring the involvement of patients in shared decision-making: a systematic review of instruments. *Patient Educ Couns*. 2001;43(1):5-22.

60. Frosch DL, Kaplan RM. Shared decision making in clinical medicine: past research and future directions. *Am J Prev Med*. 1999;17(4):285-294.

61. Masi CM, Suarez-Balcazar Y, Cassey MZ, Kinney L, Piotrowski ZH. Internet access and empowerment. *J Gen Intern Med*. 2003;18(7):525-530.

제8장

문해력 부족 인구집단을 위한 사전 동의의 문제점

마이클 K. 파슈-올로(Michael K. Paasche-Orlow)(MD, MA, MPH)

언어의 목적은 문법학자들을 곤혹스럽게 만드는 것이 아니라 의사 전달에 있으며, 의사 전달은 단순할수록 열정적이고 실천적인 사람들에게 더 효과적이다.

— H. L. Mencken,
The American Language, 1921.[1]

보건의료 및 의학 연구 활동에는 평범한 사회적 관계를 벗어나는 것들이 많다. 임상의사, 연구자, 그리고 이들의 소속 기관은 사전 동의 (informed consent)의 의무 위배 소송이 제기될 경우를 대비한다. 예를 들면, 일반적으로 수술이 필요한 경우에 외과 의사는 환자의 동의 없이는 수술을 진행할 수 없다. 이 동의는 수술로 기대하는 바에 대한 충분한 이해를 바탕으로 하여야 한다. 외과 의사는 제안된 시술의 위험도, 편익, 다른 치료 방법 등을 환자에게 교육할 의무가 있다. 이런 정보를 토대로 환자는 수술 여부를 결정한다.

환자의 이해가 사전 동의 과정에 매우 중요한데도 그것을 이루는 요소들은 하나같이 지나치게 형식적이고 복잡하다.[2~12] 이것이 전체 환자뿐 아니라 특히 미국 성인인구의 약 1/4에 해당하는 문해력 부족 성인에게 이해의 주된 장애

요인이 된다.[13]

사전 동의는 하나의 의사소통 과정이기 때문에 8장에는 의사와 환자 간의 의사소통에서 건강정보이해능력의 역할을 고찰한 다른 장의 내용과 겹치는 부분이 많다. 문해력 부족 성인의 권리 보호는 사전 동의의 경우에 특히 두드러진 문제가 되는데 그 이유는 이러한 형태의 의사소통 과정에 내재한 윤리적 법적 의무는 관행만으로는 부족하기 때문이다. 기본적으로 문해력 부족 성인은 사전 동의와 관련하여 매우 취약한 인구집단이다.[14] 이러한 취약성은 의료제공자에게도 역시 위험요인이 된다. 동의 절차가 부적절할 때 의료제공자는 자신의 전문적, 윤리적 의무를 다하지 못하는 것뿐 아니라 법적 책임의 문제에도 노출된다.[15~18]

종래의 사전 동의 과정이 문해력이 낮은 환자에게 어려운 점이 많다는 점은 알려진 바이지만 아직 밝혀지지 않은 부분이 많다. 8장에서는 사전 동의의 여러 다양한 측면에서 건강정보이해능력의 역할을 평가한다. 특히, 공식적 동의와 비공식적 동의, 문해력 부족 환자가 겪는 어려움, 환자 권리 보호를 위한 과제, 사전 동의 서식의 신뢰도, 연구대상자 보호 수단으로서의 동의 등을 논한다. 그리고 향후 연구 과제와 문해력 부족 환자의 자율성 향상을 위한 제안으로 끝을 맺는다.

비공식 동의와 공식 동의

극단적인 상황 가령, 섬망, 정신 기능 부전, 위급 상황이라면 보건의료제공자는 환자의 의견에 반대할 적극적 책무와 법적 의무를 가진다. 그러나 일반적으로 사람들은 환자로서의 자기 결정 권한을 양도하지 않는다. 치료 과정 내내 의료제공자가 세부적인 치료 내용을 환자와 합의해 간다는 것은 사전 동의 수속이라는 경기를 풀어가는 것과 같다. 동의에 사용되는 문헌은 주로 기록 문서로 되어 있지만 이것은 동의 수속과 관련한 의사와 환자 간의 교류 중 적은 부분에 불과하다.[19] 대부분의 동의는 비공식적으로 그리고 경우에 따라서는 비언어적으로 도출되며, 실제로 사전 동의 수속이 기록으로 확정되는 사례는 극소수이다. 문해력 부족의 문제가 공식적인 동의 기록 문서에 한해서만 제기되는 경향이 있지만 문해력이 낮은 환자는 동의 수속상의 여러 측면에서 이해에 어려움을 겪는다.[20]

통상 공식적인 동의 방법일수록 의료 위험도(신체적, 경제적, 정신적, 사회적 손상 위험도 등)가 더 높아진다. 예를 들면, 침습적 수술은 대개 사전 동의 서류를 작성해야 하지만 단순하고 위험도가 낮은 시술 및 검사는 단지 머리를 끄덕이는 표시만으로도 진행될 수 있다. 그러나 공식적인 동의가 필요한 행위가 어떤 것인지 규칙을 정하기란 쉽지 않다. HIV 검사와 유전자 검사는 상담을 하고 서면으로 사전 동의 서류를 작성한 후에 실시된다. 그러나 의무 보고 규정과 사생활 침해의 위험에도 불구하고 매독 검사 등의 다른 검사의 경우에는 이러한 절차가 의무적이지 않다.

공식적인 동의 수속이 필요한 위험도 수위는 매우 다양하다. 지역적 관습, 법적 규제, 개인적 선호도, 교육 등의 매우 다양한 요인에 따라 여러 임상적 소통에 가장 적합한 사전 동의 수속의 유형이 정해진다. 환자들은 공식적인 절차가 필요 없는 임상적 결정이라고 해서 상대적으로 안전하다거나 적합하다고 받아들여서는 안 된다. 예를 들면, 치명적인 위험 및 부작용을 동반하는 약물이 1차 의료 현장에서 동의 서류를 작성하지 않고도 처방되는 경우가 간혹 있다.

사전 동의 수속 중 문해력 부족 환자가 겪는 난관

사전 동의 수속과 의사결정 과정을 이론적, 경험적으로 평가한 결과 환자에게 실질적이고 의미 있는 동의 절차를 제공하는 데 필요한 요소들이 정립되었다.[17,21~25] 표 8-1에 이 요소들이 나열되어 있으며 문해력 부족 환자가 동의 수속에서 어려움을 겪을 수 있는 구체적인 사례가 언급되어 있다.

의사결정 능력

표 8-1에 따르면 첫 번째 요소는 의사결정 능력에 대한 평가이다. 일반적으로 사용되는 몇 가지 신경정신학적 검사에서 문해력이 부족한 경우 성적이 낮게 나타나기 때문에 일부 문해력이 부족한 성인, 특히 노인들은 판단 능력이 없는 것으로 잘못 분류될 가능성이 있다.[26~28] 이러한 분류 오류로 인해 환자와 직접 사전 동의 수속을 밟으려는 시도는 줄고 가족이나 다른 대리인에게 의존하게 된다.

의사결정 과정

다음으로 표 8-1에서 바람직한 사전 동의 수속은 다양한 의사소통 단계들로 이루어진 하나의 과정으로 나타난다. 환자와 의사 사이의 의사소통에는 기본적으로 사전 동의 수속 과정을 주도하는 관계 모형의 정립이 포함된다. 권위적 의사결정에서는 의사가 주도하고, 소비자 모형은 그 반대의 경우이며, 협력적 의사결정 관계에서는 둘 사이에 균형이 이루어진다.[29] 사전 동의 수속이 이론적 모형과 정확하게 일치할 필요는 없지만 임상의사와 환자는 의사결정 과정의 역학을 면밀히 검토해 보고 그에 따라 의사소통을 개선할 수 있다.

사전 동의 수속은 일련의 상호작용 과정이기 때문에 의사와 환자 사이의 의사소통을 저해하는 임상 면담(clinical encounter)의 여러 특성들도 역시 장애 요인이 된다.[30] 의사와 환자 사이의 의사소통을 복잡하게 만드는 전형적인 장애 요인들 중 몇 가지는 일반적인 현상으로 특히 문해력이 낮은 환자들에게는 더욱 그러하다(가령, 사회경제적 차이, 의사와 환자의 일반적인 차이, 문화적 차이).[31] 보건의료제공자와 연구자 측에서 시간에 쫓기는 행동을 하고 전문 용어를 사용하는 것은 위험하다.[32] 심지어 비전문적 건강 용어조차도 의사와 저학력 환자 사이에 해석이 다른 경우가 간혹 있다.[33]

게다가 이러한 장애 요인들은 본질적으로 기능적 문해력 부족에서 연유한다. 기능적 문해력은 적절한 시력, 읽기 능력, 인지 능력을 전제로 한다. 이들

표 8-1 사전 동의에서 문해력 부족 성인이 느끼는 문제점

정보 제공 및 동의 수속의 요소*	예상 문제점
환자의 의사결정 능력 보유	문해력이 의사결정 능력 평가에 영향을 미칠 가능성
의사결정 과정	
권위적 모형 – '의사인 당신이 내가 해야 할 일을 일러주시오.'	협력적 의사결정 과정에 불안을 느끼거나 문해력이 낮다는 사실이 드러나지 않도록 권위적 모형을 선택할 가능성
소비자 모형 – '내가 결정을 할 수 있도록 이것에 관해 설명을 해 주시오.'	의사의 의견에 전적으로 영향을 받거나 수리능력의 문제 가능성 혹은 대안의 개수 및 순서에 따라 문제가 발생할 가능성
협력 모형 – '이것에 관해 이야기해보고 같이 결정합시다.'	동의의 법적 함의에 대한 오해의 가능성
정보 교환 { ■ 1차적 대안의 특성 ■ 1차적 대안의 위험 ■ 1차적 대안의 편익 ■ 불확실성 정도 ■ 그 외의 대안들 ■ 동의의 의미 } 대개 추정치로 제시	이해를 못한다는 사실을 밝히고 질문을 하거나 의사에게 반대 의견을 제시하는 것을 꺼릴 가능성
동의 (자발성) { ■ 강요가 없어야 함 ■ 선택의 진정성 확인 ■ 이해 여부 확인 ■ 선호 내용 확인 ■ 결정 내용 확인 }	

* 사전 동의의 요소들은 본문에 기술된 이론적 및 경험적 연구들에서 발췌되었음.

결점들을 수치심 때문에 공개적으로 드러내지 못하게 되는데 문해력이 낮은 성인 가운데는 자신의 문해력 부족을 부끄럽게 여기고 결점을 숨기려고 갖은 방법을 동원하는 경우가 많다.[34,35] 실제로 성공을 거두는 경우도 간혹 있어서 대부분의 의사들은 환자 중 누가 기능적 문해력이 없는지 알아차리지 못한다.[36~38] 더구나 사람마다 자신의 기능적 문해력 부족 판단 기준도 다양하였다.

의사와 환자 사이의 의사소통 및 의사결정 모형 중 권위주의 모형은 무수한 이유로 환자가 선택한 믿음직한 방법일 것이다. 그러나 수치심이 야기하는 상황 때문에 선택된 상의하향식 모형이라면 여기에는 선택의 여지가 별로 없는 셈이다. 일반적으로 의료제공자와 협력적 의사결정 과정에 참여의식이 없는 사람은 그렇게 하도록 격려해 주어야 한다.

정보 교환

표 8-1에서 사전 동의 수속의 그 다음 요소는 정보 교환에 관한 것이다. 사람들이 충분히 알고 결정을 내리기 위해서는 (1) 해당 선택 사항의 기본 성질, (2) 잠재적 위험, (3) 잠재적 편익, (4) 해당 항목들의 불확실성 정도, (5) 대안 등의 다섯 가지 내용에 대해 정보를 제공받고 이해해야 한다. 안타깝지만 이론과 실제 사이에는 매우 큰 간극이 있다. 540개 병원의 시술 사전 동의서를 평가한 결과 네 가지 중점 평가 영역인 시술의 본질, 위험, 편익, 대안을 모두 포함하고 있는 동의서는 단지 26.4%에 불과했다.[39]

문해력이 낮은 환자들은 다른 환자들에 비하여 자신의 의료 상황에 대한 지식수준이 낮은 것으로 많은 연구들을 통해 밝혀졌다.[40~43] 이 때문에 문해력 부족 환자들이 이상의 영역들을 이해하기 위해서는 수많은 정보의 장애물을 극복해야 할 것이다. 더구나 이 영역 중 특정 부분은 통상적으로 문해력 부족 환자에게 어렵다는 느낌을 준다. 예를 들면, 의사들은 간혹 위험, 편익, 확실성 정도를 통계학적 용어로 설명한다. 수리 능력은 기능적 문해력의 필수 요소라는 점에서 이러한 영역에서 동의 내용을 이해하기란 문해력이 낮은 성인에게는 특별한 장해물이 된다.

흔히들 간과하는 여섯 번째 정보 교환 영역은 사전 동의의 기본 의미 및 함축적 의미와 관련이 있다. 동의라는 것은 의료제공자 혹은 연구자가 동의가 없으면 하지 못할 것을 할 수 있도록 해주는 권한 위임 행위이다. 이러한 권한 위임의 중요성은 상황에 따라 다르지만 환자와 의사는 이것을 서로 다르게 이해할 수도 있다. 환자는 동의 수속을 통한 권한 위임은 사전 제한적인 것이며 사전 동의서에 서명을 했다고 해서 권리를 모두 양도한다는 생각을 해서는 안 된다는 점을 유념해야 한다.[17] 연구에서 사전 동의 수속으로 발효되는 위임권의 의미는 명료하게 설명되지 않고 사정되지도 않는 경우가 흔하다. 문해력이 낮은 환자들이 다른 환자들에 비하여 사전 동의 수속의 권한 위임이라는 측면을 이해하는 데 더 많은 어려움을 느끼는지는 밝혀지지 않았다.

동의(자발성)

표 8-1에서 사전 동의 수속의 마지막 요소는 바로 동의 그 자체이나. 실질직으로 자발적인 결정이 되기 위해서는 강압적이지 않아야 하고 환자의 실제 의도가 반영되어야 한다. 그리고 환자의 결정권 위임을 확인하는 과정은 권장 사항이다.[44] 예를 들면, 이전의 결정 내용과 현재의 결정 내용을 비교해 봄으로써 시간에 따른 개인의 가치관을 좀 더 분명하게 할 수 있다. 개인의 결정이 그 사람의 가치관 표명과 꼭 일치할 필요는 없더라도 의료이용 결정에 자신의 가치관을 반영하기를 원하는 사람들이 많다. 그리고 가치관과 결정 내용이 다르다는 것은 이전의 윤리관과는 생각이 달라졌다거나 그렇지 않으면 단순히 잘못 이해하고 있는 것의 반증일 수도 있다. 개인의 의사결정의 진정성은 복잡 미묘한 간섭을 받을 수 있다. 의사결정에 대한 인지연구를 통하여 환자들은 제시된 치료 대안의 순서와 그 개수에 민감하게 반응하여 선택하며 간혹 자신의 의사표명과는 어긋나는 선택을 한다는 점이 밝혀졌다.[45] 이러한 결과들이 문해력이 낮은 환자들을 대상으로 평가되지는 않았지만, 이들은 본인의 의사결정권에 대한 인식이 낮으며 여러 가지 대안이 제시될 경우 다른 환자들에 비하여 불안감이 더 커질 수 있다.

또한 환자는 의사가 권하는 내용에 크게 영향을 받는다.[46] 자기효능감이 낮은 문해력 부족 환자들은 다른 환자들에 비하여 의사의 권위에 맞서기가 더욱 어려울 것이다. 결론적으로, 문해력이 낮은 환자에게 1차적 대안에 대한 의사의 설명은 홉슨의 선택 논리(Hobson's choice) 즉, 한 개의 부실한 대안에 대한 취사선택의 상황을 강요하는 것이 된다.

표 8-1에서는 의사결정 과정에서 일어날 수 있는 일을 개별적으로 제시하기 때문에 시간을 두고 여러 당사자들이 개입하는 연속 과정상의 복잡성을 담보하지 못한다는 점에 주의해야 한다.[30,47] 교육을 위해서, 그리고 복잡하게 얽힌 의견들을 아우르고 환자의 개인적 가치를 반영하기 위해서는 시간이 필요하다. 보건의료제공자 측에서 환자의 이해 정도, 선호 내용, 그리고 결정 사항을 이해하기 위해서도 시간이 필요하다. 서류에 서명을 하는 순간 사전 동의 수속

이 끝나는 것은 아니다. 가족이나 다른 친지들과 이야기를 나눈 후에 개인의 결정이 강화되거나 아니면 불안감이 생겨 확신이 흔들릴 수도 있다. 질문과 답변은 의사결정의 주요 요소일 뿐 아니라 의사와 환자의 관계 자체의 강화에도 지속적으로 관여한다. 환자에게 주요 내용을 자세하게 설명하도록 하는 것은 환자의 이해 여부를 확인하는 효과적인 방법이 될 것이다. 특정 시기에 의사결정의 기록을 남기기 위해 서식이 사용되더라도 지속적인 정보의 교환은 절대적이다. 서명 행위는 더 이상의 의견 교환은 없다거나 돌이킬 수 없다는 인상을 줄 수 있다.

사전 동의 수속의 개별 요소들이 반드시 모든 임상 결정에서 고려되어야 할 중심 내용은 아니지만,[49] 사전 동의 수속의 필수 영역들이 임상적 의사결정에서 실제로 어느 정도 활용되는지에 대한 관찰 연구에서는 평균적 윤리 수준에 미치지 못하는 것으로 나타났다.[19,21,50] 예를 들면, 81건의 외래 진료 방문에 대한 녹음자료 분석 결과 262건의 임상 결정 중 단지 2%의 경우에만 환자의 이해 정도를 평가하는 것이 있었다.[51]

공식적 사전 동의 수속에서 환자 권리 보호를 위한 과제

동의서에 서명을 하는 행위는 통상적으로 침습적 외과 수술, 수혈, 인간 연구 대상자 모집 등과 같은 가장 공식적인 사전 동의 수속에 사용된다. 의사결정을 공식적으로 명시하는 방법에는 여러 가지가 있다. 의사와 환자가 계약서를 공동으로 작성하고 거기에 서명을 하거나 아니면 미리 준비된 계약서를 검토하고 서명할 수도 있다. 이 서류들은 증인 입회하에 공동 서명되고 사본을 남기고 서류철로 보관된다.

이러한 조치들은 의사결정이 이루어졌음을 특정 시간에 확인하는 것이다. 안타깝게도 이러한 공식성은 다른 법적 협약 및 계약의 승인과 그 성격이 유사하기 때문에 다른 분야의 문서 승인이 지니는 성격을 건강관리 분야의 동의 수속에 잘못 적용할 수도 있다. 인간 연구대상자 모집에 있어서 연방정부 규정에서는 상해 보상 요구를 위한 "연구대상자의 권리를 포기한다거나 혹은 포기로 보이는" 면책성 표현을 동의서에 사용하지 못하도록 하고 있다.[52] 하지만 이것은 비의료 상황에서 책임 변제의 목적과 정확히 일치하고 문해력이 낮은 성인은 사전 동의서의 법적 공식성으로 인하여 이러한 권리포기를 떠올릴 것이다.[53]

인간 연구대상 연방 보호국(Federal Office of Human Research Protection, OHRP)에서는 연구 대상자가 동의서에 서명을 하는 경우에 어떠한 권리도 포기한다는 생각이 들지 않도록 동의서의 용어를 신중히 사용할 것을 권장하지만[54] 그렇지 못한 경우가 흔하다. 한 연구자의 지적대로 "많은 연구대상자들이 연구 기관을 보호하려고 고심해 낸 시도들을 이해할 수 있을지는 의문이다. 바람직한 사전 동의 수속을 구해야 할 연구자도 동의서의 내용을 설명하지 못할 것이다. 이런 식으로 연구 대상자와 연구자의 사전 동의 관계의 핵심이 손상을 입게 된다."[55] 만약 연구에 대한 이해가 완전하지 않았다면 동의는 무효화될 수도 있다. 의료 과실에 관한 법률은 발효된 동의를 번복할 수 있는 근거로 기능적 문맹을 든다. 예를 들어, 하와이 항소 중재 법원(Intermediate Court of Appeals of Hawaii)에서는 환자의 문해력이 낮다는 이유로 사전 동의를 무효화한 1991년의 한 판례문에서 "단지 서명을 받았다고 해서 그것도 난해한 전문용어들로 채워져 이해가 어려운 미리 준비된 동의서에 상황판단을 못하거나 교육 수준이 낮은 환자의 서명을 받았다고 해서 의사로 하여금 확신에 찬 본연의 의무를 이행하도록 하는 것은 사전 동의 법령을 곡해할 여지가 있다"고 명시하였다.[56]

식품의약품안전청(Food and Drug Administration, FDA)에서도 동의 수속에서 문해력이 낮은 개인의 권리를 보호하기 위한 특별 의무 조항을 만들었는데, 그 내용은 다음과 같다.

임상 연구자는 동의 내용을 완전하게 이해하지 못할 대상자를 연구에 포함시킬 때는 신중해야 한다. 임상연구심의연구회(Institutional Review Board, IRB)에서는 문맹자의 참여가 예상될 경우 강요와 부당한 영향의 작용 가능성

을 고려하여 적절한 추가적 안전 지침을 마련해야 한다.[57]

이와 같은 주의 조치를 내리면서도 FDA는 문해력 평가 지침을 제공하지 않으며 "문맹자"의 평가를 위한 기준을 마련하지도 않는다. FDA에서 문맹의 정의와 관련하여서는 "영어를 알아 듣는 문맹자에게는 동의서를 읽어주고 '표시를 하도록' 하면 된다. 단, 관련 주 법령에 따라 적합한 경우여야 한다"라는 지침에서 유일하게 찾아볼 수 있다. 이것은 문해력 부족 환자가 당면한 장애 요인을 제어할 수 있는 적절한 지침이 아닐뿐더러 문맹의 적절한 조작적 정의도 아니다. 기능적 문맹으로 추정되는 약 4천만~4천4백만의 미국 성인들은 대부분 별 어려움 없이 서명을 할 수 있다.[13]

공식적인 동의 수속을 밟는 대부분의 상황에서는 의사와 환자 모두 그에 따른 편익을 얻을 수 있다. 신체적 위해, 불만족, 고비용, 부당 대우, 차별 등의 위험이 환자에게 있다면 담당자에게도 책임성 논란의 위험이 있다. 하지만 공식적인 동의 자료 중 다수가 지나치게 복잡하다는 사실은 공식화의 중점 목표가 환자 교육이 아니라 전문적인 책임 회피 시도라는 점을 입증한다.

사전 동의서의 가독성

성인들은 대부분 동의서를 읽지 않는다고 한다.[58] 동의서의 내용이 너무 길고 모양도 깔끔하지 않으며 다수의 사람들에게는 활자체도 너무 작고 의료 전문 용어와 법률 용어를 아무런 설명도 없이 사용한다는 점에서 이것은 그다지 놀랄 만한 일도 아니다. 이 문제를 지적하는 보고서가 수십 개에 이르지만 동의서는 여전히 복잡하고 점점 길어지고 있다.[59,60]

동의와 관련하여 정보 공개의 의무가 확산되면서 이러한 경향은 더욱 심해졌다.[61,62] 예를 들면, 환자의 사생활 보호(privacy rights)의 한 가지 시도로 최근 건강보험 양도 및 책임에 관한 법안(Health Insurance Portability and Accountability Act, HIPAA)에서는 동의서 양식에 상당한 분량의 본문이 추가

되었다. 현재 존스 홉킨스(Johns Hopkins)대학의 인간 연구대상자 모집에 필요한 사전 동의서 내용 중 HIPPA 부분은 727개 단어, 약 21/2쪽 분량으로 비교적 간단하다(www.hopkinsmedicine.org/irb/jhmirb). 경계역 수준의 읽기 능력을 가진 사람은 쉬운 글에서 분당 80~160개 정도의 단어를 읽을 수 있기 때문에 의무 조항이 기술된 이 한 가지 부분을 읽는 데 9분 정도의 시간이 더 필요하다.[63] 문해력이 낮은 사람이라도 이 글을 읽어내기는 하겠지만 읽기 능력이 부족한 사람이 계속 집중을 할 수 있을지는 미지수다.

학년별 교과서 평가를 위한 가독성 분석 연구가 시작된 지는 75년이 넘었다.[64,65] 지금까지 십여 개의 분석 기술이 개발되었다. 이 분석 체계들은 단어 목록과 혹은 평균적인 단어의 길이(의미론)와 평균적인 문장의 길이(구문론) 등의 글의 특성에 바탕을 둔 공식을 활용하여 인지력과 구성력을 평가한다. 단어 목록을 활용한 분석법 중 몇 십 년 동안 그 타당성이 지속된 것은 단 하나도 없는데 단어의 사용은 계속 변하기 때문에 시대의 변화를 따라가지 못했기 때문일 것이다. 시대의 변화에 맞는 단어 목록으로 자동화된 복합적 접근법을 사용한다면 종래의 가독성 평가의 장점을 극대화할 수 있을 것이다.

한 가지 특별한 가독성 공식이 플레쉬-킨케이드(Flesch-Kincaid) 공식인데 이것은 평균적인 문장 길이와 단어당 평균 음절 수에 기초한다. 플레쉬-킨케이드 공식은 마이크로소프트사의 단어 가독성 통계 프로그램에 채택되어 있기 때문에 광범위하게 사용되며 특히 의학 문헌에서 가장 빈번하게 사용되고 있다. 이 공식은 16학년 수준까지의 성인들을 대상으로 타당성이 입증되었지만 안타깝게도 마이크로소프트 워드 프로그램에서는 12학년 수준까지만 분석할 수 있다.[63,66~68] 결국 플레쉬-킨케이드 분석 공식을 활용한 많은 연구에서는 평가 점수가 낮게 나올 오류 가능성이 있다.

가독성 공식들로 글의 이해 가능성을 확인할 수 있는 것은 아니다. 예를 들면, 이 공식들은 조작적 매개 변수를 알고 짧지만 어려운 전문 용어와 은어를 의도적으로 기입하는 조작자를 식별하지 못한다. 이 공식들은 문제 영역을 드러낼 목적으로 사용해야 하고 이 공식만으로 글의 명료성을 확인하려고 해서는 안 된다.[69~72]

바람직한 가독성 수준은 상황에 따라 다르겠지만 많은 연구기관들은 특정 학년 수준의 가독성 기준을 세워놓고 있어서 정해진 수준 이하의 가독성으로 작성된 문서라면 수용 가능할 것이라는 인상을 준다. 미국의 의과대학을 대상으로 한 연구에서 사전 동의 서류의 가독성 기준은 5학년 수준부터 10학년 수준에 분포하였다.[73] 이 연구에서 가독성 기준으로 가장 많이 사용된 수준은 8학년이었다. 그러나 이 기준은 지역별 문해력 부족의 역학에 기초한 것도 아니고 상동의 연구 기관들에서 제시하는 상용문(template text)에서 실제로 적용되지도 않는다.

사실 미국 의과대학 중 그 목표 기준에 맞는 상용어(template language)를 사용하는 곳은 8%에 불과했다. 상용어는 해당 연구 기관이 만들어서 대개의 경우 연구 목적의 사전 동의 서류 작성에 공통으로 사용된다. 표 8-2는 다양한 학년 수준으로 작성된 미국 의과대학의 상용 문에서 발췌한 내용이다. 이 연구를 통해 상용문에서 평균적으로 관찰된 플레쉬-킨케이드 가독성 수준은 제시된 기준보다 10.6~2.8(p<0.001)학년 더 높은 수준이었다. 이러한 격차는 100개 단어로 된 3개 단락의 문장 수와 음절 수를 기초로 하는 프라이(Fry) 가독성 공식을 적용하면 더 커졌다. 대표성을 띠는 24개 글에서 발취된 예문들의 가독성 최빈값은 13학년(6~16학년 분포)이었고 평균값은 13.0이었다.[73] 이상의 사례들에서 보면 문해력이 낮은 사람들을 위해 안전장치를 마련할 책임이 있는 임상연구심의위원회가 의도하지 않았지만 역설적이게도 읽기 어려운 서식을 공표하게 된다는 것이다.

인간 연구대상의 보호 장치로서의 동의

동의에 관한 가장 높은 기준이 적용되는 것은 인간 의료 연구대상 모집의 경우이다. OHRP는 사전 동의서의 가독성을 심의 과정의 최우선 영역으로 확인한 바 있다. 의료 연구에서 사전 동의는 특히 민감한 사안이다. 왜냐하면 통상적 치료보다 더 많은 이해가 필요하고 취약 인구집단의 부당 대우에 대한 우려가

과거에 비하여 유례없이 제기되고 있기 때문이다.[74]

지난 50년 동안 인간 대상의 연구에서 큰 변화가 있었다. 1966년 비처 (Beecher)의 기념비적 연구에서는 50개 연구의 윤리의식을 검토한 결과 그 중 단지 2건의 연구에서만 동의가 언급되었다는 점을 발견하였다. 비처는 "만약 접근방법이 바람직하다면 환자는 담당의사가 어떤 요구를 하더라도 신뢰를 바탕으로 동의할 것이다"라고 적었다.[75] 비처는 연구 수행에 있어서 사전 동의를 의무화할 것을 주장하였지만 이러한 동의가 환자 보호를 위한 안전장치가 되

표 8-2 미국 의과대학 임상연구심의위원회의 사전 동의 상용문 예시*

가독성 수준	자발적 참여	위험에 대한 새로운 정보	직접적 편익의 부재	강제 퇴출
4학년 수준†	"귀하는 본 연구에 꼭 참여할 필요는 없습니다. 지금 연구에 참여하기로 하더라도 나중에 언제든지 결정을 바꿀 수 있습니다. 귀하의 결정이 귀하가 받고 있는 치료에 영향을 미치지 않을 것입니다. 담당의사의 태도도 바뀌지 않을 것입니다."	"우리는 귀하로 하여금 연구를 그만두고 싶다는 생각이 들게 할 사실을 알게 될 수도 있습니다. 만약 이 경우에는 귀하에게 이 사실을 알릴 것입니다. 귀하는 계속 연구에 참여할지를 그때 결정할 수 있습니다."	"본 연구에 참여한다고 해서 귀하에게 직접적인 이득은 없습니다. 그러나 귀하의 참여는 앞으로 환자들에게 도움이 될 것입니다."‡	"다음의 경우에 귀하는 연구에서 제외될 수 있습니다. 1. 연구 참여가 해가 되는 경우 2. 본 연구에서는 불가한 치료가 필요한 경우 3. 지시사항을 위반한 경우 4. 임신한 경우 5. 연구가 취소된 경우‡
6학년 수준†	"본 연구에 참여할지는 귀하의 선택입니다. 귀하가 참여하지 않기로 결정하더라도 의사 혹은 대학병원과 귀하의 관계에는 해가 되지 않을 것입니다."	"우리는 연구 과정에서 귀하가 알아야 할 새로운 사실을 알게 될 수 있습니다. 또한 귀하가 연구 참여를 그만두고 싶도록 할 수 있는 사실을 알게 될 수도 있습니다. 이 경우에 귀하는 어떤 새로운 사실에 대해서든 통보받게 될 것입니다."	"본 연구에의 참여로 귀하는 직접적인 편익을 얻을 수는 없습니다. 그러나 귀하의 참여가 앞으로 환자들이 더 나은 치료를 받도록 도움을 줄 것입니다."	§

표 8-2 미국 의과대학 임상연구심의위원회의 사전 동의 상용문 예시* (계속)

가독성 수준	자발적 참여	위험에 대한 새로운 정보	직접적 편익의 부재	강제 퇴출
8학년 수준†	"본 연구에의 참여는 전적으로 자발적인 것입니다. 귀하는 언제라도 연구에서 탈퇴할 권리가 있습니다. 연구에서 탈퇴한다고 해도 어떠한 벌칙 혹은 귀하에게 주어진 이득의 상실은 없을 것입니다."	"귀하의 본 연구 참여 지속 의지에 영향을 미칠 수 있는 새로운 사실에 대해서 우리는 귀하에게 알릴 것입니다."	"본 연구의 참여로 인해 귀하에게 돌아가는 직접적인 편익은 없습니다. 그러나 귀하의 참여가 연구에서 얻어진 지식을 통해 미래에 다른 사람들에게 도움을 줄 수 있습니다."	"본 연구 수행 의사는 다음의 이유 중 한 가지에 해당하는 경우 귀하의 연구 참여를 중지시킬 권한이 있습니다. 1. 연구 지속이 귀하에게 위험할 경우 2. 연구 수행 의사가 지시한 대로 연구 절차를 따르지 않은 경우 3. 후원자가 연구 종료를 결정한 경우"
10학년 수준¶	"본 연구에서 귀하의 참여는 자발적인 것이며 언제라도 탈퇴할 수 있습니다. 참여 혹은 탈퇴가 귀하에게 부여된 어떤 권리에도 영향을 미치지 않을 것입니다."	"우리는 귀하의 건강 혹은 본 연구에의 참여 지속의지에 영향을 미칠 수 있는 새로운 사실을 귀하에게 알릴 것입니다."	"본 연구에의 참여가 귀하에게 직접적인 편익을 보장해 주지는 않습니다."	"각각의 연구 후원자별 연구 수행 의사는 본인의 동의 없이 본인의 연구 참여를 중지할 수 있습니다."
12학년 수준¶	"본 연구에 귀하의 참여는 전적으로 자발적인 것입니다. 귀하는 본 연구 중 언제라도 불참을 택하거나 참여 철회를 할 권리를 가지고 있으며 이로 인해 앞으로 귀하의 의료서비스나 귀하에게 부여된 다른 서비스에 대	"본 연구 조사가 수행되는 동안 귀하의 연구 참여에 대한 결심을 바꿀 수도 있는 어떤 새로운 사실이 밝혀질 경우 귀하에게 즉시 통보될 것입니다. 만약 새로운 사실이 귀하에게 영향을 미치거나 귀하의 본 연구 참	"본인에게 본 연구로 직접적인 편익은 없을 수 있습니다. 그러나 이 연구에서 얻어진 사실은 향후에 비슷한 문제를 가진 다른 환자들에게 도움을 줄 수 있습니다."	"만약 귀하가 심각한 부작용이 있거나, 의사의 지시를 따르지 않거나, 질병 상태가 더 악화되거나, 후원자가 연구를 종료할 경우 귀하의 동의 없이도 귀하는 본 연구에서 제외될 수 있습니다. 만약 이러한 경우가 발생

표 8-2 미국 의과대학 임상연구심의위원회의 사전 동의 상용문 예시* (계속)

가독성 수준	자발적 참여	위험에 대한 새로운 정보	직접적 편익의 부재	강제 퇴출
	해 차별을 받지 않습니다."	여 결심을 변화시킬 수도 있는 것으로 밝혀진다면 귀하는 연구자로부터 통보를 받을 것입니다."		한다면 귀하의 담당 의사는 귀하와 다른 가능한 치료 대안에 대하여 상의를 할 수 있습니다."
전문대학 수준¶	"귀하는 본 연구 조사에의 참여를 자발적으로 동의합니다. 귀하는 본 연구조사 참여를 거부하거나 참여 동의의 철회 및 본 연구에의 참여를 그만둘 수 있으며 이로 인해 귀하에게 벌칙이 부여되거나 향후 치료 및 본 대학병원에서 다른 치료를 받을 수 있는 귀하의 능력이 영향을 받지는 않을 것입니다."	"본 연구 진행 중 특이한 새로운 발견 내용들은 모두 (좋은 것이든 나쁜 것이든), 예를 들면 연구 참여로 인한 위험요인 및 편익의 변화 혹은 본 연구에의 지속적 참여에 대한 귀하의 결심을 바꿀 수 있는 새로운 참여 대안 등에 대해 귀하는 정보를 제공 받게 될 것입니다. 만약 새로운 사실이 귀하에게 통보되는 경우에는 본 연구 참여 지속에 대한 귀하의 동의를 새로 얻을 것입니다."	"연구 참여 의사는 일반화가 가능한 지식을 얻기 위하여 특정 연구 수행 지침에 따라서 그리고 귀하의 본 연구 참여로 인한 편익이 있을 수도 있고 없을 수도 있다는 전제하에 모든 대상자들을 처치합니다."	"만약 처치/시술로 편익을 얻지 못하거나, 처치/시술이 귀하의 증상에 부적절한 것으로 판단되면 귀하의 연구 참여는 귀하의 동의 없이 담당 의사에 의해 중단될 수 있습니다. 또한 귀하는 연구 수행 의사의 판단에 의해, 의사가 적절하다고 간주하는 어떤 이유로든 언제라도 참여가 종료될 것입니다."

---

* 별도로 명시한 경우를 제외하고 모든 예는 의과대학 홈페이지에서 직접 발췌한 것임.
† 가독성 수준은 플레쉬-킨케이드 가독성 척도에 기초한 것임.
‡ 본 단락은 4학년 읽기 수준의 중요 개념을 표현하도록 수정되었음.
§ 본 가독성 수준에서는 해당 단락이 확인되지 않았음.
¶ 가독성 수준은 프라이 가독성 공식에 기초한 것임.
출처: Paascdhe-Orlow MK. Taylor HA, Brancati FL. Readability standards for informed-consent forms as compared with actual readablity. N Engl J Med. 2003;348:721-726

는 것은 책임감 있는 연구자의 역할에 달려 있다고 생각했다. 또한 연구자가 성실한 자세로 동의 과정에 참여하지 않으면 아무리 훌륭한 사전 동의서라도 무의미하다고 생각했다.

연구의 사전 동의에 있어서 특별히 장애 요인이 되는 것은 의료 연구의 중심 개념과 이것의 설명에 보편적으로 사용되는 핵심 어휘를 상당부분 잘못 이해한다는 사실이다. 예를 들면, 연구 대상자의 3/4 이상이 "무작위(randomly)"라는 단어를 이해하지 못한다. 연구 사전 동의서의 가독성에 체계적 변화를 가져오기 위해서는 임상연구심의위원회가 연구자에게 제공할 상용문과 표본 글을 개선해야 할 것이다. 연방정부 차원의 심사가 연구자에게 제공되는 사전 동의서의 가독성을 개선시키는 것으로 나타난다. 사실 연방정부의 특별 감사를 받은 의과대학은 감사를 받지 않은 곳에 비하여 사전 동의서 상용문의 가독성이 더 뛰어났다. 또한 관심이 있다면 의과대학에 도움이 될 기존의 모형도 있다.[73] 미국암연구소(National Cancer Institute)와 뉴욕주립대학 다운스테이트 의과대학(State University of New York Downstate Medical School)과 같은 다양한 기관들에서 가독성 수준이 8학년 이하인 사전 동의 상용문과 표본 서식을 제시하였다.[78,79] 이 서식은 전국적으로 사전 동의서의 상용문 표본으로 사용될 수 있으며 개별 연구 기관의 임상연구심의위원회가 제시하는 현재 사용 중인 글을 획기적으로 향상시킬 수 있을 것이다.

44개 기관의 226명 환자들을 대상으로 읽기 쉬운 사전 동의서에 관한 무작위 대조군 실험에서 가독성 수준이 낮은 동의서는 불안감 감소, 만족감 증대, 동의의 증가와 상관성이 있는 것으로 나타났다.[80] 다른 연구들에서는 동의서의 개선으로 의료 소송을 감소시키고 기록물의 가독성 수준을 낮춤으로써 환자 만족도와 환자 이해도를, 심지어 문해력이 완벽한 경우에도, 향상시킬 수 있다는 결과를 보여주었다.[82~85]

한편, 사전 동의 서류의 가독성 수준을 낮추는 것이 중요하기는 하지만 그렇다고 해서 읽는 사람이 그것을 이해한다는 것이 보장되지는 않는다. 연구대상자들은 일반적으로 1단계 연구 수행 지침으로부터 개인적 편익을 얻을 것이라고 생각하면서도 그와 반대되는 내용의 동의 서류에 서명을 한다.[86] 이러한 모순은 글의 가독성을 높인다고 해서 완전하게 개선되지는 않을 것이다. 연구 대상 예정자에게 정보제공 방법을 개선하는 것은 지속적으로 해야 할 과제이며 그것 자체가 무작위 실험에서 계속되는 논의 주제이기도 하다.[87,88] 궁극적으로 대상자의 이해를 확보하는 것이 가장 안전한 방법인 것이다.

결론

사전 동의는 환자와 연구대상자에게 권한을 부여하는 한 가지 방법이라고 할 수 있다. 그것은 또한 임상의사, 연구자, 연구기관 측에서 위험 부담과 책임 관리를 위해 사용할 수 있는 방법이기도 하다. 두 가지 사안 모두 사전 동의 수속 방법의 개선을 통하여 향상될 수 있다. 동의서 중 다수는 매우 복잡해서 의료 기관에서 도무지 이해되지 않는 말을 늘어놓아 상대방을 무기력하게 만든다는 인상을 준다.

사전 동의서와 관련하여 이러한 교육적 문서들은 의사결정 과정의 장려를 목적으로 한다는 점을 명심해야 한다.[39] 이 목적 달성에 분명한 장애 요인은 이들 문서의 가독성 수준이다. 많은 연구기관에서는 이해가능성(understandability)의 상한 기준으로 8학년의 가독성 수준을 채택해 왔지만, 현실적으로 이 기준은 너무 높다. 게다가 이 기준은 많은 연구기관들의 상용문에서 일관되게 적용되고 있지도 않다. 표 8-2에 제시된 것처럼 사전 동의의 주요 개념은 4학년 수준으로도 기술되는 것이 좋다. 바람직한 가독성 기준이 적용된다면 현재의 동의서가 안고 있는 문해력 부족이라는 장애 요인은 제거될 것이다.

질 보장은 가독성 공식의 사용보다는 더 넓은 영역으로 확대되어야 한다. 플레쉬-킨케이드와 프라이 등의 가독성 공식은 보편적이고 사용하기 편리한 반면 오류에 빠지기도 쉽다. 실질적으로 명료성이나 이해가능성을 높이기보다 마침표와 약어만 몇 개 더 보태면 가독성 점수는 나아지게 된다. 사전 동의 서류와 같은 자료를 연구대상 인구집단에 적합하도록 개발, 검토해야 한다.[89~91]

단어와 문장의 길이를 줄이는 것 외에 다른 방법들도 사전 동의 문서의 이해도를 향상시키는 데 도움이 된다. 이 방법으로는 시청각 자료와 양방향 컴퓨터 프로그램 등의 멀티미디어 매체의 사용뿐 아니라 글씨체, 편집 모양, 길이, 내용 난이도 등의 문제점 수정을 들 수 있다.[7,71,92~103] 또한 추상적인 위험 요인의 개념을 구체적 상황을 들어 설명해주고 다양한 선택적 대안의 결과를 비교해주는 의사결정 보조도구(decision aids) 시스템으로 동의 서류를 보완하는 것도 도움이 된다. 이것은 설문조사를 통한 개인별 위험 요인 분석표나 맞춤형 메시지를 전달하는 컴퓨터 프로그램에서부터 양방향 CD-ROM이나 웹 페이지를 통한 교육에 이르기까지 그 형태가 다양하다. 의사결정 보조도구는 위험 요인에 대한 정보 전달에 있어서 폭넓은 편익이 있는 것으로 알려졌지만 문해력이 낮은 인구집단을 대상으로 해서는 구체적으로 평가된 바가 없다. 특히, 의사결정 보조도구는 지식수준의 향상, 위험/편익 평가의 정확도 향상, 참여적 의사결정 도모, 환자의 가치관과 암 조기검진 실시 사이의 일치성 향상 등을 가져오는 것으로 밝혀졌다.[104~107] 추가적인 연구로 이와 같은 위험 요인의 정보 전달 방법이 문해력이 낮은 환자들에게 동의를 구하는 데 유용하다는 사실을 제시할 수 있을 것이다.

한편, 동의 서류와 보조 자료는 양질의 사전 동의 수속을 공고히 하기 위한 의사소통 과정의 도구에 지나지 않는다. 좀 더 폭넓은 의사소통의 맥락에는 관련 의사결정의 내용뿐 아니라 동의 자체의 본질, 목적, 의미를 알려주어야 한다는 전제와 그 예상 목표를 검토하는 것도 포함된다. 문해력이 낮은 환자는 이해하는 바를 확인하기 위해 의사에게 질문을 할 가능성이 낮다. 연구들을 통해서 환자의 질문을 받아들이고 답변을 하는 의사소통 과정이 환자의 정확한 이해를 이끌어 낼 것이라는 점이 확인될 것이다.

안타깝지만 현재의 의료 문화는 일관성 없고 무성의한 사전 동의로 인해 환자의 권리 유린이 일상화되어 있다. 사전 동의에 대한 원론적인 교육도 받지 않았고 기술적 지식도 없는 수련의를 보내 환자 동의를 받아오도록 하는 경우가 간혹 있다.[108~113] 임상 의사들은 사전 동의를 특정 치료 대안의 실시 여부에 관한 환자의 의사결정을 도와주는 과정이라기보다는 "환자 설득하기(consenting a patient)"로 보는 경우도 있다.[114] 이 문제는 일면 사전 동의에 소요되는 시간 때문이기도 하다. 일본의 경우처럼 사전 동의의 절차에 대한 수가 산정이 가능하다면 임상 의사들은 필요한 만큼의 시간을 들일 수 있을 것이다.[115]

환자 중심 모형으로 세태가 변한다면 양질의 사전 농의의 기회가 늘어날 것이다.[116,117] 이것은 본인의 질병 상태를 잘 모르고 담당자에게 질문을 하지 못하는 문해력이 낮은 환자에게 특히 해당되는 내용이다. 환자가 진료를 받는 목적은 무엇인가? 잠정적 연구대상자의 목적은 무엇인가? 의료 전문가가 이 핵심적인 질문들에 답한다면 환자의 입장과 이해력 수준을 고려하여 성공적인 사전 동의를 바라보는 대화의 기회를 가지게 되는 것이다.

의사와 의료기관은 동의 과정을 최적화할 의무와 권한을 모두 가지고 있다. 사전 동의 수속 서류가 읽는 사람의 능력을 상회하는 가독성 수준으로 되어 있다면 의사와 의료기관은 중요한 윤리 규율을 어기는 것이 되고 법적인 문제에 봉착할 수도 있다.[15,16] 법적, 윤리적 의무를 차제하고라도 완전하게 인지된 대상자를 얻음으로써 생기는 실용적인 편익도 있다. 무엇보다 사전 동의 최적화의 목적은 소송을 피하기 위해서가 아니라 본연의 목적 즉 환자 교육이 1차적이다. 결론적으로, 이해하기 어려운 사전 동의에서 벗어나 진실함과 이해를 담보하는 명약관화한 의사소통으로의 전환이 바로 "열정적이고 실천적인" 국민에 대한 보답인 것이다.

참고 문헌

1. Mencken HL. *The American Language: An Inquiry into the Development of English in the United States*. New York, NY: A.A Knopf; 1921.
2. Fitzmaurice DA, Adams JL. A systematic review of patient information leaflets for hypertension. *J Hum Hypertens*. 2000;14:259-262.
3. Andrus MR, Roth MT. Health literacy: a review. *Pharmacother*. 2002;22:282-302.
4. Mohrmann CC, Coleman EA, Coon SK, et al. An analysis of printed breast cancer information for African American women. *J Cancer Educ*. 2000;15:23-27.
5. Gribble JN. Informed consent documents for BRCA1 and BRCA2

screening: how large is the readability gap? *Patient Educ Couns.* 1999; 38:175-183.

6. Grundner TM. On the readability of surgical consent forms. *N Engl J Med.* 1980;302:900-902.

7. Heinze-Lacey B, Saunders C, Sugar A. Improving the readability of informed consent documents. *IRB.* 1993;15:10-11.

8. Hearth-Holmes M, Murphy PW, Davis TC, et al. Literacy in patients with chronic disease: Systemic lupus erythemato년 and the reading level of patient education materials. *J Rheumatol.* 1997;24:2335-2339.

9. Hopper KD, TenHave TR, Tully DA, Hall TE. The readability of currently used surgical/procedure consent forms in the United States. *Surgery.* 1998;123:496-503.

10. Meade CD, Byrd JC. Patient literacy and the readability of smoking education literature. *Am J Public Health.* 1989;79:204-206.

11. Morrow GR. How readable are subject consent forms? *JAMA.* 1980;244:56-58.

12. Wagner L, Davis S, Handelsman MM. In search of the abominable consent form: the impact of readability and personalization. *J Clin Psychol.* 1998;54:115-120.

13. Kirsch JS, Junegeblut A, Jenkins L, Kolstad A. Adult literacy in America: a first look at the results of the National Adult Literacy Survey(NALS). Washington, DC:US Department of Education; 1993.

14. Mazur D. Influence of the law on risk and informed consent. *BMJ.* 2003;327:731-734.

15. Health Literacy Project and consulting attorneys. *Literacy, Health, and the Law.* Philadelphia, Pa:Health Promotion Council of Southeastern Pennsylvania; 1996.

16. Pape T. Legal and ethical considerations of informed consent. *AORN J.* 1997;65:1122-1127.

17. Faden RR, Beauchamp TL. *A History and Theory of Informed Consent.* New York, NY: Oxford University Press; 1986.

18. Mello MM, Studdert DM, Brennan TA. The rise of litigation in human subjects research. *Ann Intern Med.* 2003;139:40-45.

19. Braddock CH, III, Fihn SD, Levinson W, Jonsen AR, Pearlman RA. How doctors and patients discuss routine clinical decisions: informed decision making in the outpatient setting. *J Gen Intern Med.* 1997;12:339-345.

20. Holmes-Rovner M, Wills CE. Improving informed consent: insights from behavioral decision research. *Med Care.* 2002;40:V30-V38.

21. Braddock CH III, Edwards KA, Hasenberg NM, Laidley TL, Levinson W.

Informed decision making in outpatient practice: time to get back to basics. *JAMA*. 1999;282:2313-2320.

22. Jonsen AR. A map of informed consent. *Clin Res*. 1975;23:277-279.

23. Nora LM, Benvenuti RJ III. Medicolegal aspects of informed consent. *Neurol Clin*. 1998;16:207-216.

24. Meisel A, Roth LH, Lidz CW. Toward a model of the legal doctrine of informed consent. *Am J Psychiatry*. 1977;134:285-289.

25. Meisel A, Kuczewski M. Legal and ethical myths about informed consent. *Arch Intern Med*. 1996;156:2521-2526.

26. Santacruz KS, Sqagerty D. Early diagnosis of dementia. *Am Fam Physician*. 2001;63:703-708.

27. Weiss BD, Reed R, Kligman EW, Abyad A. Literacy and performance on the Mini-Mental State Examination. *J Am Geriatr Soc*. 1995;43:807-810.

28. Baker DW, Gazmararian JA, Sudano J, Patterson M, Parker RM, Williams MV. Health literacy and performance on the Mini-Mental Status Examination. *Aging Ment Health*. 2002;6:22-29.

29. Roter D, Hall JA. *Doctors Talking to Patients/ Patients Talking to Doctors: Improving Communication in Medical Visits*. Westport, Conn:Auburn House; 1992.

30. Lidz CW, Meisel A, Osterweis M, Holden JL, Marx JH, Munetz MR. Barriers to informed consent. *Ann Intern Med*. 1983;99:539-543.

31. Quill TE. Recognizing and adjusting to barriers in doctor-patient communication. *Ann Intern Med*. 1989;111:51-57.

32. Bourhis RY, Roth S, MacQueen G. Communication in the hospital setting: a survey of medical and everyday language use amongst patients, nurses and doctors. *Soc Sci Med*. 1989;28:339-346.

33. Hadlow J, Pitts M. The understanding of common health terms by doctors, nurses and patients. *Soc Sci Med*. 1991;32:193-196.

34. Lazare A. Shame and humiliation in the medical encounter. *Arch Intern Med*. 1987;147:1653-1658.

35. Baker DW, Parker RM, Williams MV, et al. The health care experience of patients with low literacy. *Arch Fam Med*. 1996;5:329-334.

36. Bass PF III, Wilson JF, Griffith CH, Barnett DR. Residents' ability to identify patients with poor literacy skills. *Acad Med*. 2002;77:1039-1041.

37. Lindau ST, Tomori C, Lyons T, Langseth L, Bennett CL, Garcia P. The association of health literacy with cervical cancer prevention knowledge and health behaviors in a multiethnic cohort of women. *Am J Obstet Gynecol*. 2002;186(5)938-943.

38. Montalto NJ, Spiegler GE. Functional health literacy in adults in a rural

community health center. *WV Med J.* 2001;97:111-114.

39. Bottrell MM, Alpert H, Fischbach RL, Emanuel LL. Hospital informed consent for procedure forms: facilitating quality patient-physician interaction. *Arch Surg.* 2000;135:26-33.

40. Kalichman SC, Rompa D. Functional health literacy is associated with health status and health-related knowledge in people living with HIV-AIDS. *J Acquir Immune Defic Syndr.* 2000;25:337-344.

41. Kalichman SC, Benotsch E, Suarez T, Catz S, Miller J, Rompa D. Health literacy and health-related knowledge among persons living with HIV/AIDS. *Am J Prev Med.* 2000;18:325-331.

42. Williams MV, Baker DW, Honing EG, Lee TM, Nowlan A. Inadequate literacy is a barrier to asthma knowledge and self-care. *Chest.* 1998;114:1008-1015.

43. Williams MV, Baker DW, Parker RM, Nurss JR. Relationship of functional health literacy to patients' knowledge of their chronic disease: a study of patients with hypertension and diabetes. *Arch Intern Med.* 1998;158(2):166-172.

44. Nelson RM, Merz JF. Voluntariness of consent for research: an empirical and conceptual review. *Med Care.* 2002;40:V69-V80.

45. Ubel PA. Is information always a good thing? Helping patients make "good" decisions. *Med Care.* 2002;40:V39-V44.

46. Gurmankin AD, Baron J, Hershey JC, Ubel PA. The role of physicians' recommendations in medical treatment decisions. *Med Decis Making.* 2002;22:262-271.

47. Lidz CW, Appelbaum PS, Meisel A. Two models of implementing informed consent. *Arch Intern Med.* 1988;148:1385-1389.

48. Pizzi LT, Goldfarb NI, Nash DB. Procedures for obtaing informed consent. In:Shojania KG, Duncan BW, McDonald KM, eds. *Making Health Care Safer; A Critical Analysis of Patient Safety Practices.* Rockville, Md:Agency for Healthcare Research and Quality;2001:546-554.

49. Sprung CL, Winick BJ. Informed consent in theory and practice; legal and medical perspectives on the informed consent doctrine and a proposed reconceptualization. *Crit Care Med.* 1989;17:1346-1354.

50. Wu WC, Pearlman RA. Consent in medical decision making: the role of communication. *J Gen Intern Med.* 1988;3:9-14.

51. Department of Health and Human Services, Office for Human Research Protection. *Institutional Review Board Guidebook.* Washington, DC:Government Printing Office; 1993.

52. National Archives and Records Administration, Office of the Federal

Register. *Code of Federal Regulations*. Protection of Human Subjects. Title 45, 46.109 and 50.20. Washington, DC:Government Printing Office;1993.

53. Cassileth BR, Zupkis RV, Sutton-Smith K, March V. Informed consent· why are its goals imperfectly realized? *N Engl J Med*. 1980;302:896-900.

54. Waggoner WC, Sherman BB. Who understands? II: A survey of 27 words, phrases, or symbols used in proposed clinical research consent forms. *IRB*. 1996;18:8-10.

55. Curran WJ. Compensation for injured research subjects. Regulation by informed consent. *N Engl J. Med*. 1979;20:648-649.

56. *Keomaka v. Zakaib*, 8 Haw. App.533, 811P.2d 487, 6-7(1991).

57. FDA/Office of Science Coordination and Communication. Guidance for Institutional Review Boards and Clinical Investigators. Available at: http://www.fda.gov/oc/ohrt/irbs/informedconsent.html#illiterate. Accessed August 30, 2003.

58. Lavelle-Jones C, Byrne DJ, Rice P, Cuschieri A. Factors affecting quality of informed consent. *BMJ*. 1993;306:885-890.

59. LoVerde ME, Prochazka AV, Byyny RL. Research consent forms:continued unreadability and increasing length. *J Gen Intern Med*. 1989;4:410-412.

60. Sugarman J, McCrory DC, Powell D, et al. Empirical research on informed consent: an annotated bibliography. *Hastings Cent Rep*. 1999;29:S1-S42.

61. LeBlang TR. Informed consent and disclosure in the physician-patient relationship: expanding obligations for physicians in the United States. *Med Law*. 1995;14:429-444.

62. Petrila J. The emerging debate over the shape of informed consent: can the doctrine bear the weight? *Behav Sci Law*. 2003;21:121-133.

63. Gray WB Jr. *How to Measure Readability*. Philadelphia, Pa: Dorrance & Company; 1975.

64. Klare GR. *The Measurement of Readability*. Ames, Iowa: The Iowa State University Press; 1963.

65. Chall JS, Dale E. *Readability Revisited: The New Dale-Chall Readability Formula*. Cambridge, Mass: Brookline Books; 1995.

66. McLaughlin GH. SMOG Grading—New Readability Formula. *J Reading*. 1969;12:639-646.

67. Kincaid JP, Fishburne RP, Rogers RL, Chissom BS. Derivation of New Readability Formulas (Automated Readability Index, Fog Count, and Flesch Reading Ease formula) for Navy Enlisted Personnel. Research Branch Report. Chief of Naval Technical Training: Naval Air Station Memphis. 8-75. 1975.

68. Kincaid J, Gamble L. Ease of comprehension of standard and readable

automobile insurance policies as a function of reading ability. *J Reading Behav*. 1977;9:85-87.

69. Hochhauser M. Some overlooked aspects of consent form readability. *IRB*. 1997;19:5-9.

70. Meade CD, Wittbrot R. Computerized readability analysis of weitten materials. *Comput Nurs*. 1988;6:30-36.

71. Peterson BT, Clancy SJ, Champion K, McLarty JW. Improving readability of consent forms: what the computers amy not tell you. *IRB*. 1992;14:6-8.

72. Philipson SJ, Doyle MA, Gabram SG, Nightingale C, Philipson EH. Informed consent for research: a study to evaluate readability and processability to effect change. *J Investing Med*. 1995;43:459-467.

73. Paasche-Orlow MK, Taylor HA, Brancati FL. Readability standards for informed-consent forms as compared with actual readability. *N Engl J Med*. 2003;348:721-726.

74. The National Commission for the Protection of Human Subjects of Biomedical and Behavioral Research. The Belmont Report: Ethical Principles and Guidelines for the Protection of Human Subjects of Research. 4-18-1979.

75. Beecher HK. Ethics and clinical research. *N Engl J Med*. 1966;274:1354-1360.

76. Lawson SL, Adamson HM. Informed consent readability: subject understanding of 15 common consent form phrases. *IRB*. 1995;17:16-19.

77. Waggoner WC, Mayo DM. Who understands? A survey of 25 words or phrases commonly used in propoed clinical research conset forms. *IRB*. 1995;17:6-9.

78. Comprehensive Working Group on Informed Conent in Cncer Clinical Trial. implification of Informed Consent Document. Available at www.cancer.gov/clinical_trials. Accessed August 30, 2003.

79. Padberg RM, Flach J. National efforts to improve the informed consent process. *Semin Oncol Nurs*. 1999;15:138-144.

80. Coyne CA, Xu R, Raich P, et al. Randomized, controlled trial of an easy to read informed consent statement for clinical trial participation: a study of the Eastern Cooperative Oncology Froup. *J Clin Oncol*. 2003;21:836-842.

81. Faden RR, Becker C, Lewis C, Freeman J, Faden AI. Disclosure of information to patients in medical care. *Med Care*. 1981;19:718-733.

82. Meade CD, Byrd JC, Lee M. Improving patient comprehension of literature on smoking. *Am J Public Health*. 1989;79:1411-1412.

83. Davis TC, Holcombe RF, Berkel HJ, Pramanik S, Divers SG. Informed consent for clinical trials: a comparative study of standard versus simplified

forms. *J Natl Cancer Inst.* 1998;90(9):668-674.

84. Jolly BT, Scott JL, Sanford SM. Simplification of emergency department discharge instructions improves patient comprehension. *Ann Emerg Med.* 1995;26:443-446.

85. Young DR, Hooker DT, Freeberg FE. Informed consent documents: increasing comprehension by reducing reading level. *IRB.* 1990;12:1-5.

86. Lidz CW, Appelbaum PS. The therapeutic misconception: problems and solutions. *Med Care.* 2002;40:V55-V63.

87. Lavori PW, Sugarman J, Hays MT, Feussner JR. Improving informed consent in clinical trials: a duty to experiment. *Control Clin Trials.* 1999;20:187-193.

88. Peduzzi P, Guarino P, Donta ST, Engel CC Jr, Clauw DJ, Feussner JR. Research on informed consent: investigator-developed versus focus group-developed consent: investigator-developed versus focus group-developed consent documents, a VA cooperative study. *Control Clin Trials.* 2002;23:184-197.

89. Taub HA, Baker MT, Sturr JF. Informed consent for research. Effects of readability, patient age, and education. *J Am Geriatr Soc.* 1986;34:601-606.

90. Taylor HA. Barriers to informed consent. *Semin Oncol Nurs.* 1999;15:89-95.

91. Doak CC, Doak LG, Root JH. *Teaching Patients with Low-Literacy Skills,* 2nd ed. Philadelphia, Pa: JB Lippincott; 1996.

92. Berto D, Peroni M, Milleri S, Spagnolo AG. Evaluation of the readability of information sheets for healthy volunteers in phase-I trials. *Eur J Clin Pharmacol.* 2000;56:371-374.

93. Jimison HB, Sher PP, Appleyard R, LeVernois Y. The use of multimedia in the informed consent process. *J Am Med Inform Assoc.* 1998;5:245-256.

94. Bjorn E, Rossel P, Holm S. Can the written information to research subjects be improved? —an empirical study. *J Med Ethics.* 1999;25:263-267.

95. Doak CC, Doak LG, Friedell GH, Meade CD. Improving comprehension for cancer patients with low literacy skills: strategies for clinicians. *CA Cancer J Clin.* 1999;48:151-162.

96. Loughrey L. Improving readability of hospital forms. *J Nurs Staff Dev.* 1986;2:37-38.

97. Meade CD, Howser DM. Consent forms: how to determine and improve their readability. *Oncol Nurs Forum.* 1992;19:1523-1528.

98. Meade CD. Producing videotapes for cancer education: methods and examples. *Oncol Nurs Forum.* 1996;23:837-846.

99. Philipson SJ, Doyle MA, Nightingale C, Bow L, Mather J, Philipson EH. Effectiveness of a writing improvement intervention program on the

readability of the research informed consent document. *J Investig Med.* 1999;47:468-476.

100. Barbour GL, Blumenkrantz MJ. Videotape aids informed consent decision. *JAMA.* 1978;240:2741-2742.

101. Benitez O, Devaux D, Dausset J. Audiovisual documentation of oral consent: a new method of informed consent for illiterate populations. *Lancet.* 2002;359:1406-1407.

102. Dunn LB, Lindamer LA, Palmer BW, Schneiderman LJ, Jeste DV. Enhancing comprehension of consent for research in older patients with psychosis: a randomized study of a novel consent procedure. *Am J Psychiatry.* 2001;158:1911-1913.

103. Weston J, Hannah M, Downes J. Evaluating the benefits of a patient information video during the informed consent process. *Patient Educ Couns.* 1997;30:239-245.

104. Paling J. Strategies to help patients understand risks. *BMJ.* 2003;327:745-748.

105. Gigerenzer G, Edeards A. Simple tools for understanding risks:from innumeracy to insight. *BMJ.* 2003;327:741-744.

106. O' Connor AM, Stacey D, Entwistle V, et al. Decision aids for people facing health treatment or screening decisions(Cochrane Review). In: The Cochrane Library, Issue 1. Chichester, UK: John Wiley & Sons, Ltd;2004.

107. Holmes-Rovner M, Valade D, Orlowski C, Draus C, Nabozny-Valerio B, Keiser S. Implementing shared decision-making in routine practice: barriers and opportunities. *Health Expect.* 2000;3:182-191.

108. Yahne CE, Edwards WS. Learning and teaching the process of informed consent. *Proc Annu Conf Res Med Educ.* 1986;25:30-35.

109. Cohen DL, McCullough LB, Kessel RW, Apostolides AY, Heiderich KJ, Alden ER. A national survey concerning the ethical aspects of informed consent and role of medical students. *J Med Educ.* 1988;63:821-829.

110. Johnson SM, Kurtz ME, Tomlinson T, Fleck L. Teaching the process of obtaining informed consent to medical students. *Acad Med.* 1992;67:598-600.

111. Huntley JS, Shields DA, Stallworthy NK. Consent obtained by the junior house officer—is it informed? *JR Soc Med.* 1998;91:528-530.

112. Wear S. Enhancing clinician provision of informed consent and counseling: some pedagogical strategies. *J Med Philos.* 1999;24:34-42.

113. Srinivasan J. Observing communication skills for informed consent: an examiner' s experience. *Ann R Coll Physicians Surg Can.* 1999;32:437-440.

114. Hope T. Don' t 'consent' patients, help them to decide. *Health Care*

Anal. 1996;4:73-76.

115. Akabayashi A, Fetters MD. Paying for informed consent. *J Med Ethics.* 2000;26:212-214.

116. Bridson J, Hammond C, Leach A, Chester MR. Making consent patient centred. *BMJ.* 2003;327:1159-1161.

117. Sullivan M. The new subjective medicine: taking the patient's point of view on health care and health. *Soc Sci Med.* 2003;56:1595-1604.

제9장

인터넷의 활용
- 교육용 책자의 대체와 건강정보이해능력의 향상 -

신시아 E. 바우어(Cynthia E. Baur)(PhD)

인터넷은 글을 읽고 이해하는 방식을 비롯하여 모든 것을 바꾸었다고 할 수 있다. 이 책의 다른 곳에서는 일반인 그리고 특히 문해력이 낮은 사람들을 대상으로 표준적인 건강정보 인쇄 자료의 수준과 유용성의 문제를 다룬다. 건강정보의 전달에 인터넷을 이용하는 것이 이 문제를 악화시킬지 아니면 개선할지는 아직 분명하지 않다.[1,2] 건강정보 제작자 및 보급자는 공중보건 표준 책자와 환자 교육 자료를 포장만 바꾸어 책꽂이를 넘쳐나도록 할 것인가 아니면 인터넷을 이용하여 과거와 달리 좀 더 즉각적이고 의미 있는 접근을 시도해 볼 것인가?

건강정보의 수준과 유용성이 중요한 사안이지만 "디지털 소외(digital divide)"의 문제 즉 문해력이 낮은 사람의 경우 디지털 장비와 인터넷의 접근 및 사용에 있어 불평등하다는 점도 역시 논의거리이다. 문해력 부족 인구, 장애인, 65세 이상 노인 등 여러 인구집단이 인터넷 접근을 보장받지 못하고 있다. 문해력이 낮은 사람이 인터넷 접근에 제약을 받는 상황에서 첨단 기술로 새로운 건강정보를 전달하는 것은 취약 인구집단의 건강 및 사회적 불균형의 문제를 심화시키고 이들을 더욱 취약한 상태로 방치할 가능성이 있다.[2,3] 설혹 첨단 기술에 접근한다 하더라도 제공받는 내용이 부적절하다면 접근 자체의 의미도 상실된다.

9장에서는 이상의 문제점들을 검토하고 인터넷 정보의 본질과 문해력 부족 인구의 인터넷 정보 접근성을 파악한다. 건강정보 공급원으로서 인터넷의 유용성, 관심도, 그리고 양방향 기술의 개선을 통해 취약 집단의 건강정보이해능력 향상을 위한 인터넷 활용 방안도 논의한다.

인터넷 접속의 인구학적 특성

인터넷 건강정보의 유형을 검토하기 전에 누가 인터넷에 접속하며 건강정보 공급원으로 인터넷을 사용하는지 파악하는 것이 중요하다. 인터넷 사용자가 누구인지, 그것이 새롭게 각광받고 있는 이유가 무엇인지, 인터넷에서 사람들이 무엇을 하는지는 일반적인 관심사일 것이다. 미국에서 일반적인 그리고 건강관련 목적의 인터넷 사용자 수에 관해서 다방면의 집계가 이루어져 있다. 인터넷 사용과 관련하여서는 컴퓨터 보유 가구와 개인 그리고 인터넷 접속 가구와 개인의 집계를 비롯하여 여러 측면의 데이터가 있으며, 또한 인터넷 건강정보 검색자 수 그리고 본인의 검색 횟수와 대리인의 검색 횟수에 대한 데이터도 있다. 미국 통계국(US Census Bureau)은 대략 2~3년마다 컴퓨터와 기타 디지털 장비 소유 여부와 이들 장비들의 인터넷 연결 여부에 대한 응답 조사를 실시한다. 이 자료를 바탕으로 상무부(Department of Commerce)에서는 디지털 소외의 성격과 현황에 관한 일련의 보고서를 발간하고 있다. 가장 최근의 조사 자료에서는 2001년 9월 현재 미국 인구의 54%가 인터넷에 접속하는 것으로 나타난다.[4]

디지털 소외의 문제가 빈곤층, 소수민족, 문해력 부족 인구의 건강 불균형을 더욱 악화시킬 것이라는 우려 때문에 미국 보건부(US Department of Health and Human services)에서는 Healthy People 2010의 국가적 목표에서 통계국의 자료를 인용하여 인터넷 접근성을 갖춘 기구에 관한 내용을 제시한다.[5] 미국 교육부(US Department of Education) 산하 국립교육통계센터

(National Center for Education Statistics) 주관으로 실시된 2003 전국 성인 문해력 평가(National Assessment of Adult Literacy, NAAL)에서도 문해력 및 건강정보이해능력의 수준별로 인터넷을 정보원으로 사용하는 사람들의 비율에 관한 자료를 집계하고 디지털 소외 문제를 다룬다. 또한 NAAL은 사상 처음으로 인쇄물의 건강정보이해능력에 대한 전국 차원의 인구 조사 결과를 제공함으로써 『Health People 2010』의 건강정보이해능력 향상을 위한 목표 설정의 기초 자료가 된다.[5]

미국인의 인터넷 사용 습관에 대한 영리 및 비영리 여론 조사 집단의 결과는 좀 더 흔하게 접할 수 있다. 비영리 연구 단체인 퓨 인터넷 & 아메리칸 라이프 프로젝트(Pew Internet & American Life Project)는 인터넷 사용과 그것이 사회의 여러 분야에 미치는 영향에 대하여 일련의 조사를 수행하였으며 2002년 봄 기준으로 미국인의 58%가 인터넷 접속을 하는 것으로 발표하였다.[6] 소수민족, 노인, 저소득층, 교육 수준이 낮은 인구에서 인터넷 사용이 증가하고 있다 하더라도 표 9-1에서 제시되는 특성들은 인구집단별로 인터넷 사용 정도를 이해하는 데 중요하다.

인터넷에 접속하지 않는 사람들 다수는 비용, 컴퓨터의 부재, 안전성에 대한 우려, 신기술 습득의 어려움과 시간 소요 등을 장애 요인으로 들지만 인터넷에 접속하지 않는 것을 불편하게 여기지 않는 사람도 있다. 미국인 중 42%는 인터넷을 사용하지 않으며 그 중 반 이상이 인터넷을 원하지 않거나 필요로 하

표 9-1 인터넷 사용자의 인구학적 특성

인터넷 사용의 긍정적 특성	인터넷 사용의 부정적 특성
젊은 층	노인 층(65세 초과)
고소득	저소득(가구당 연간 소득액 5만불 미만)
유직	무직
백인	아프리카계와 라틴 아메리카계
고학력	저학력(고졸 미만)
교외 혹은 도심 지역	시골 지역
일반 가정	결손 가정

Lenart A. The ever-shifting Internet population. Washington, DC: The Pew Internet & American Life Project. Available at www.pewinternet.org. Accessed June 2, 2003.

지 않는다.[6] 이렇게 응답한 경우는 대부분 노인, 여성, 시골 및 교외지역 거주자, 그리고 백인이었다. 사회적, 정치적, 상업적으로 인터넷과 웹이 생활의 모든 부분에 실제적으로 침투해 있음에도 불구하고 유용성 때문에 인터넷 사용에 거부감을 갖는다면 문제가 있으며 많은 사람들이 인터넷을 주요 정보 공급원으로 생각할 만한 절대적 이유가 아직 없음을 시사한다.

문해력이 낮은 사람들의 인터넷 이용 장애 요인

지금까지 확인된 바에 따르면 문해력이 낮은 사람들의 인터넷 이용을 가로막는 장애 요인에는 여러 가지가 있다. 그 중 인터넷 접속과 활용에 필요한 기술적인 문제, 인터넷 정보를 읽고 이해하는 기술, 디지털 환경에서 건강정보를 찾고자 하는 필요성의 인식 등을 들 수 있다.

기술적 장애 요인

인터넷이 건강정보의 통로로 쓰일 경우 문해력이 낮은 사람들의 첫 번째 난관은 접속을 하는 것이며 두 번째는 활용 기술 습득이다. 이 책의 다른 곳에서는 일반적인 건강관련 문헌 읽기, 의료 및 공중 보건 기관의 안내 표지 이해, 낯선 용어 및 처치 이해 등과 관련된 기술과 요건을 다룬다. 이와 동일한 장애 요인들이 인터넷에도 적용되는데 이와 더불어 컴퓨터와 같은 접속 장비 및 인터넷 사용 기술을 추가적으로 익혀야 한다는 점 때문에 더욱 복잡해진다는 점을 어렵지 않게 생각해 볼 수 있다.[7~9] 노화로 인한 기능 감소를 겪는 노인과 시각, 인지, 운동 장애가 있는 사람들에게 대부분의 웹 사이트 접속이 불가능하다는 점은 또 다른 장애 요인이다.

읽기 기술과 인쇄물(예, 책, 팸플릿, 전단) 사용 기술이 동시에 습득되는 인쇄 환경과는 달리 사람들은 문해력 기술과 건강 지식을 디지털 기술이라는 새로운 맥락에 도입해야 한다. 건강정보를 얻기 위해 인터넷을 이용하려면 읽기 기술뿐 아니라 건강관련 용어, 처치, 그리고 체계에 익숙해야 하고 또한 첨단 기술의 사용 및 정보의 구성 원리와 관련된 다양한 새로운 기술도 익혀야 한다.[10] 원하는 형태의 정보를 얻기 위해서는 어떤 장비가 적합할지 결정을 내려야 하고, 검색어 입력, 스크린 터치, 마우스 사용, 웹 브라우저 열기 등의 다양한 조작법을 익혀야 한다. 또한 사용자가 여러 개의 웹 페이지를 탐색하기 위해서 그리고 관심 분야, 화면에 뜬 정보의 적절성, 화면에 뜬 정보들 간의 상관관계 등 복합적인 결정을 내리기 위해서는 라디오 버튼과 하이퍼링크 그리고 탐색창의 스크롤링 및 사용 등의 웹 페이지 활용법을 익혀야 한다. 이들 각각의 기술적인 필요조건들로 인해 건강정보이해능력에 관한 어려움이 한층 더 복잡해지는 것이다.[9]

문해력이 낮은 학습자의 문해력 학습용 인터넷 교육 자료 활용 능력을 검토한 한 연구에 따르면 웹 구성 내용이 사용자의 문해력 수준에 최적화되어 있다고 하더라도 사전에 컴퓨터 및 인터넷을 사용해 본 경험이 별로 없는 경우 인터넷 사용에 장애가 있는 것으로 나타났다.[11] 이 연구에서 주목할 것은 학습자는 내용을 익히기에 앞서 기술적인 면을 충분히 연습해야 한다는 점과 학습자가 컴퓨터와 인터넷 사용 방법에 대한 기본 지식을 익혔더라도 새로운 정보 검색 단계로 항상 이행되는 것은 아니라는 점이다. 달리 표현하면, 문해력이 낮은 학습자는 웹에 접속할 때마다 정보 분류와 구성이라는 새로운 과제에 직면한다는 것이다. 향후 연구에서 이러한 내용이 확인된다면 문해력이 낮은 인터넷 사용자는 인터넷 검색과 첨단 기술에 적응하기 위해 갖추어야 할 복잡한 건강정보 탐색 기술을 향상시키기가 어려울 것이라는 주장에 힘이 실릴 것이다.

읽기 기술 측면의 장애 요인

활자는 오랫동안 건강정보 전달의 중심 수단이었고 현재의 인터넷 세상에서도 여전히 중추 역할을 하고 있다. 건강정보 획득을 목적으로 하는 문해력 부족 인터넷 사용자에게 주된 장애 요인은 활자가 여전히 주도적 정보 전달 방식으로 선호되며 정보 검색에 높은 수준의 문해력이 요구된다는 사실이다. 공중 보건 및 건강 교육 도구로 활자로 된 소책자의 사용 역사가 명확하게 정리되어 있지는 않지만 건강정보 전달 목적의 인쇄물 사용이 증가한 것은 20세기 들어 건강 상태 및 치료가 점차 복잡해지고 그에 대한 지식수준이 높아졌다는 점과 관련이 있다.[12] 질병의 원인과 결과에 대한 과학 지식이 발달하면서 의료 정보를 담은 복잡한 자료가 점점 일상적인 것이 되었다. 의료 전문가들은 참고할 만한 많은 양의 정보를 확보함과 동시에 이 정보를 일반 대중 및 환자에게 전달하기 위한 방안이 필요하였다.[12] 따라서 환자 교육 자료는 의료 및 공중보건 체계 위주로 작성되어 이해도 어렵고 유용성도 떨어지는 의료 용어와 복잡한 양식으로 독자에게는 어려운 측면이 있다.

제1의 인터넷 물결로 인쇄물 출간의 관행이 인터넷으로 전환되었음은 분명한 사실이다. 온라인에 자료를 올리는 것을 "전자 출판(electronic publishing)"이라고 일컫는데 출판물을 전자 매체와 브로셔웨어(brochureware)에 연결시키는 것이다. 인터넷은 세계에서 가장 큰 도서관이라고들 하는데 여기에는 글 읽기가 인터넷 의사소통의 핵심 요소라는 의미가 들어있다. 요즘의 문화가 영화, 음악, 사진을 애호하고 이로 인해 의사소통이 더 매력적이고 흥미로워지지만 현재 인터넷이 주로 글에 의존할 수밖에 없는 데에는 기술적, 경제적 측면 모두의 이유가 있다. 글은 멀티미디어 자료보다 제작비가 저렴하며 영상과 음향보다 느린 인터넷 환경에서도 쉽게 전송된다. 멀티미디어 정보 전송을 위한 광대역 접속이 보급된 것은 최근이고 일반 사용자에게는 일반 전화 회선 접속에 비해 여전히 비싸다.

인터넷 건강정보 상당수가 인쇄물 자료에 근거하고 있고 전자 정보는 이것을 모방하려는 경향이 있기 때문에 인터넷 자료로 인한 독자의 부담 문제는 중요하다. 일부 전문가들은 양방향 건강정보 의사소통을 위한 애플리케이션은 사용자의 문해력을 고려하여 제작되어야 한다고 지적한다.[13] 인터넷 활자 자료의 가독성 연구 결과 이 문제에 관한 개발자들의 책임의식이 부족한 것으로 나타났다. 랜드 건강연구소(RAND Health, RAND 연구소의 연구 분과 중 하나)에서 일반적 건강 상황에 대한 활자 자료를 제공하는 웹 사이트들을 검토한 결과 영어 자료 전부와 스페인어 자료 중 반 이상이 9학년 가독 수준보다 높은 것으로 밝혀졌다. 따라서 이 결과를 1992년 NALS 자료와 영어가 모국어가 아닌 사람들의 읽기 수준에 대한 평가 자료와 비교하여 "인터넷 건강관련 정보의 읽기 수준이 대부분의 영어 및 스페인어 사용 환자들에게 지나치게 높은 수준"이라는 결론을 내렸다.[14]

웹 자료의 가독성 수준에 대한 다른 연구들에서도 유사한 결론들이 도출되고 있다.[7,15,16] 취약 계층 보호를 목적으로 하는 연구 기구인 칠드런즈 파트너십(The Children's Partnership) 연구자들은 인터넷 정보가 미국인 중 최소 20%에게는 만족스럽지 못한 것으로 추정한다. 이 20%에 해당하는 사용자에게 인터넷 정보는 모국어 이외의 언어나 지나치게 높은 가독성 수준으로 작성되었거나 문화적 신념과 가치에 어긋나거나 환자의 요구나 관심과 동떨어지거나 환자의 장애 요인 때문에 접속이 불가능하다. 실제로 이 연구자들은 문해력이 낮은 사용자들이 관심을 가지는 웹 정보 중 유의하게 사용 가능한 양식으로 작성된 것은 5%에 불과하다고 결론을 내린다.

건강정보 검색 기술 측면의 장애 요인

디지털 환경에서 문해력 요구 조건이 계속 변하고 있다는 점을 이해하는 데 있어서 건강정보 검색이라는 측면은 특히 중요하다. 지금까지 일반 대중의 건강정보 공급원은 대체로 라디오, 텔레비전, 신문, 잡지 등이었지만, "항시 대기" 중인 인터넷은 건강정보 검색에 새롭고 능동적인 차원을 제시한다.[13] 인터넷은 사용자가 주도적으로 되고 종래의 대중 매체를 통한 수동적 정보 수령자가 아닌 능동적 탐색자의 역할을 하도록 한다.[2] 조사 연구 결과 일반 대중은 다양한 건강정보를 얻기 위하여 인터넷으로 고개를 돌리고 있다. 퓨 인터넷 & 아메리칸 라이프 프로젝트(Pew internet and American Life Project)의 연구에 따르면 전체 미국인 중 약 2/3가 인터넷에서 건강정보를 찾고자 한다.[17] 성인 인터넷 사용자의 80%와 전체 성인의 50%가 최소 1회 이상 인터넷에서 건강정보를 검색한 경험이 있었다.[18] 저소득층과 교육 수준이 낮은 사람들의 인터넷 사용이 증가하기는 하였지만 학력 수준은 건강정보 검색 수준에 대해서 신뢰할 만한 예측 인자이다. 교육 수준이 높은 사람이 온라인 건강정보 검색을 더 많이 하는 경향이 있다는 것이다.[18] 문해력이 낮은 사람들이 어느 정도 능동적으로 인터넷에서 건강정보를 검색하는지 자료를 얻기 위해서는 연구가 필요하다.

인터넷 건강정보 검색에 관한 우려는 두 가지 문제에 기인한다. 첫 번째는 인터넷에서 얻을 수 있는 정보의 질에 관한 것이고 두 번째는 인터넷에서 건강정보를 검색하기 위하여 사용하는 방법에 관한 것이다. 두 가지 측면 모두에서 연구자들, 의료 전문가들, 정책 입안자들은 건강정보 자체의 질적 수준과 정보 검색에 사용되는 방법의 질적 수준이 떨어지기 때문에 정보 검색자가 받는 서비스의 내용이 좋지 않다는 점을 우려한다.[1,14,19] 질적 저하의 문제 제기를 위해 미국 보건부(Department of Health and Human Services)는 정보 공개를 개선하기 위한 『Healthy People 2010』 국가 목표를 설정함으로써 웹 사용자들이 건강관련 웹 사이트의 질을 평가할 수 있도록 했다.[5] 질적 향상을 위한 다른 노력은 질적 표준제와 웹 사이트 인증제(www.urac.org 참조)의 사용이다. 그러나 건강정보 검색자들의 웹 사이트 및 정보의 질 평가를 돕기 위한 이들 방법의 유용성에 대해서는 연구된 것이 거의 없다. 일개 소규모 연구에서 참가자들은 웹 사이트의 주의 사항과 약관을 확인하지 않았을 뿐만 아니라 사용한 웹 사이트의 이름도 기억하지 못하였다.[19]

일개 예비 연구에서는 일반적으로 인터넷 정보 검색자들은 정보를 찾는 데 그다지 복잡한 방법은 사용하지 않는 것으로 나타난다. 인터넷에서 일반적으로 사용되는 검색 방법은 인터넷 검색 엔진의 검색창에 한두 개의 검색어를 입력하고 엄청나게 긴 검색 목록을 받는 것이다. 건강정보 검색에 흔히 사용되는 검색어는 "건강"이다. 검색자들은 검색을 할 때마다 통상 10개 정도의 검색 결과를 살펴본다.[20] 인터넷 사용자의 검색 행위에 대한 한 문화기술적 연구 결과 검색자들은 많은 검색 결과들이 전면에 배치되기 위해 비용을 지불한다는 사실을 알지 못한 채 첫 페이지의 검색 결과만 검토하는 것으로 나타났다.[21] 상위의 검색 결과들이 정부 혹은 학술 기관의 웹 사이트 등과 같이 그 출처가 신뢰할 만하더라도 원래 가졌던 의문점에 대한 유용한 정보를 얻기 위해서는 많은 웹 페이지들을 검토해야 한다. 정보가 일목요연하게 정리되지 않은 웹 페이지들을 옮겨 다니는 지적 활동은 대부분의 사용자에게 매우 힘든 일이다. 해당 주제에 친숙하더라도 그러한데 하물며 문해력이 낮은 사용자에게는 더욱 어려운 일일 것이다.[22]

만약 상위의 검색 결과에 신뢰성이 있는 정보 출처와 그렇지 않은 것이 뒤섞여 있다면 사용자는 1차적으로 검색뿐 아니라 신뢰할 수 있고 검토할 가치가 있는 출처를 가려내는 일도 해야 한다. 인터넷 정보의 질을 평가하기란 어려운 일이고 일반적으로 인정되는 질적 기준이 없는 경우에 특히 그러하다.[23,24] 상업적 의도가 세련되게 포장되어 있거나 교묘하게 다른 내용과 섞여 있다면 인터넷 건강정보의 신뢰도 평가는 더욱 어려워진다.[21] 생소한 내용들 가운데서 상업적인 정보와 비상업적인 정보를 구분해 내기란 문해력이 낮은 사용자에게는 특히 어려운 일이 될 것이다. 읽기 수준이 낮은 사람들의 분석력에 대하여 1992년 NALS의 정리 내용에 의하면 단순한 건강정보 검색 결과라도 그것을 정리하고 분석하는 데는 대부분의 초보적 수준의 읽기 능력을 가진 사람들의 인지력보다는 높은 디지털 기술적 이해력과 건강정보이해능력이 필요하다.

인터넷 이용에 있어서의 장애 요인 극복

앞서 언급된 문제점과 장애 요인에도 불구하고 디지털 기술의 강점을 이용하여 다양한 기능적 문해력에 대응하는 창의적인 방법들이 도입되고 있다. 예를 들면 사용자의 디지털 기술 접근성과 그 활용 능력 향상에 초점을 맞추는 방법과 사용자의 필요성에 맞추어 웹 사이트의 디자인과 내용을 바꾸는 방법 그리고 건강정보이해능력 향상을 위한 개선책으로 디지털 기술을 향상하는 방법 등이 있다.

지역사회 차원의 노력

인터넷 접속의 장애 요인 극복과 디지털 기술 활용 능력 개발을 위한 한 가지 일반적인 방법은 지역사회 디지털 센터나 도서관 등의 공공장소처럼 무료 혹은 저렴한 비용으로 인터넷 접속과 활용 능력 교육을 제공(www.ctcnet.org 참조)하는 지역사회 시설을 이용하는 것이다. 이러한 시설을 활용하면 비슷한 처지의 사람들과 함께 교육을 받고 격려와 조언을 얻으며 인터넷 내용 검색과 디지털 기술 활용 능력 학습에도 도움이 되는 설명을 들을 수 있다. 예비 연구에 따르면 문해력 부족 자체가 디지털 활용 기술의 습득에 있어 극복하기 어려운 장애 요인은 아니며 마우스 사용과 스크롤링 등의 기술을 온라인상의 과제 수행에 적용하기 위해서는 도움이 필요한 것으로 나타난다.[9,26] 몇 가지 연구 결과 인터넷 사용자의 검색 능력을 향상시키면 검색 수준뿐 아니라 웹 내용에 대한 비판적 평가 능력도 개선될 것으로 나타난다.[22]

연방정부 혹은 주정부의 여러 기관 그리고 비영리 단체들이 저소득층과 소외 지역의 인터넷 접속 장소 및 기술 교육 프로그램을 제공하기 위하여 상당한 액수의 공적 자금을 투자하고 있다(참고문헌 27 참조). 이것은 문해력이 낮은 사람들에게는 가치 있는 투자일 것이다. 또한 문해력이 낮은 사람들에게 우선 제공되는 성인 교육 프로그램 운영자들은 컴퓨터와 인터넷 활용의 중요성과 필요성을 깨닫고 있다. 디지털 기술과 성인 교육을 접목시키면 학습자의 문해력 기술을 향상시키면서 첨단 기술을 습득할 기회도 제공한다.

사용자 중심의 디자인

문해력 및 건강정보이해능력이 낮은 사람들뿐 아니라 장애인들의 인터넷 접근성을 높이기 위한 중요한 방법은 사용자 위주의 웹 페이지와 내용 창출을 위해 사용자 중심의 디자인 원칙과 편리성 공학(usability engineering)을 적용하는 것이다(구체적 지침은 www.usability.gov 참조).[7~9,29,30] 웹 사이트 디자인에 사용자의 요구를 반영하는 것은 건강정보이해능력 개선책의 일환으로 볼 수 있다.[8~10] 정보 전달 및 의사소통의 도구로 인터넷을 고려하는 단체에서는 다른 건강정보교환 활동과 마찬가지로 누구를 대상으로 하는지를 분명히 파악하고 그에 맞는 웹 자원을 개발하여야 한다는 점을 인식하고 있다.

연구자들과 웹 디자이너들이 문해력이 낮은 사람을 위해 사용하는 기본 요소들 중에는 인쇄물에 해당되는 것과 동일한 것도 있지만 인터넷과 웹 상황에 좀 더 특수한 것들이 있다. 예를 들면 읽기 쉬운 글 올리기, 글의 이해를 돕는 간단하고 관련성 있는 그림과 시청각 파일 사용하기, 자주 묻는 질문(FAQ)과 질의응답을 통한 본문 내용 보완하기, 웹 내용을 개인적인 것으로 만들 수 있도록 사용자에게 콘텐츠 보관함 제공하기, 문화적 특성을 디자인과 내용에 결부시키기, 검색 노력과 웹 페이지 수를 최소화할 수 있도록 정보 및 기타 콘텐츠 정비하기 등이 있다.

사용자의 디지털 기술 활용 능력을 평가하는 방법에는 사용자 경험 디자인(user experience design)과 편리성 검사가 있다. 사용자 경험 디자인은 사용자를 설계 과정의 중심에 둔다.[29,30] 응용 디자이너들은 잠재적인 사용자를 정하고 과제의 개략적 내용을 개발하며 편리성 검사를 하기 전에 사용자들과 함께 시험 검사를 한다. 편리성 검사는 한 가지 이상의 주어진 기술에 대한 사용자의 경험 이해 및 향상에 초점을 맞춘다. 편리성 연구는 그 권위를 인정받고 있으며 미국 국립보건원(national Institute of Health)의 암연구소(National Cancer Institute)는 한 군데의 편리성 검사 연구실과 그 웹 사이트(www.usability.gov)에 투자를 하고 있다. 이 웹 사이트에 따르면 "편리성이란 생산품이나 시스템, 즉 웹 사이트, 응용 소프트웨어, 이동 통신 기술, 기타 사용자 작동 장치 등의 사용 경험 질 척도이다."

웹 사이트 개발에 있어 연구 사용자 중심 접근법(research-and-user-based approach)의 한 가지 특별한 예로 미국 국립보건원의 노인연구소(National institute on Aging, NIA)와 국립의학도서관(National Library of Medicine)에서 노인들을 위해 개발한 사이트가 있다.[8] 이들은 노인들의 컴퓨터, 인터넷, 웹 사이트 사용에 관한 현황 파악을 통하여 일반적으로 노인들이 첨단 기술을 사용할 의지가 있으며 정보와 의사소통에 대한 욕구를 충족하기 위하여 그 사용법을 배울 수 있다는 점을 알게 되었다. 또한 기존의 웹 사이트 개발 지침들을 검토하고 이것들이 노인들에게는 적용이 어렵다는 점을 확인하였다. 따라서 이러한 연구 결과와 기존의 지침을 활용하여 가상 사용자의 디지털 활용 능력과 인지 수준에 적합한 웹 사이트 개발 지침과 웹 페이지 개발을 위해 수차례 해당 분과 웹 사이트(www.seniorhealth.gov)의 사용자 검사를 실시하였다.[8] 글자가 많은 사이트에 비하여 이 웹 사이트는 노인들이 선호하는 그림, 만화, 시청각 자료들을 많이 담고 있다.

노인용 웹 사이트 디자인의 권장사항 중에는 문해력이 낮은 성인의 컴퓨터 인터넷 사용에 관한 연구 결과와 일치하는 내용이 많다. 이것은 문제의 본질과 공동의 해결책 마련에 있어 상당부분 중복될 수 있음을 시사한다.[9,11,28] 문해력이 낮은 인구집단에서 노인들의 비중이 상당히 큰 부분을 차지한다는 점에서 이것은 그리 놀라운 것은 아니다. 일반 인구집단에서와 마찬가지로 노인 인구에서도 신체 장애는 중요한 고려 요소이며 일반적인 해결책을 제시해 준다. NIA는 건강정보이해능력, 디지털 기술, 그리고 노인 인구와 디지털 기술을 활용한 의사소통과 정보 교환의 연계를 통하여 건강정보이해능력 부족의 문제를 개선할 수 있는 방법에 대한 연구를 계속하고 있다.

웹 사이트 사용을 권장하고 확대하기 위해 웹 사이트 디자인과 내용을 개선하는 것 외에 양방향 기능의 도입과 사용자 맞춤형 제작이 모든 인구집단의 인터넷 사용을 자극할 수 있는 방안이다.[2,13] "시시한" 글을 사용자의 관심과 욕구에 부합하도록 "세련되게" 만든 사례가 많이 있다. 사용자의 서핑, 검색, 응답 방법 혹은 사용자가 제공해준 개인정보에 기초하여 디지털 기술은 맞춤형 정보 및 선택 사항을 제공해 줄 수 있다.[12,31] 예를 들면, 요리법을 검색할 경우 좋아하는 음식, 과거의 구매 내력, 식이요법 및 요리책의 선행 검색 내용 등을 기초로 아이디어를 낼 수 있다.

이러한 컴퓨터 맞춤형 정보와 메시지는 다양한 예방적 건강 행위의 변화를 유발하는 데 더욱 효과적인 것으로 나타났다.[12] 비록 건강정보이해능력이 개인 맞춤형 메시지와 정보에 구체적으로 사용되지 않을 수도 있지만 맞춤(tailoring)의 기본 전제는 메시지와 자료를 개별 사용자의 능력에 맞도록 구성해야 한다는 것이다. 일부 연구에서는 오래전부터 취약 계층에 속하던 사람들이 온라인 정보 제공과 지원 서비스를 통하여 편익을 가장 많이 받을 수 있다는 점을 제시한다.[32,33] 사용자의 구체적인 정보 필요성에 맞도록 고안된 조직적이며 선별된 정보를 제공하는 애플리케이션이 유사한 정보를 인터넷에서 무작위로 검색하는 것에 비하여 더욱 효과적인 것으로 나타났다.[32] 더구나 그 정보가 사용자의 읽기 수준과 건강정보이해능력 수준에 특별히 맞춘 것은 아니더라도 동기부여가 된 사용자라면 웹 사이트보다 더 좋은 정보 공급원이 없기 때문에 본인의 건강 문제 해결에 도움이 되는 한 더 어려운 자료라도 달려들 것이다.[33]

건강정보이해능력 향상을 위한 디지털 기술의 잠재력

현재 상태로라면 인터넷과 웹 사이트는 문해력이 낮은 사람들에게 결코 이상적인 건강정보 공급원이라고 할 수 없다. 문해력이 낮은 사람들은 인터넷에 접속할 기회, 과제 수행에 디지털 기술을 활용할 가능성, 관심과 필요에 부합하는 내용을 찾을 가능성이 낮은 것으로 예비 연구에서 밝혀졌다. 한편 인터넷 접속과 활용 교육 지원, 사용자 중심의 내용 구성 원칙 및 제작 방법 사용, 정보 검색 과정의 간소화, 양방향 기술의 적용 가능성 극대화 등에 지속적인 관심을 가짐으로써 이러한 문제들이 경감될 수 있음을 제시하는 다른 연구 결과들도 있다.

현재의 인터넷과 웹 사이트가 디지털 기술이 발현될 수 있는 최상의 상태라고 믿는다면 글자 정보를 뿌리는 것보다 훨씬 우월한 엄청난 기회를 잃어버릴지도 모른다. 그 기회는 디지털 기술이 제공해줄 수 있는 개인별 맞춤형 서비스와 양방향 서비스를 통해서 구현될 수 있다. 디지털 기술은 인쇄 혹은 비디오 등의 의사소통 형태에 비하여 사용자의 행동 양상을 "학습"하고 학습자의 요구를 훨씬 더 쉽게 반영할 수 있는 멀티모드와 멀티포맷의 의사소통을 동시에 창출해 낸다. 새로운 웹 디자인으로 문해력이 낮은 사람들은 인쇄 위주의 정보 환경에서보다 글자를 적게 읽어도 되기 때문에 인터넷의 편익을 누릴 수 있다. 하지만 여전히 사용자의 기술 수준에 맞춘 획기적인 정보 제공 기법이 필요하다고 할 수 있다. 앞으로의 과제는 창의적이고 혁신적으로 미지의 웹을 개척하여 차세대 정보 의사소통 자원을 만들어 내는 것이다.

분명한 것은 현재 인터넷 사용자들이 하고 있는 것, 사용자들이 더 원하는 것, 모든 인구집단의 인터넷 및 웹 접근성, 관심도, 이용도를 증가시킬 수 있는 방법을 파악하는 데 더 많은 노력이 필요하다는 것이다. 인터넷은 그 급속한 확산에도 불구하고 아직 걸음마 단계라고 할 수 있다. 앞으로의 과제는 현재의 인터넷 상황, 즉 비조직적인 무작위 검색, 혼란스러운 화면 구성과 연관성이 떨어지는 그래픽 자료 그리고 어려운 내용의 브로셔웨어 게시 등을 지양하는 것이다. 의료 전문가, 의료 상담가, 건강 교육 전문가, 응용 디자이너 모두는 건강정보이해능력이 낮은 사람들은 물론 모든 사용자에게 새로운 디지털 기술의 가능성을 열어주기 위해 협력해야 한다.

참고 문헌

1. Cline RJW, Haynes KM. Consumer health information seeking on the Internet: the state of the art. *Health Educ Res*. 2001;16(6):671-692.

2. Neuhauser L, Kreps G. Rethinking communication in the e-health era. *J Health Psychol*. 2003;8(1):7-23.

3. Institute of Medicine. Committee on Communication for Behavior Change in the 21st Century: Improving the Health of Diverse Populations. *Speaking of Health: Assessing Health Communication Strategies for Diverse Populations*. Washington, DC: National Academy Press;2002.

4. US Department of Commerce. *A Nation Online: How Americans are Expanding Their Use of the Internet*. Washington, DC: US Department of Commerce. Available at www.btia.doc/ntiahome/dn/index.html.Accessed June 9, 2003.

5. US Department of Health and Human Services. Health Communication(Chapter 11). Healthy People 2010. 2nd ed. *With Understanding and Improvong Health and Objectives for Improving Health*. 2 vols. Washington, DC: US Government Printing Office, November 2000. Available at www.healthypeople.gov.Accessed June 12, 2003.

6. Lenhart A. The ever-shifting Internet population. Washington, DC: The Pew Internet & American Life Project. Available at www.pewinternet.org. Accessed June 2, 2003.

7. The Children's Partnership. 2002. Online content for low-income and underserved Americans: an issue brief by The Children's Partnership. Available at www.childrenspartnership.org.Accessed June 9, 2003.

8. Morrell RW, Dailey SR, Feldman C, et al. *Older Adults and Information Technology: A Compendium of Scientific Research and Web Site Accessibility Guidelines*. Bethesda, Md: National Institute on Aging, National Institutes of Health, US Department of Health and Human Services; 2003.

9. Zarcadoolas C, Blanco M, Boyer JF. Unweaving the Web: an exploratory study of low-literate adults' navigation skills on the World Wide Web. *J Health Commun*. 2002;7:309-324.

10. Echt KV, Morrell RW. *Promoting Health Literacy in Older Adults: An Overview of the Promise of Interactive Technology*. Bethesda, Md: National Institute on Aging, National Institutes of Health, US Department of Health and Human Services; 2003.

11. Askov EN, Johnston J, Petty LI, Young SJ. Expanding access to adult literacy with online distance education. Cambridge, Mass: NCSALL. Available at http://www.ncsall.gse.harvard.edu/research/op_askov.pdf. Accessed June 10, 2003.

12. Kreuter M, Farrell D, Olevitch L, Brennan L. *Tailoring Health Messages: Customizing Communication with Computer Technology*. Mahwah, NJ: Lawrence Erlbaum; 2000.

13. Science Panel on Interactive Communication and Health. *Wired for Health and Well-Being: The Emergence of Interactive health Communication*. Eng TR, Gustafson DH, eds. Washington, DC:US Department of Health and Human Services, US Government Printing Office; 1999.

14. RAND Health. *Proceed with Caution: A Report on the Quality of Health Information on the Internet*. Oakland, Calif: California Health Care Foundation; 2001.

15. D'Alessandro DM, Kingsley P, Johnson-West J. The readability of pediatric patient education materials on the World Wide. *Arch Pediatr Adolesc Med*. 2001;155(7):807-812.

16. Graber MA, Roller CM, Kaeble B. Readability levels of patient education materials on the World Wide Web. *J Fam Prac*. 1999;48(1):58-61.

17. Horrigan J, Rainie L. Counting on the Internet. Washington, DC: The Pew Internet & American Life Project. Available at www.pewinternet.org. Accessed June 9, 2003.

18. Fox S, Fallows D. Internet health resources: health searches and email have become more commonplace, but there is room for improvement in

searches and overall Internet access. washington, DC: The Pew Internet and American Life Project. Available at www.pewinternet.org. Accessed August 18, 2003.

19. Eysenbach G, Kohler C. How do consumers search for and appraise health onformation on the World Wide Web? Qualitative study using focus groups, usability tests, and in-depth interviews. *BMJ.* 2002;324(7337):573-577.

20. Jansen BJ, Pooch U.A review of Web searching studies and a frame-work for future research. *J Am Soc Infor Sci Technol.* 2001;52(3):235-246.

21. Marable L. False oracles: Consumer reaction to learning the truth about how search engines work. Yonkers, NY: consumer WebWatch. Available at www.consumerwebwatch.org/news/searchengines/index.html. Accessed August 18, 2003.

22. Jenkins C, Corritore CL, Wiedenbeck S. Patterns of information seeking on the Web: a qualitative study of domain expertise and Web expertise. *IT & Society,* 1(3):64-89. Available at: www.ITandSociety.org. Accessed June 2, 2003.

23. Baur C, Deering MJ. Proposed frameworks to improve the quality of health Web sites: Review. *MedGenMed.* 2(3). Available at www.medscape.com/viewpublication/122_toc?vol=2&iss+3. Accessed June 12, 2003.

24. Eysenbach G, Powell J, Kuss O, Sa ER. Empirical studies assessing the quality of health information for consumers on the World Wide Web. *JAMA.* 2002;287(20):2691-2700.

25. Kirsch JS, Junegeblut A, Jenkins L, Kolstad A. Adult literacy in America: a first look at the results of the National Adult Literacy Survey(NALS). Washington, DC:US Department of Education; 1993.

26. Wofford JL, Currin D, Michielutte R, Wofford MM. The multimedia computer for low-literacy patient education: a pilot project of cancer risk perceptions. *MedGenMed* Apr 20;3(2). Available at www.medscape.com/vies publication/122_toc?vol=3&iss=2&templateid=2.Accessed August 18,2003.

27. US Department of Health and Human Services. Internet access in the home. In: *Communicating Health: Priorities and Strategies for Progress.* Washington, DC:US Department of Health and Human Services; 2003;9-34.

28. Rosen DJ. 1998. Using electronic technology in adult literacy education. In: *The Annual Review of Adult Learning and Literacy.* Cambridge, Mass: NCSALL. Available at:http://ncsall.gse.harvard.edu/ann_rev/vol1_8.html. Accessed June 10, 2003.

29. Office of Disease Prevention and Health Promotion. *Understanding Our*

Users: How to Better Deliver Online Health Information to Asian Americans. Native Hawaiians and other Pacific Islanders. Internal evaluation report, L. Hsu, ed. US Department of Health and Human Services. Available at: http://odphp.osophs.dhhs.gov/projects/Accessed August 19, 2003.

30. Office of Disease Prevention and Health Promotion. *Understanding Our Users: How to Better Deliver Online Health Information to American Indians and Alaska Natives.* Internal evaluation report, L. Hsu, ed.US Department of Health and Human Services. Available at:http://odphp.osophs.dhhs.gov. projects/Accessed August 19, 2003.

31. Kreuter MW, Strecher VJ, Glassman B. One size does not fit all: the case for tailoring print materials. *Ann Behav Med.* Fall 1999;21(4):276-283.

32. Gustafson DH, Hawkins RP, Boberg EW, et al. CHESS: 10 years of research and development in consumer health informatics for broad populations, including the underserved. *Int J Med Inf.* 2002;65:169-177.

33. Gustafson DH, Hawkins R, Pingree S, et al. Effect of computer support on younger women with breast cancer. *J Gen Intern Med.* 2001;16(7):435-445.

건강정보이해능력과 보건의료 서비스

딘 쉴링거(Dean Schillinger)(MD, MPH) 편술

서론

앞에서 살펴보았다시피 건강정보이해능력은 환자의 의료서비스 경험과 건강 정보에 대한 의사소통에서 필수적이다. 바꾸어 말하자면 건강정보이해능력은 건강 결과와 보건의료 서비스에 영향을 미친다는 것이다.

건강정보이해능력과 건강결과 사이의 연관성을 검토하기 위해서는 건강정 보이해능력을 측정할 수 있어야 한다. 따라서 4부에서는 먼저 보건의료 연구에 서의 문해력 검사에 대해서 논한다. 10장에서는 데이비스(Davis) 등이 건강정 보이해능력 측정에 사용되는 여러 가지 방법과 도구를 설명하면서 최상의 도 구라고 하더라도 올바른 건강관련 결정을 내리는 데 필요한 기본적인 건강정 보와 서비스를 얻고 처리하고 이해하는 개인의 능력이 어느 정도인지를 대략 적으로밖에 측정할 수 없다는 점을 지적한다. 이들은 마지막으로 보건의료 연 구에서의 문해력 검사의 한계점과 임상적 적용의 어려움을 논한다.

건강정보이해능력 부족이 보건의료 서비스에 영향을 미치는 기전에 대한 규명 및 평가는 아직 미해결 과제로 남아있지만 현재 진행 중인 연구로 이들의 연관성에 대한 이해 정도를 알 수 있다. 11장에서는 쉴링거(Schillinger)와 데 이비스가 건강정보이해능력 부족이 건강 성과에 미치는 영향을 이해하기 위한

기본적인 개념 틀을 만성질환 치료를 사례로 들어 제시한다. 이들이 설명하고 있는 바와 같이 이 개념 틀이 의도하는 바는 개선 노력을 기울일 지점을 집중 조명하고, 연구의 우선순위를 밝히고, 건강정보이해능력이 부족한 사람들의 건강관리 수준에 영향을 미치는 좀 더 폭넓은 사회 환경을 밝히는 것이다.

4부 마지막에서는 앞 장에서 제시한 개념 틀의 토대가 되는 건강정보이해능력과 건강 결과에 대한 문헌을 개관적으로 살펴본다. 12장에서 드왈트(Dewalt)와 피그논(Pignone)이 제시하는 바와 같이 건강정보이해능력은 건강정보에 대한 지식수준과 이해력, 건강 행위, 검진과 예방, 치료 순응, 생화학적 결과와 신체 계측상의 결과, 유병률, 발병률, 사망률, 의료 자원의 사용 등 여러 가지 건강 결과와 연관성이 있는 것으로 나타났다. 이러한 자료들에 따르면 문해력과 특정 건강 결과 사이에 관련성이 있는 것으로 나타나기는 하지만, 향후의 연구에서 이러한 관련성의 정도를 파악하고 문해력 부족에서 건강 상태 불량으로 옮겨지는 경로를 밝혀내야 할 것이다.

제10장

보건의료 연구에서의 문해력 검사

테리 데이비스(Terry Davis)(PhD)
에스텔라 M. 케넨(Estela M. Kennen)(MA)
줄리 A. 가즈마라리안(Julie A. Gazmararian)(MPH,PhD)
마크 V. 윌리암스(Mark V. Williams)(MD,FACP)

보건의료제공자들과 연구자들은 환자의 건강정보이해능력 기술이 보건의료서비스 이용, 의사소통, 자가 치료 관리, 그리고 최종 건강 결과에 미칠 수 있는 영향력을 점차 깨달아가고 있다.[1~9] 그러나 이러한 관련성 평가에서 문해력이 부족한 환자들을 파악하기가 쉽지 않다.[4,5,10,11] 의료 면담을 통해 얻은 정보(예, 연령 혹은 교육 수준)와 환자의 문해력 기술에 대한 직접적인 질문을 통해 알게 된 정보가 어느 정도 참고가 될 수 있겠지만, 이러한 과정이 문해력을 정확하게 측정하지는 못한다.[10,12~15] 환자의 문해력 기술 파악을 복잡하게 만드는 것은 바로 수치심이 작용한다는 것이다. 문해력 기술이 부족한 사람들은 대부분 이 사실을 부끄럽게 여기며 숨기려고 하는 경우가 많다.[16]

10장에서는 보건의료 및 성인 교육 부문의 성인 문해력 검사를 검토한다. 그러나 주의할 점은 환자 개인의 실제 건강정보이해능력 평가 방법에 대한 논의는 아니라는 점이다. 개인의 건강정보이해능력을 정확하게 측정하기 위해서는 "올바른 건강상의 결정을 내리는 데 필요한 기본적인 건강정보와 서비스를 획득, 처리, 이해할 수 있는 능력의 소유 정도"를 평가해야 한다.[17] 최근까지 이러한 내용을 포괄적으로 다룰 수 있도록 고안된 공식적인 표준화 평가도구는 없었다. 하지만 근접 추정치를 제시해주는 다양한 측정 방법과 도구들이 개발되고 연구되었다. 이런 식으로 얻은 측정치들이 건강정보이해능력 연구에서 점차 많이 활용되고 있다.

우선 환자의 교육 수준과 환자의 독해력 및 인지 기능에 대한 직접 평가 사이의 불일치에 대하여 논의를 할 것이다. 다음으로는 미국의 보건의료 부문 및 성인 교육 부문에서 개인의 문해력 기술 선별 검사에 사용되어온 구체적 방법과 측정 도구들에 대하여 설명하고 이 검사들의 수행 절차를 알아본다. 마지막으로 이 검사들과 일반적인 환자 검사 방법의 한계점을 논하면서 연구자들과 의료제공자들이 개인의 문해력 수준 평가에 앞서 고려해야 할 중요한 문제들을 집중적으로 살펴본다.

최종 학력과 문해력 기술의 비교

최근까지 연구자들과 임상 의사들은 환자의 교육수준을 문해력 기술의 1차적 지표로 사용해 왔다.[5,10,11,13,18] 그러나 교육수준이 읽기 수준 및 기능적 문해력 수준과 밀접한 관련성이 있다고 하더라도 개인의 읽기 수준 혹은 기능적 건강정보이해능력을 정확하게 예측해 내지는 못한다.[10,18,19] 고등학교를 졸업하고 혹은 대학에 다녔다고 하더라도 문해력 기술은 부족할 수 있다.[10,18,20] 반대로 문해력 기술이 충분한 사람이 고등학교를 마치지 않았을 수도 있다. 이러한 불일치는 "교육수준이라는 것이 개인의 재학 연도 수만을 측정하는 것이지 재학 중 개인의 학습량을 측정하는 것은 아니다"[19]는 점 때문일 것이다.

이해력과 음운 인지력(reading recognition)을 평가하는 읽기 검사는 재학 연도 수보다는 문해력을 좀 더 구체적으로 나타낼 수 있다. 선행 연구들에서 성인 환자의 독해력은 이들이 응답한 재학 연도 수보다 2~5년 정도 더 낮은 것으로 밝혀졌다.[5,10,13,14] 환자의 사회경제적 지위(SES), 인종, 연령 등은 모두 재학 연도 수와 읽기 능력 간의 상당한 불일치에 영향을 미칠 수 있다. 일곱 개 지역사회 의원을 대상으로 실시된 연구에서 학력 수준과 독해력 사이의 간극은 다수가 실직 상태인 저소득층 소수민족 환자들을 진료하는 의원에서 가장 크게 나타났다(4.8년).[10] 학력 수준 자가 보고 내용과 읽기 능력 사이의 간극이 가장 적게 나타난 것(2.6년)은 주로 중산층의 백인 환자들을 진료하는 가정의학과의원이었으며 이 환자들은 거의 모두 직업이 있었다.[10]

환자의 학력 수준과 읽기 수준 사이의 차이는 표준화 독해력 검사보다 표준화 음운 인지력 검사로 문해력을 평가할 때 일반적으로 적게 나타난다.[21] 음운 인지력 검사는 일련의 단어들을 발음할 수 있는 개인의 능력을 평가[5,11]하는 것으로 영어 읽기 능력을 선별 검사하는 표준 방법이다. 환자의 음운 인지력 검사 점수는 독해력 점수보다 읽기 수준이 2학년 정도 더 높게 나오는 경향이 있다.[11,21] 그렇더라도 이 점수는 환자들의 자가 보고 학력 수준보다는 여전히 더 낮다. 396개의 대학 소아과 진료실을 대상으로 한 연구 결과 부모의 학력 수준은 음운 인지력 점수와 거의 연관성이 없었다.[22] 음운 인지력과 학력 수준 사이의 불일치는 음운 인지력이 가장 낮은 범주에 속하는 부모들에게서 가장 두드러지게 나타났다. 예를 들면, 음운 인지력 수준이 3학년 수준 이하인 부모들(n=44)의 평균 학력은 10학년이었다.[22] 주목할 점은 미국의 대부분의 주에서는 16세 혹은 17세까지는 의무교육 대상자이기 때문에 일반적으로 9학년 혹은 10학년의 수료는 필수라는 것이다.

고등학교 졸업이 충분한 문해력의 지표로 사용되기도 하지만 전국 성인 문해력 조사(National Adult Literacy Survey, 이하 NALS) 등의 연구 결과 고졸 학력을 가진 성인 중 소수이지만 유의미한 수가 최하위의 문해력과 읽기 능력 점수를 받은 것으로 나타났다.[10,13,15,18] NALS의 보고에 따르면 최하위 문해력 점수를 받은 성인들의 24%가 고등학교를 졸업하였다고 진술하였지만 이들은 간단한 신문 기사를 읽고 기사의 핵심 내용을 말하거나 사회보장 신청서를 작성하는 데 어려움이 있었다.[18] 따라서 보건의료 부문에서 환자의 문해력 평가를 위해서는 다른 방법들이 필요하다고 할 수 있다.

보건의료 부문의 문해력 선별 검사

임상의사와 연구자들은 환자의 문해력 수준을 확인할 수 있는 방법의 필요성을 자주 느낀다. 검사는 환자의 읽기 기술을 정량화할 수 있는 유일한 방법이다. 몇 가지 비공식적 방법과 표준화 검사 방법이 읽기 능력 평가에 사용되어 왔고 여기에서는 이것들을 개별적으로 살펴볼 것이다.

비공식적 방법

환자의 행동에서 문해력 기술이 부족한 면이 나타날 수 있다. 한 가지 실제로 도움이 될 만한 것은 환자들이 임상 환경에서 문해력과 관련된 일들을 어떻게 처리하는지 관찰하는 것이다. 일반적으로 문해력 기술 부진의 실마리가 될 수 있는 환자 행동으로는 접수 서류를 완전하게 작성하지 못하는 것, 철자가 틀린 단어가 많은 것, 서류 작성을 완료하기 전에 진료실을 떠나는 것, 서류를 작성해야 한다는 사실에 화를 내는 것, 도움을 요청하는 것 등이 있다.[19] 임상 면담(clinical encounter) 동안 의사는 환자의 약을 가지고 오라고 해서 환자와 같이 살펴볼 수 있다. 약병의 라벨을 읽기보다는 약병을 열고 알약을 들여다보고 치료약을 확인하는 환자는 처방약의 라벨을 읽고 이해하는 데 필요한 기술이 부족할 가능성이 있다. 또한 약 복용 이유를 모르거나 복용 방법을 혼란스러워하는 환자들은 건강정보이해능력이 부족할 가능성이 높다. 안타깝게도 경험상 보건대 의사들과 병·의원 직원들은 이러한 행동이 문해력 부족의 지표라는 점을 거의 알아차리지 못한다. 의료제공자들은 환자들이 서류를 완전하게 작성하지 않거나 의사가 보낸 우편물에 답을 하지 않거나 처방내용대로 약을 복용하지 않을 때에는 환자가 자신의 건강관리에 적극적으로 참여할 의사가 없다고 생각하는 경우가 있다.

문해력 평가를 위한 도구

여기에서는 현재 이용 가능한 분해력 측성노구를 검토하고 비교힌다. 미국 내 보건의료 부문의 성인 환자 문해력 평가 관련 논문 검색을 위해 1980년 1월부터 2003년 2월까지 MEDLINE과 CINAHL(Cumulative Index to Nursing and Allied Health)에 등재된 데이터베이스를 사용하였다. 그 결과 69개 논문을 검색하였는데 한 편을 제외하고는 전부 1991년 이후에 발표된 것들이었고 읽기 능력 측정에 8개의 도구가 사용되었다. 가장 일반적으로 사용된 문해력 평가 도구는 의학 분야 성인 문해력 속성 평가(Rapid Estimate of Adult Literacy in Medicine, REALM)였고(28개 논문), 그 다음으로는 광역 성취도 검사 개정 3판(Wide Range Achievement Test-Revised 3, WRAT-R3)(17개 논문), 성인 기능적 건강정보이해능력 검사(Test of Functional Health Literacy in Adult, TOFHLA) 여러 개정판(12개 논문)의 순이었다(표 10-1 참조). 나머지 12개 연구논문은 기타 음운 인지력 평가와 빈칸 채워 넣기(Cloze) 식(피검자는 글 속에서 체계적으로 누락된 단어들을 채워 넣어야 한다)의 독해력 평가를 사용하였다.

음운 인지력 검사와 독해력 검사, 이 두 가지 유형의 표준화 읽기 검사가 보건의료 부문에서 사용되었다. 이 검사들은 다음에서 좀 더 자세하게 설명되고 표 10-1에 요약되어 있다. 이 장에서 논의된 여러 가지 검사들을 구할 수 있는 정보는 이 책의 뒷부분 부록 B에 나와 있다.

음운 인지력 검사

음운 인지력 검사는 일반적인 영어 읽기 능력을 예측하는 데 유용하게 사용될 수 있고 일정 수준의 영어 구사력을 갖춘 사람에게 적합하다. 이것은 검사 수행과 점수 산정이 가장 쉽고 빠른 검사도구이기 때문에 보건의료 부문에서 읽기 수준이 낮은 사람을 확인하는 데 가장 보편적으로 사용된다.[11]

음운 인지력 검사에서는 환자가 일련의 단어들을 큰 소리로 읽는다. 음운 인지력 검사는 독해력이나 문자화된 정보에 대한 개인의 처리 능력을 측정하지는 않는다. 이 검사는 단지 개별 단어를 발음할 수 있는 개인의 능력만을 측

표 10-1 보건의료 부문과 성인 문해력 및 교육 부문에서 사용되는 문해력 검사의 종류*

	WART-R3	SORT-R	REALM	LAD	MART	PIAT-R	TOFHLA	IDL	TABE
검사 내용	단어 인지력 검사	단어 인지력 검사	건강관련 단어 인지력 검사	당뇨관련 단어 인지력 검사	처방 양식으로 인쇄된 의료 관련 단어 인지력 검사	음운 인지력 및 독해력 검사	빈칸 채워 넣기식 보건의료관련 자료독해력 검사	독해력 검사	기초 교육 교과과정 기술 평가용 7개 부문 문해력 검사
검사 시간	3~5분	5~10분	2~3분	3~5분	3~5분	60분	18~22분 (단축형인 경우 7분)	22분 (단축형인 경우 7분)	1.5~2.75 시간
검사관 사전 교육 필요	최소	최소	최소	최소	최소	중간	최소	중간 혹은 최대	중간 혹은 최대
점수 산정	특정 학년이나 특정 연령 집단으로 환산 가능한 몇 가지 점수 산정	유치원 내지 초등1학년에서 9~12학년까지의 10등급으로 환산 가능한 원점수(1~200)	3학년 미만, 4~6학년, 7~8학년, 9학년 이상 등 4개 등급으로 환산 가능한 원점수(0~66)	4학년 미만, 5~8학년, 9학년 이상 등 3개 등급으로 환산 가능한 원점수(0~60)	학년으로 환산 가능한 원점수	독해력 영역의 점수가 학년 점수로 산정	건강정보이해 능력 부족, 경계역, 혹은 기능적으로 산정	건강정보이해 능력 부족, 경계역, 혹은 기능적으로 산정	전산 프로 파일로 학습 부족 영역 확인, 개별영역 별 점수 및 총점을 각각 학년 점수로 산정, 백분위 점수 산정

표 10-1 보건의료 부문과 성인 문해력 및 교육 부문에서 사용되는 문해력 검사의 종류* (계속)

	WRAT-R3	SORT-R	REALM	LAD	MART	PIAT-R	TOFHLA	IDL	TABE
피검자 연령	5~74세	4세 이상	성인	성인	고등학생	전 연령	성인	전 연령	16세 이상
다른 검사와의 상관도	PIAT-R; 0.62~0.91	PIAT-R; 0.83~0.90	WRAT-R3:0.88, SORT-R:0.96, PIAT-R:0.97, TOFHLA:0.84	REALM:0.90, WRAT-R3; 0.81	WRAT-R3; 0.98	Kaufman; 0.84, Wechsler; 0.50	WRAT-R3; 0.74, REALM; 0.84	WRAT-R3; 0.74, REALM; 0.84	GED; 0.55~0.64
장점	두 가지 양식이 있어서 사전 검사와 사후 검사 가능	학교 및 산업장에서 보편적으로 사용	신속하고 심리적 부담감이 적음. 확대판 사용이 가능	신속. 단노 교육에 유용	신속. 심리적 부담감이 적음.	독해력과 음운 인지력을 모두 평가. 종합적인 읽기 능력 점수를 얻을 수 있음.	기능적 건강정보 이해능력을 측정. 단축형, 조단축형이 있고, 스페인어판이 있음	스페인어판과 단축형이 있음.	스페인어판과 단축형이 있음. 점수 산정이 전산 처리됨.
단점	단어가 환자 및 검사관에게 어려움.	활자체가 작고, 9학년 이상 수준에는 분별력이 없음.	9학년 이상의 수준에는 분별력이 없음. 치료 학년 금간만 구할 뿐 구체적인 학년 점수를 내지 못함.	단노 환자에게 적용한 공식적인 임상 적인 사례가 없음.	공식적인 임상 및 사례가 없음. 어휘가 어려움.	공식적인 임상 소요 시간 및 자료 준비에 대한 부담이 있음.	완전형인 경우 시간이 오래 걸림.	완전형인 경우 시간이 오래 걸리고, 시간 제한을 둘 경우 피검자에게 부담을 줌.	수업업 점수 산정시 복잡하고 시간이 오래 걸림. 의료카운슬에 이런 분야의 공식연구 없음.

* WRAT-R3(Wide Range Achievement Test-Revised 3), Sort-R(Slosson Oral Reading Test-Revised), REALM(Rapid Estimate of Adult Literacy in Medicine), LAD(Literacy Assessment for Diabetes), MART(Medical Achievement Reading Test), PIAT-R(Peabody Individual Achievement Test-Revised), TOFHLA(Test of Functional Health Literacy in Adults), IDL(Instrumento Para Diagnosticar Lecturas; Instrument for Diagnosis of Reading), TABE(Tests of Adult Basic Education), GED(General Educational Development)

정한다.[5,11] 음운 인지력 검사의 이론적 배경은 만약 환자가 단어를 발음(초보적 읽기 기술 수준)하는 데 어려움이 있다면 상위 수준의 독해력 기술도 부족할 것이라는 점이다. 만약 환자가 검사 목록에 있는 간단한 단어들을 읽는 데도 어려움이 있다면 독해력도 부진할 것이다. 이 검사는 임상의사에게 환자가 보건교육 인쇄물 그리고 의료제공자와 환자 간의 구두 의사소통의 이해에 어려움이 있을 수 있다는 점을 환기시켜 줄 수 있다.

WRAT-R3[23]와 슬로슨 구두 읽기 검사 개정판(Slosson Oral Reading Test-Revised, SORT-R)은 다른 부문에서 도입되어 의학 연구에 사용되는 단어 인지력(word recognition) 검사이다. 피바디 개인 성취도 검사 개정판(Peabody Individual Achievement Test-Revised, PIAT-R)[21]에는 단어 인지력 검사와 독해력 검사 두 영역이 모두 포함되어 있다. SORT-R은 교육 부문에서 청년층을 대상으로 흔히 사용되지만 보건의료 부문에서는 어린이, 청소년, 성인 환자들에게 적용이 가능하다. 교육 및 고용 부문에서 WRAT, SORT, PIAT 그리고 각각의 개정판들이 광범위하게 사용되고 있다. REALM[25]은 보건의료 부문에서 사용하기 위해 특별히 개발된 단어 인지력 검사인데 단축형인 REALM 개정판(REALM-Revised)이 최근에 개발되었다. 당뇨병 문해력 평가(The Literacy Assessment for Diabetes, LAD)[27]와 의학 분야 읽기 성취도 검사(Medical Achievement Reading Test, MART)[28]는 보건의료 부문에서 새롭게 개발된 단어 인지력 검사들이다.

광역 성취도 검사 개정3판(Wide Range Achievement Test-Revised 3, WRAT-R3)

WRAT-R3는 읽기, 철자, 산술 능력을 평가하는 전 미국 단위의 표준화 성취도 검사이다.[21] 이 검사는 1993년에 분할 및 재표준화 과정을 거쳐 두 개의 동일한 유형(Tan형과 Blue형)을 개발함에 따라 사전 검사와 사후 검사를 할 수 있게 되었다. WRAT-R3의 연령 기준은 5세에서 75세 사이의 개인을 대상으로 하고 있으며, 이 두 유형은 각각 음운 인지력, 철자, 산술 능력의 3가지 하부 검사 영역을 가지고 있다. 여기서는 WRAT-R3의 하부 검사 영역 중 읽기 영역만 검토할 것이다. Tan형과 Blue형 모두 읽기 영역 검사는 글자 읽기(영어 알파벳 글자 15개 말하기)와 단어 읽기(42개 단어 발음하기)로 구성되어 있다.[23] 그림 10-1에는 읽기 검사 영역 중 단어 읽기에 사용되는 단어 11개가 예시되어 있다.

WRAT-R3의 점수 유형은 몇 가지가 있다. 원 점수(raw scores)는 1~57점에 분포하며, 유치원에서 대학까지의 학년제로 읽기 수준을 환산할 수 있다. 절대 점수는 통계적 분석에 사용될 수 있고, 표준 점수, 백분위 점수, 정규분포곡선 값(normal-curve equivalent) 등은 특정 연령 집단에 표준화된 측정값들이다.[23] 임상 부문에서는 (학년 점수로 환산되는) 원 점수가 가장 유용한 편이다. WRAT-R3은 9학년 수준 이상의 읽기 능력을 갖춘 환자 구분이 필요한 보건의료 연구에 권장할 만하다.[11]

WRAT-R3의 타당성과 신뢰성은 광범위하게 검증되었다. WRAT-R3의 읽기 검사 영역과 캘리포니아 기초 기술 검사(California Test of Basic Skills)(4판)의 읽기 총점과의 상관계수는 0.72이고, 스탠포드 성취도 검사(Stanford Achievement Test)의 읽기 총점과의 상관계수는 0.87이다. 검사와 재검사의 알파 값 분포는 0.91~0.98이다.[23]

검사관의 경험에 따라 다소 차이가 있기는 하지만 WRAT-R3의 검사 수행 및 점수 산정에는 3~5분 정도의 시간이 소요된다. WRAT-R3의 주된 단점은 공공보건기관 이용자처럼 읽기 능력이 부족한 사람들에게는 이 검사의 난이도가 너무 높다는 점이다.[11] 이 검사에 포함된 단어들의 난이도 수준은 읽기 수준이 낮은 사람에게 적용하기에는 너무 갑작스럽게 높아져서 많은 환자들이 조기에 검사를 포기하게 된다. 이 검사는 피검자로 하여금 10개 항목을 연속해서 실수할 때까지 계속해서 단어를 큰 소리로 읽도록 하기 때문에 불안감을 유발할 수도 있다. 이 검사에 포함된 단어들 중 약 1/3 가량은 9학년 이상의 읽기 수준이기 때문에 심지어 보건의료제공자조차도 경감(assuage), 쓸모없는(terpsi-

그림 10-1 WRAT-R3 읽기 영역 검사 중 단어 읽기 부문 단어 예시

book	bulk	discretionary	omniscient
even	contagious	itinerary	terpsichorean
felt	horizon	oligarchy	

chorean), 축혼가(epithalamion) 등과 같은 단어에는 어려움을 느낀다.

정확한 발음이 검사 용지 뒷면에 발음기호로 표기되어 있지만, 검사관 중에는 정확한 발음을 기억하기 위해 오디오테이프가 필요한 경우도 있다. 점수 산정법을 수정하여 단어 3개를 연속해서 놓칠 경우 환자로 하여금 그만두게 한다든지 해서 검사의 복잡성을 줄일 수 있다. 그러나 이 방법은 학년 점수로 환산하는 데 정확성이 감소될 수 있고 이 경우에는 읽기 능력의 높고 낮음에 대한 추정 자료로만 사용해야 한다.

슬로슨 구두 읽기 검사 개정3판(Slosson Oral Reading Test-Revised 3, SORT-R3)

SORT-R3은 교육 부문에서 광범위하게 사용되는 검사 도구로 2000년에 재표준화 과정을 거쳤다.[24] 이것은 5세 이상 개인용으로 고안되었고 검사 수행에는 5~10분 정도 소요된다. 이 검사는 유치원에서 고등학교까지의 각 학년에 해당되는 핵심 단어 20개로 된 10개의 단어 목록으로 구성되어 있다. 검사관이 검사를 시작할 목록을 선정하는데, 성인의 경우 최종 학년보다 3~4년 정도 낮은 수준으로 시작한다. 첫 번째 목록에 있는 단어는 모두 발음을 할 수 있어야 한다. 만약 한 단어라도 틀리면 한 단계 낮은 수준의 목록에서 다시 시작해야 한다. 단어를 잘못 발음하거나 건너뛰거나 발음하는 데 5초 이상 시간이 걸리거나 발음을 2번 이상 번복할 경우에 해당 단어는 틀린 것으로 간주된다.[24]

SORT-R3은 학년 및 연령 환산 점수, 표준 점수, 전국단위 백분위 점수를 산정한다. 이것은 검사-재검사 신뢰도가 매우 높으며(0.99) 좀 더 복잡한 읽기 평가들에 대한 준거 타당도도 높다[우드콕-존슨 성취도 검사 글자/단어 확인 하부검사(Woodcock-Johnson Tests of Achievement Letter/Word Identification subtest)에 대해서는 0.9, PIAT 음운 인지력 검사에 대해서는 0.9, PIAT-R 독해력 검사에 대해서는 0.83이다].[24]

SORT-R3은 학교 현장에서 학생들의 읽기 능력 향상을 평가하기 위해 사용되며 성인 문해력 프로그램에서 성인의 읽기 수준의 간이 추정치를 얻기 위해서도 사용된다. 이 검사의 주된 단점은 200단어들이 매우 작은 10포인트 크기의 활자체로 되어 있어 읽기 능력이 부족한 경우에는 검사에 대한 두려움을 느

끼게 되고 시력이 좋지 않은 사람에게는 유용하지 않다는 것이다.[11,24]

의학 분야 성인 문해력 속성 평가(*Rapid Estimate ot Adult Literacy in Medicine, REALM*) REALM은 1991년에 처음으로 개발된 건강관련 단어 인지력 검사로 1993년에 개정되었으며 보건의료 부문에서 문해력 부족을 선별 검사하기 위해 특별히 고안되었다.[25] 이것은 현재 의료 부문에서 가장 많이 사용되고 있는 단어 인지력 검사이다.[5,11] REALM의 단어들은 일반적인 의학 용어와 신체 부위 및 질병에 관한 비전문적인 용어들이며 모두 1차 의료 영역에서 환자들에게 일반적으로 제공되는 인쇄물 자료에서 뽑은 것들이었다.[25] 이러한 높은 표면적 타당도 때문에 전국의 의료제공자, 연구자, 환자들이 REALM을 선호하는 것이다.

REALM은 다른 일반적 읽기 검사 및 TOFHLA와 상관성이 매우 높다.[29] REALM은 준거 타당도가 높은데, 그 상관도가 개정 WRAT-R과는 0.88, SORT-R과는 0.96, PIAT-R과는 0.97이며 TOFHLA와 상관도는 0.84이다. TOFHLA와 REALM의 상관도 차이를 가져오는 주된 요인은 중간 점수대(7~8학년) 피검자들의 변이 때문이다. REALM은 검사-재검사 신뢰도 역시 높으며, 그 값은 0.97($P<0.001$)이다.[25]

REALM은 간단한 교육을 거쳐 단어를 쉽게 읽고 발음할 수 있는 사람의 경우 3분 이내에 검사를 수행하고 점수를 산정할 수 있다.[11,25] 검사 절차는 코팅지 한 장을 환자에게 제시하는 것으로 시작하는데 이 코팅지는 일반 크기와 확대형 모두 이용 가능하며 음절수와 발음 난이도에 따라 배열된 22개 단어 3개 목록이 적혀 있다. 환자들은 첫 단어부터 시작하여 가능한 한 많은 수의 단어를 큰 소리로 읽어야 한다. 만약 환자가 몇 개의 단어를 연속적으로 발음할 수 없으면 해당 목록을 훑어 내려가면서 나머지 단어들 중 가능한 한 많은 수의 단어를 발음해야 한다. 사전적 발음이 점수 산정의 기준이다.[25] 그림 10-2는 REALM의 세 가지 단어 목록을 보여준다.

REALM의 주된 단점은 9학년 이상의 읽기 수준은 가려내지 못한다는 것이다. 또한 개인에게 구체적인 학년으로 환산된 읽기 점수를 제시하는 다른 검사

그림 10-2 REALM 단어 목록

1	2	3
fat	fatigue	allergic
flu	pelvic	menstrual
pill	jaundice	testicle
dose	infection	colitis
eye	exercise	emergency
stress	behavior	medication
smear	prescription	occupation
nerves	notify	sexually
germs	gallbladder	alcoholism
meals	calories	irritation
disease	depression	constipation
cancer	miscarriage	gonorrhea
caffeine	pregnancy	inflammatory
attack	arthritis	diabetes
kidney	nutrition	hepatitis
hormones	menopause	antibiotics
herpes	appendix	diagnosis
seizure	abnormal	potassium
bowel	syphilis	anemia
asthma	hemorrhoids	obesity
rectal	nausea	osteoporosis
incest	directed	impetigo

주의: 그림 10-2는 실제 크기가 아니다. 문해력 검사에 그림 10-2를 사용하는 것은 적절하지 않다.

들과 대조적으로 REALM은 학년의 범위 정도를 나타내는 추정치를 제시할 뿐이다. REALM의 원 점수(0~66)는 3학년 수준 이하(0~18), 4학년에서 6학년(19~44), 7학년과 8학년(45~60), 그리고 9학년 이상(61~66)과 같이 4단계의 읽기 능력 수준으로 환산된다. 환자의 읽기 능력을 부족(0~44점), 경계역 수준(45~60점), 충분(61~60점) 정도로만 분류해도 되는 보건의료 부문과 연구에서는 REALM의 정보만 하더라도 대체로 충분하다.[25]

의학 분야 성인 문해력 속성 평가 개정판(*Rapid Estimate of Adult Literacy in Medicine-Revised, REALM-R*) REALM-R은 REALM의 단축형으로 보건의료 부문에서 문해력 부족 위험군 환자를 확인하기 위한 속성 선별 검사 도구로 2002

년에 고안되었다.[12] REALM과 마찬가지로 REALM-R은 1차진료 환자가 의사와 대화하는 도중에 통상적으로 접하고 이해할 것으로 예상되는 단어들을 얼마나 잘 읽는지 평가한다.

REALM-R은 REALM에서 뽑은 10개의 단어로 구성되어 있다. 처음 세 단어는 환자에게 자신감을 주고 참여를 유도할 목적으로 포함된 것으로 점수에 포함되지는 않는다. 단어의 발음이 정확하면 정답으로 인정되며 6점 이하의 점수는 문해력 부족 위험군 환자의 기준으로 사용되었다.[12,26]

REALM-R은 REALM(0.72) 및 WRAT-R3(0.64)와 상관관계가 있지만, REALM과 WRAT-R3의 상관성 크기(0.88) 정도만큼은 아니다.[25,26] REALM-R에 소요되는 시간은 설명과 검사지 배포를 포함해서 2분 미만이다.[26]

당뇨병 문해력 평가(Literacy Assessment for Diabetes, LAD) LAD는 2001년에 개발되었으며 REALM 방식을 도입한 60개 단어 인지력 검사이다. 이 검사의 한 가지 목적은 "대부분의 사람들이 당뇨병관련 용어들을 잘 알지 못할 것이기 때문에 당뇨병 환자에게 덜 당혹스러운"[27] 문해력 검사를 만드는 것이다. LAD는 눈(eye), 교환(exchange), 간식(snack), 망막증(retinopathy) 등과 같이 당뇨병 치료와 관련하여 흔히 접하게 되는 단어들로 구성되어 있다. 이 단어의 절반은 4학년 수준이며 나머지는 6학년에서 16학년 수준이다. 모든 단어들은 당뇨병 교육의 필요성을 제기할 목적으로 선택된 것들이다.[27] REALM과 마찬가지로 LAD는 3분에서 5분 내에 수행될 수 있다. 원 점수는 4학년 이하, 5학년에서 8학년, 9학년 이상 등 3단계의 학년 환산 범위로 나누어질 수 있다. LAD는 REALM(0.90) 및 WRAT-R3(0.81)와 유의한 상관관계를 가지고 있고, 검사-재검사의 상관도는 0.86이다.[27]

의학 분야 읽기 성취도 검사(Medical Achievement Reading Test, MART)
MART는 1997년에 개발되었으며 WRAT-R3를 모델로 삼은 42개 단어 인지력 검사이다. 이것은 심적 부담을 전혀 주지 않고 의료 부문의 문해력을 측정하기 위해 고안되었다. 검사지는 작은 활자, 표면 광택 처리, 의학 전문용어로 된 처방 라벨을 사용하여 실제 처방 라벨처럼 작성된다.[25] 이 검사도구의 연구자들은 이렇게 검사도구의 형태를 바꿈으로써 문해력이 낮은 환자들이 검사에 편안함을 느끼게 할 것이라고 생각하였다.

"두 번(twice)", "혀 밑(sublingual)", "폐렴(pneumonia)", "항응고제(anticoagulant)" 등과 같은 MART 단어들은 119개의 처방약 라벨의 500단어와 의학 용어 사전에서 선정되었다. 단어의 난이도는 각 단어의 글자 수와 음절 수로 결정되었다. MART 단어의 길이는 WRAT-R3의 단어 길이와 일치한다. 크론바흐 알파계수(Cronbach's α) 신뢰도 검사에서 MART의 원 점수가 WRAT-R3 원 점수의 근사 추정치일 가능성이 높다(α=0.9796)고 나타난다. 또한 이 두 검사의 학년 추정치에 대해서도 크론바흐 알파값을 계산해본 결과 MART의 학년 수준은 WRAT-R3의 학년 수준의 유용한 추정치(α=0.971)이다.

독해력 검사

독해력 검사는 난이도 수준이 상이한 글을 읽고 이해할 수 있는 환자 능력을 평가한다.[5,11] 독해력 검사에는 단어 인지력 검사에 비하여 더 많은 시간과 검사관의 숙련된 기술을 필요로 한다. 이러한 검사는 임상 연구 그리고 보건교육 자료 개발과 검사 모두에 효과적으로 사용될 수 있다. 독해력 검사의 예로는 TOFHLA의 빈칸 채워 넣기[29]와 PIAT-R의 독해력 검사[21] 부분이 있다.

빈칸 채워 넣기 방법에서는 읽기 피검자들이 예시 글에서 체계적으로 누락되어 있는 단어를 기입해 넣어야 한다. 이 평가의 기본 가정은 읽기 능력이 우수한 사람은 글의 맥락을 이해하고 누락된 단어를 채워 넣을 수 있을 것이라는 점이다. 다른 유형의 독해력 검사에서는 피검자는 한 단락을 읽고 난 뒤에 수집한 정보를 풀이하고 적용해야 한다.[5,29]

피바디 개인 성취도 검사 개정판(*Peabody Individual Achievement Test-Revised, PIAT-R*) PIAT-R은 수학, 음운 인지, 독해, 철자, 일반 정보로 구성되어 있다.[21] PIAT-R의 독해력 검사 영역에서 피검사는 한 문장을 읽고 4개의 그림 중에서 그 문장의 내용과 가장 잘 일치하는 것 하나를 고른다. 총 82개의 문장이 있으며 점차 그 길이와 난이도가 증가한다. 대상자들은 우선 음운 인지력 검사부터 치르고 만약 점수가 1학년 읽기 수준 이하이면 독해력 검사는 받지 않는다 독해력 검사의 출발점은 대상자의 음운 인지력 검사 점수에 따라 결정된다.[21] PIAT-R를 사용하여 음운 인지력 점수, 독해력 점수, 읽기 능력 총섬 등 세 종류의 읽기 점수를 얻을 수 있다.

성인 기능적 건강정보이해능력 검사(Test of Functional Health Literacy in Adults, TOFHLA)

TOFHLA는 의료 부문과 지역사회 부문의 건강정보이해능력 연구에 사용되었다.[11,20,29,30] TOFHLA에는 수정된 빈칸 채워 넣기를 사용하는 독해력 영역과 수리 영역이 있는데, 두 영역 모두 보건의료 부문에서 환자들이 접할 수 있는 실제 자료로 구성되어 있다. 독해력 영역은 4학년 읽기 수준인 상복부 조영술 환자 설명문, 10학년 읽기 수준인 메디케이드 가입 신청서의 "권리와 책임" 부분, 19학년 읽기 수준인 환자 시술 동의서식 등 선별된 세 개 글에서 발췌한 50개 문항의 누락된 단어를 채워 넣는 환자 능력을 측정하는 것이다. 한 개의 글 안에는 다섯 내지 일곱 번째 단어가 누락되고 해당 빈칸에 대해 네 개의 보기가 제시된다. 17개 문항으로 된 수리 영역은 처방약병의 지시사항을 정확하게 해석하고, 혈당 수치를 이해하고, 예약표를 이해하는 데 필요한 환자의 산술 능력을 측정한다.[29] 수리 영역의 4개 문항이 그림 10-3에 제시되어 있다.

두 영역의 합이 TOFHLA 점수가 되며 0점에서 100점 사이에 분포하게 된다. 0점에서 59점 사이의 점수는 건강정보이해능력이 부족한 것을 나타낸다(환자들은 간혹 처방약병 및 예약표 같은 가장 간단한 자료를 잘못 읽을 수도 있다). 60점에서 74점 사이의 점수는 경계역 수준의 건강정보이해능력을 나타내고, 75점에서 100점 사이의 점수는 건강정보이해능력이 적합한 수준임을 나타낸다(환자들은 보건의료 부문에서 필요한 대부분의 읽기 과제를 성공적으로 완수할 수 있지만 한편으로 환자 동의서식은 잘못 읽을 수 있다).[29]

TOFHLA는 검사 수행에 최대 22분이 소요된다. 이 검사는 시간 제약이 있고 피검자는 읽기 영역과 수리 영역 검사 각각에 제한된 시간이 경과하면 검사를 중지하여야 한다.

그림 10-3 TOFHLA 및 단축형 TOFHLA의 수리 영역 문항 예시

아래의 문항은 피검자에게 주어지는 처방약병에 붙은 설명문, 혈당측정 결과, 그리고 예약표에 적힌 정보와 동일한 것들이다.

1. 이것을 한번 보시오. … 오전 7시에 약을 복용한다면 다음에는 언제 복용해야 합니까?

2. 귀하가 접하게 될 또 다른 주의 사항이 있습니다. … 귀하의 검사 결과가 이렇다고 할 때 귀하의 혈당은 오늘 정상일까요?

3. 자, 이것을 한번 보세요. … 예약이 언제 되어 있습니까?

4. 귀하가 알아 두어야 할 또 다른 내용이 있습니다. … 만약 12시 정각에 점심을 먹는데 이 약물을 점심 식사 전에 먹고 싶다면 몇 시에 복용해야 할까요?

실제 보건의료 부문에서 사용되고 있는 자료를 활용한다는 면에서 이 검사의 내용 타당도는 높다. TOFHLA는 WRAT-R3의 읽기 영역과 REALM과의 상관계수가 각각 0.74와 0.84로 준거 타당도도 양호하다. 크론바흐 알파값을 사용한 내적 신뢰도는 0.98이다.[29]

단축형 TOFHLA와 초단축형 TOFHLA(Short TOFHLA and Very Short TOFHLA) 단축형 TOFHLA는 TOFHLA의 축약형이다. 이 검사의 독해력 영역은 TOFHLA의 독해력 영역에 있는 첫 번째 두 개 글 즉, 상복부 조영술 설명문과 메디케이드 가입 신청서의 "권리와 책임" 부분에서 발췌한 글을 사용하여 36개의 검사 문항으로 되어 있다. 단축형 TOFHLA의 수리 영역은 TOFHLA에서 발췌된 4개 문항으로 구성된 단축 형태이다.[30] 이 문항들은 그림 10-3에 제시되어 있다.

단축형 TOFHLA는 검사 수행 소요 시간이 12분 이내이며 TOFHLA와 똑같은 3단계의 문해력 수준을 산출한다. 이것은 내적 신뢰도가 양호하며(전 문항을 합하여 크론바흐 알파값 0.98), 완전판 TOFHLA와 REALM을 기준으로 한 타당도는 각각 0.91과 0.80이다.[30]

완전판 및 단축형 TOFHLA 모두 시력이 좋지 못한 환자용의 확대판(14포인트)이 있다.[30] 초단축형 TOFHLA는 독해력 영역의 두 번째 글인 메디케이드 가입 신청서 발췌글만을 사용하며 단축형 TOFHLA에 거의 필적한다고 할 수

있다.[31]

스페인어 사용자 대상 문해력 평가

스페인어 사용 환자를 진료하는 미국의 의사들은 문해력 속성 평가의 일환으로 스페인어 단어 인지력 검사의 필요성을 계속 제기해 왔다. 스페인어 문해력 평가는 스페인어의 언어적 특성에 영향을 받기 때문에 현재로서는 WRAT-R3, REALM 등 이와 유사한 도구들의 스페인어판은 전혀 없다. 스페인어는 음소(音素)와 서기소(書記素)[1]의 일대일 대응 관계이기 때문에 낱소리는 하나의 글자로 표기되고 글자 하나는 낱소리로 표현된다. 따라서 영어와 비교할 때 글자를 인지하기만 하면 스페인어 단어를 소리 내어 발음하는 것은 상대적으로 용이하기 때문에 읽기 능력이 낮은 사람이라도 단어 인지력 검사에서 비교적 수월하게 높은 점수를 얻을 수 있다.[32] REALM을 스페인어판으로 바꾼 결과 스페인어 사용 환자들에게 유용하지 않은 것으로 나타났다. 그러므로 스페인어 문해력의 정확한 평가를 위해서는 일반적으로 빈칸 채워 넣기식 검사나 다른 표준화 독해력 검사가 필요하다.[9,32]

　스페인어 사용 환자들을 위한 신속하고 타당한 문해력 선별 검사 방법은 개발 과제로 남아 있다. 현재 다음의 두 가지 검사들이 보건의료 연구에서 사용되고 있지만 검사 수행에 소요되는 시간 때문에 제약을 받는다.

성인 기능적 건강정보이해능력 스페인어판 검사

앞에서 설명한 TOFHLA의 독해력 영역의 글과 수리 문항을 스페인어로 번역하고 다시 영어로 재번역하는 과정을 통해 상이점을 교정하고 스페인어판을

---

1) 어떤 언어의 서기체계(書記體系)의 최소 단위, 영어 알파벳의 각 문자 단위(역주).

만들었다. 스페인어판 TOFHLA는 내적 일치도, 신뢰도, 내용 타당도가 양호하며, 크론바흐 알파값을 사용한 내적 신뢰도는 영어 완전판과 같은 0.98이다. (REALM은 스페인어로는 타당성이 없고 WRAT-3은 스페인어로는 평가가 불가능하기 때문에 REALM과 WRAT-3과의 상관성은 제시할 수 없다.) 영어 완전판과 마찬가지로 이 검사에는 22분 정도 소요되고 단축형과 초단축형 스페인어판 TOFHLA도 사용 가능하다.

읽기 능력 진단 도구

읽기 능력 진단 도구(Instrument for Diagnosis of Reading)는 일명 IDL(Instrumento Para Diagnosticar Lecturas)이라고도 하는데 글의 이해력을 검사하는 포괄적인 스페인어판 읽기 능력 평가 도구이다.[33] 스페인어판 TOFHLA와 같이 IDL 검사에 소요되는 시간은 약 20~30분 이상이다. IDL로 측정된 읽기 수준은 다른 영어 전용 읽기 평가 표준 도구에 의한 읽기 수준과 높은 상관성을 가지고 있다(상관계수 분포는 0.65에서 0.70이다). 읽기 수준 평가에 있어서 IDL의 평가자 간 신뢰도는 전체 수준에서 영어판은 평균 0.78이고 스페인어판은 0.67이다.[33]

성인 교육에서 사용되는 평가 도구

다음의 두 가지 문해력 검사를 의학 분야에서 활용한 보고는 없지만 이들 검사는 성인 기초 교육과 문해력 부문에서 보편적으로 사용되고 있고 성인 기초 교육 프로그램의 개별 참가자들의 포괄적 문해력을 평가하는 데 사용되고 있기 때문에 이들에 대한 간략한 설명을 덧붙이도록 하겠다.

성인 기초 교육 평가 7형과 8형

성인 기초 교육 평가(Tests of Adults Basic Education, TABE) 7형과 8형(Forms 7 & 8)[34]은 1994년에 개발되었고 성인 기초 교육 교과과정에 일반적으로 포함되어 있고 기타 교육 프로그램에서 가르치는 기초 기술의 성취도 측정을 위해 고안되었다. TABE는 영어와 스페인어 모두 사용 가능하며 읽기 기초, 수학, 언어 기술을 평가한다. 또한 창의적 사고, 종합적 사고, 분석력과 같은 기능도 평가한다. TABE에는 어휘력, 독해력, 수학적 계산, 수학적 개념 및 적용, 언어 공학, 언어 표현, 철자 등 7개 영역이 있다. 스페인어판(TABE Espanol)은 스페인 사투리를 쓰는 성인들에게 적합하다. 초급(2.6~4.9학년)부터 고급(8.6~12.9학년)까지 단계가 있다. TABE의 읽기 영역 검사는 성인용으로 일상생활 영역과 교육 영역의 읽기 기초 기술을 평가한다.[34]

TABE는 시간제한은 없지만 개별 영역 검사의 경우 1.5시간, 전체 검사의 수행에는 2.75시간이 권장된다. 점수 산정은 수작업으로 하거나 TestMate TABE 소프트웨어(McGraw-Hill/Contemporary, Chicago, Illinois)를 사용하여 계산할 수 있다. 그런데 수작업 점수 산정은 다소 복잡하고 시간이 많이 걸리는 것이 단점이다. TABE는 백분위, 절대 점수, 학년 환산 점수를 산출할 수 있다. TABE 점수와 고등학교 검정고시(general educational development, GED) 점수와의 상관도는 중간수준이었다(0.55~0.64).[34]

성인 기초 학습 평가

성인 기초 학습 평가(Adult Basic Learning Examination, ABLE)[35]는 1986년에 개발되었고 12년의 학교 교육을 마치지 못한 성인의 교육 성취도를 평가하고 이들 성인의 교육 수준 향상을 위한 시도들을 평가하기 위해 고안되었다. ABLE은 여섯 개의 하위 검사 영역(어휘, 독해, 철자, 언어, 수 연산, 수량 문제 해결력)과 1~4학년, 5~8학년, 9~12학년에서 일반적으로 가르치는 기술에 해당하는 세 개의 단계로 구성되어 있다. 두 개의 동일수준의 검사지가 사전 검사와 사후 검사에 사용된다. 간단한 등급 평가 시험(15분)으로 학습자의 기술 수준과 검사 수준을 조정할 수 있다. 읽기 영역의 두 가지 검사지 모두 빈칸 채워 넣기로 독해력을 평가한다.[35]

검사 시간은 3.5시간이 권장 사항이지만 각 검사 영역별로 시간제한은 없다. 점수는 절대 점수, 백분위, 스테나인 점수(S9 공식),[2] 학년 환산 점수로 산출될 수 있다. ABLE는 스탠포드 성취도 검사(Stanford Achievement Test)와 중간 정도를 약간 상회하는 상관관계를 가지고 있으며, 1단계는 0.69 이하, 2단계는 0.68~0.91, 3단계는 0.8이다.[35]

수리 능력

수리 능력은 건강정보이해능력의 필수적인 요소이지만 환자 문해력 중 연구가 많이 미비한 영역이다. 보건의료 정보에 수학적 개념을 적용하는 환자 능력을 탐구한 연구가 몇 가지 있기는 하지만 수리 능력에 대한 표준적 정의나 평가를 사용하지는 않았다. 현재로서는 수리 능력을 평가하는 건강정보이해능력 표준 검사는 TOFHLA가 유일하다.

건강정보이해능력에 관한 문헌 중에는 처방약병의 지시문을 해석하고, 혈당 검사 결과를 이해하고, 예약표를 이해하는 환자 능력을 평가하는 TOFHLA를 사용하여 임상 의료의 수리 능력에 초점을 맞춘 일부 연구가 있다.[29] 역학적 관점에서 건강 위험 인지와 선별검사 혹은 치료를 받을 경우의 편익에 관한 기본적 확률과 수학적 개념을 이해하는 환자 능력을 측정한 연구도 있었다.[36~40] 이 연구들은 대부분 암 관련 연구였고 백분율과 확률에 대한 개인의 기초 지식 정도를 평가하기 위해 해당 연구자들이 개발한 한 개 내지 일곱 개 정도의 문항을 사용하였다. 일부 문항들은 연구 주제에 맞추어 구성되기도 했지만(예를 들면, "귀하가 향후 10년간 유방암으로 죽을 위험도를 1/1000로 추정하고 귀

---

2) stanine: (교육) 9단계 평가법의 한 구분[standard (score) nine](역주).

하의 연령대의 일반 여성들의 위험도보다 높은지, 같은지, 낮은지 표시하시오. 그리고 귀하가 유방암으로 죽을 위험과 신장병으로 죽을 위험을 비교하시오"), 대부분의 연구에서는 슈와츠(Schwartz) 등이 개발한 것과 같은 일반적인 질문들[3]을 사용하였다.[37] 수학적으로 혹은 도표로 자료를 제시하는 여러 가지 방법을 사용하여 질병의 위험 혹은 치료를 받을 경우의 편익에 대한 환자의 이해 정도를 탐구한 수리 능력에 관련된 다른 역학 연구들도 있었다.[40~44]

이상의 연구들에서는 특정 환자의 기능을 평가하기 위해 서로 다른 수리 능력 평가양식을 사용하였다. 연구 결과 수리 능력이 환자들의 보건의료정보 이해에 실질적 장애 요인이라는 점과 수량 자료의 표현 방법이 환자의 이해력에 영향을 미칠 수 있다는 점이 제시되었다. 수리 능력 문항을 음운 인지력 검사 문항이나 독해력 검사 문항에 추가할 경우 환자의 문해력을 좀 더 완전하게 파악할 수 있을지의 여부와 만약 그렇다면 어떤 문항이 가장 적합한지를 파악하기 위해서는 추가적인 연구가 더 필요하다.

문해력 검사의 선정과 수행

활용 가능한 평가 도구들은 많지만 그 중 무엇을 선택하고 선별검사의 필요성 여부 자체를 결정하는 것은 매우 어려운 일일 것이다. 표 10-2에 문해력 검사의 선정과 수행에 고려할 사항들이 제시되어 있다. 연구자들과 의료제공자들은 검사 비용, 검사 수행과 점수 산정을 위한 교육, 대상 인구집단의 연령, 사용 언어, 시력 등을 고려할 때 검사의 적절성 여부 등을 검토해야만 한다.

---

3) (1) "동전을 1000번 던진다고 생각해봅시다. 1,000번 중 앞면이 나올 횟수는 과연 얼마일까요?" (2) "복권에서 10,000원에 당첨될 확률이 1%입니다. 1000명이 각각 1장씩 이 복권을 산다면 몇 명이 10,000원에 당첨될 것입니까?" (3) "상품광고 이벤트에서 1,000명당 1명이 자동차를 경품으로 받는다면 이벤트에서 자동차를 받을 확률은 얼마입니까?"

문해력 검사를 실시할 때는 항상 환자의 입장을 위주로 고려하여야 한다. 대부분의 사람들에게 환자가 된다는 것은 심리적으로 부담이 되며 문해력이 낮은 환자들은 더욱 불안감을 느껴 의료 방문의 서식, 기호, 기타 문서를 읽어야 한다는 사실을 두려워할 수도 있다. 많은 환자들, 특히 문해력이 낮은 환자들에게 시험은 유쾌하지 못한 학창 시절의 경험이었을 것이다. 성인 문해력 교육 등록생들은 보건의료 부문에서의 문해력 검사는 어떤 식으로 제시되든 간에 정신적으로 부담이 되고 부끄러운 경험이기도 했다고 하였다. 환자 대상으로 검사를 수행하고자 하는 연구자들과 의료제공자들은 검사의 비공개 원칙을 분명히 해야 하며, 환자에게 검사의 이론적 배경에 대한 설명을 해 주어야 한다는 점도 고려해야 한다. 다른 중요한 고려 사항은 검사와 관련하여 환자가 가질 수 있는

표 10-2 건강관리 부문 문해력 검사의 선정과 수행 전에 고려할 점

개괄
- 목적
- 가능한 시간
- 배치 검사
- 담당자가 검사 결과를 어떻게 사용할 것인가? 검사 결과가 건강관리 체계 내의 다른 보건 담당자 즉 간호사, 약사, 환자 교육 담당자, 영양사에게도 유용한가?
- 검사 수행과 점수 산정에 필요한 사전 교육
- 비공개

환자 특성
- 연령(검사의 상대가 소아인가, 청소년인가, 노인인구인가?)
- 언어
- 시력
- 청력
- 인지 기능
- 급성 질환의 유무
- 시기성(환자의 질병 상태가 위중한가? 환자에게 최근 좋지 않은 일이 있었던가?)

검사 특성
- 비용
- 타당도 및 신뢰도
- 검사 수행과 점수 산정의 용이성
- 환자의 수락 가능성
- 담당자의 수락 가능성
- 선행 연구 내용

당혹감 혹은 부끄러움에 예의주시해야 한다는 점을 연구 보조원들에게 교육시킬 필요가 있다는 것이다. 만약 환자가 검사에 참여하기를 원하지 않거나 검사 중지를 원한다면 검사 담당자는 검사 수행을 강요해서는 안 된다.

검사 실시를 결정하기 전에 연구자들은 환자들에게 검사 결과에 대하여 무엇을 알려주어야 할지, 검사 결과를 어떻게 관리할지, 결과가 치료에 미치는 영향이 무엇인지 등을 고려해야 한다. 환자에게는 이런 식으로 말하는 것이 좋겠다. "OO 단어를 말씀해 주시겠습니까/OO 질문에 대답해 주시겠습니까? 그렇게 해주신다면 귀하에게 어떤 교육이 가장 유용한지 그리고 귀하에게 어떻게 최상의 도움을 줄 수 있을지 등등을 저희가 파악하는 데 도움이 될 것입니다." 그 내용이 무엇이든지 간에 솔직하고 직설적이어야 한다.

보건의료 부문 문해력 검사의 한계점

보건의료 부문에서 문해력 기술은 간단하고 단순한 검사들로 가장 잘 평가된다. 단순한 검사도구들은 문해력 평가에 실용적인 면은 있지만 한계점을 가지고 있다. 예를 들면, 이러한 검사들은 읽기 혹은 학습 부진의 원인 혹은 유형을 파악할 수 없고, 환자가 어느 정도까지 의료 설명서의 내용을 지킬 능력과 의지가 있는지 여부도 파악할 수 없다. 따라서 건강관리 부문에서 문해력 검사는 문해력 부족을 추적할 목적으로만 사용하고 구체적인 읽기 능력, 학습 능력, 건강정보이해능력의 문제를 진단하기 위해서 사용하지는 못한다.

연구를 위한 문해력 검사의 한계점

문해력 검사의 선정과 수행과 관련된 일반적 고려 사항 중 상당 부분 가령, 검사, 수행 교육, 그리고 점수 산정 등에 필요한 시간과 같은 것이 연구를 위한 문해력 검사의 한계점이 될 수 있다. 게다가 연구자들은 잠재적 교란변수들도 인지하고 있어야 한다. 질병 혹은 투약 부작용으로 인한 인지기능 감퇴,[45] 시력 저하, 본인이나 자녀의 질병으로 인한 의기소침, 울음, 입원 등이 연구 결과에 영향을 끼칠 수 있다. 음운 인지력 검사로 문해력을 평가할 경우 사투리와 발음상의 차이 때문에 점수 산정에 어려움이 발생할 수도 있다. 이러한 요인들이 미치는 영향을 구체적으로 검토하기 위한 연구가 수행된 바는 없지만 연구자들은 연구를 계획하고 연구 결과들을 고찰할 때 이러한 잠재 교란변수들을 인지하고 있어야 한다.

연구를 위한 문해력 검사의 또 다른 한계점은 보건의료 부문에 적합한 문해력 검사는 현재로서는 영어와 스페인어로만 가능하다는 것이다. 미국에는 다양한 인구집단이 있음에도 불구하고 문해력 검사는 연구 대상자들의 제1 혹은 선호 언어일 수도 있고 아닐 수도 있는 이 두 언어로만 가능하다. 영어를 사용하지 않는 인구집단과 스페인어를 사용하지 않는 인구집단의 건강정보이해능력 자료를 얻기 위해서는 모국어로 문해력을 측정할 수 있는 도구를 개발하거나 기존의 영어 도구가 과연 유의미한 결과를 낼 수 있는지를 파악하기 위한 연구가 필요하다.

임상적 활용을 위한 문해력 검사의 한계점

건강정보이해능력의 영향에 대한 인식은 점점 더 증가하고 있지만 임상 부문에서 건강정보이해능력 선별검사가 어느 정도 보급되어 있는지에 대해서는 알려져 있지 않다. 환자의 문해력 기술을 확인하기 전에 먼저 고려해야 할 몇 가지 사항이 있다. 보건의료 부문에서 가장 보편적으로 사용되는 읽기 검사의 개발자들은 진료 혹은 의료 체계에서 환자 집단의 읽기 능력에 대한 개괄적인 정보를 얻으려면 집합적 검사만을 수행해야 할 것이며,[4,11] 환자에게 맞춤형 보건교육 개선책을 제공하는 상황이 아니라면 개별 환자를 대상으로 검사를 하는 것은 지양할 것을 권고한다.[4,9] 또한 이들은 취업, 고용 보장, 사생활 보장에 파장을 미칠 수 있다는 이유로 의료 기록에 읽기 능력 수준을 기록하지 말도록 권고한다. 의료제공자가 환자의 문해력 기술을 검사할 경우 환자의 불안감과 잠재적 당혹함에 예의주시하고 검사결과의 비밀 보장에 대하여 확신을 줄 필

요가 있다.[5,11]

    이미도 더욱 중요한 것은 문해력 검사가 보건의료 서비스의 개선이나 건강 결과의 개선으로 귀결된다는 증거가 없다는 것일 것이다. 개인의 문해력 검사 점수나 읽기 능력 수준 검사는 구두로 전달되거나 건강관리 안내 문서를 제대로 이해하고 따르는 데 힘이 들 수도 있다는 점을 나타낼 뿐이다. 그것은 지식을 획득하고 이해하는 환자 능력을 예측할 수는 있지만 자신의 건강, 건강관리, 그리고 건강 결과 관리를 위한 학습 능력 혹은 학습 의지를 반드시 반영하는 것은 아니다. 더구나 문해력이 부족한 환자에 대한 지원 방안이 마련되지 않는다면 문해력 부족 선별 검사는 의미가 없을 것이다. 한 가지 예비 실험에서 얻은 자료에 의하면 담당하고 있는 당뇨 환자들의 문해력 선별 검사 내용을 의사에게 통보한 결과 의료 방문에 대한 의사 만족도와 당뇨 진료에 대한 환자의 효율성 자가 등급 평가가 낮게 나오는 것으로 나타난다. 분명한 것은 환자들의 문해력 결과를 의사에게 제공하는 것의 영향 및 유효성을 평가하기 위한 추가 연구가 필요하다는 것이다.

결론

많은 연구들을 통하여 양질의 보건의료 서비스 이용과 환자 본인과 가족의 효과적인 건강관리를 위하여 환자의 문해력 기술이 중요하다는 점이 확인되었다. 그러나 보건의료 부문에서 환자의 문해력 기술 평가는 새로운 분야이다. 이 분야의 "첫걸음"으로서 현재 사용되고 있는 조사 도구들은 다수의 환자 집단에서 전체적인 문해력 부족의 규모를 측정 가능하게 했고 보건과 의료서비스 부문에서 문해력 연구가 발전하는 계기가 되었다.

    건강정보이해능력 분야가 점차 발전함에 따라 연구 목적의 문해력 평가에서 임상적 적용을 위한 문해력 평가로 발전해 나아가기 위해서는 점점 더 많은 연구의 필요성이 제기되고 있다. 문해력 부족의 문제가 보건의료 부문에 넓게 퍼져 있다는 점은 이미 인지되어 온 사실이다. 개선책을 개발함에 있어서 문해력 부족 환자를 식별하는 것이 환자와 의료제공자 간의 관계형성과 건강 결과를 개선하는 데 도움이 될 수 있을 것인지 혹은 어떻게 개선할 수 있는지를 파악하기 위해서는 추가 연구가 많이 필요하다.

감사의 말

본 원고를 검토해 준 노스웨스턴 대학의 마이클 울프 박사(Michael Wolf)(PhD)와 슈리브포트 루이지애나 주립대학 보건과학센터(LSUHSC-S)의 의과대학생인 엘리자베스 퀼린(Elizabeth Quillin) 양과 표 10-1의 연구 개발을 위해 애써 준 LSUHSC-S의 연구보조원 스테파니 세이보리(Stephanie Savory)에게 감사를 전합니다.

참고 문헌

1. Ad Hoc Committee on Health Literacy for the Council on Scientific Affairs, American Medical Association. Health literacy: report of the Council on Scientific Affairs. *JAMA*. 1999;281:552-557.
2. Baker DW, Parker RM, Williams MV, Clark S, Nurss J. Functional health literacy, self-reported health status, and use of health services. *Am J Public Health*. 1997;87:1027-1031.
3. Baker DW, Parker RM, Williams MV, Clark WS. Health literacy and the risk of hospital admission. *J Gen Intern Med*. 1998;13:791-798.
4. Davis TC, Williams MV, Marin E, Parker RM, Glass J. Health literacy and cancer communication. *CA Cancer J Clin*. 2002;52:134-149.
5. Doak CC, Doak LG, Root JH. *Teaching Patients with Low-Literacy Skills*, 2nd ed. Philadelphia, Pa: JB Lippincott; 1996.
6. Weiss BD, Blanchard JS, McGee DL, et al. Literacy among Medicaid recipients and its relationship to health care costs. *J Health Care Poor Underserved*. 1994;99-111.
7. Williams MV, Davis TC, Parker RM, WEiss BD. The role of health literacy in patient-physician communication. *Fam Med*. 2002;34:383-389.

8. Schillinger D, Grumbach K, Piette J, et al. Association of health literacy with diabetes outcomes. *JAMA*. 2002;288(4):475-482.

9. Parker RM, Ratzan SC, Lurie N. Health literacy: a policy challenge for advancing high-quality health care. *Health Aff(Millwood)*. 2003, Jul-Aud;22(4):147-153.

10. Davis T, Crouch M, Willis G, Miller S, Adebhou D. The gap between patient reading comprehension and the readability of patient education materials. *J Fam Pract*. 1990;31:533-538.

11. Davis TC, Michielutte R, Askov EN, et al. Practical assessment of adult literacy in healthcare. *Health Educ Behav*. 1998;25:613-624.

12. Bass PF III, Wilson JF, Griffith CH, Barnet DR. Residents' ability to identify patients with poor literacy skills. *Acad. Med,* 2002;77:1039-1041.

13. Davis T, Mayeaux E, Fredrickson S, Bocchini J, Jackson R, Murphy P. Reading ability of parents compared with reading level of pediatric patient education materials. *Pediatrics*. 1994;93:460-468.

14. Jackson RF, Davis TC, Bairnsfather LE, Gault H. Patient reading ability: An overlooked problem in health care. *South Med J*. 1991;84(10):1172-1175.

15. Williams MV, Parker RM, Baker DW, et al. Inadequate functional health literacy among patients at two public hospitals. *JAMA*. 1995;274:1677-1682.

16. Parikh NS, Parker RM, Nurss JR, Baker DW, Williams MV. Shame and health literacy: The unspoken connection. *Patient Educ Counsel*. 1996;27:33-39.

17. Selden CR, Zorn M, Ratzan SC, Parker RM. *Current Bibliographies in Medicine 2000-1: Health Literacy*. Available at www.nlm.nih.gov/pubs/cbm/hliteracy.html. Accessed July 10, 2003.

18. Kirsch I, Jungeblut A, Jenkins L, Kolstad A. *Adult Literacy in America: A First Look at the Results of the National Adult Literacy Survey*. Washington, DC: National Center for Education Statistics, US Department of Education; 1993.

19. Weiss BD. *Health Literacy: A Manual for Clinicians*. Chicago, Ill:AMA Foundation;2003.

20. Gazmararian JA, Baker DW, Williams MV, et al. Health literacy among Medicare enrollees in a managed care organization. *JAMA*. 1999;281:545-551.

21. Markwardt FS. *Peabody Individual Achievement Test-Revised*. Circle Pines, Minn:American Guidance Service;1989.

22. Davis T, Fredrickson D, Arnold C, Murphy P, Herbst M, Bocchini J. A polio immunization pamphlet with increased appeal and simplified language does not improve comprehension to an acceptable level. *Patient Educ*

Counsel. 1998;33:25-27.

23. Wilkinson GS. *Wide Range Achievement Test-Revised 3.* Wilmington, Del:Jastak Associates;1993.

24. Slosson RJL. *Slosson Oral Reading Tests-Revised.* East Aurora, NY: Slosson Educational Publishers;1990.

25. Davis TC, Long SW, Jackson RH, et al. Rapid estimate of adult literacy in medicine: a shortened screening instrument. *Fam Med.* 1993;25:391-395.

26. Bass PF III, Wilson JF, Griffith CH. A shortened instrument for literacy screening. *J Gen Intern Med.* 2003;18:1036-1038.

27. Nath CR, Sylvester ST, Yasek V, Gundel E. Development and validation of a literacy assessment tool for persons with diabetes. *Diabetes Educ.* 2001;27:857-864.

28. Hanson-Divers EC. Developing a medical achievement reading test to evaluate patient literacy skills: a preliminary study. *J Health Care Poor Underserved.* 1997;8:56-69.

29. Parker R, Baker D, Williams M, Nurss J. The test of functional health literacy in adults (TOFHLA): a new instrument for measuring patients' literacy skills. *J Gen Intern Med.* 1995;10:537-545.

30. Baker DW, Williams MW, Parker RM, Gazmararian JA. Development of a brief test to measure functional health literacy. *Patient Educ Counsel.* 1999;38:33-42.

31. Nurss JR, Parker Rm, Williams MV, Baker DW. *Test of Functional Health Literacy in Adults.* Snow Camp, NC: Peppercorn Books & Press;2001.

32. Nurss JR, Baker D, Davis T, Parker R, Williams M. Difficulties in functional health literacy screening in Spanish-speaking adults. *J Reading.* 1995;38:632-637.

33. Blanchard JS, Garcia HS, Carter RM. *Instrumento Para Diagnosticar Lecuras (Espaol-English): Instrument for the diagnosis of reading.* Dubuque, Iowa: Kendall-Hunt; 1989.

34. Rogers BG. Review of the tests of adult basic education, forms 7 & 8. Impara JC, Plake BS, eds. *The Thirteenth Mental Measurements Yearbook.* Lincoln, Neb: Buros Institute of Mental Measurements; 1998.

35. Williams RT. Review of the Adult Basic Learning Examination, 2nd ed. Kramer JJ, Comoley JC, eds. *The Eleventh Mental Measurements Yearbook.* Lincoln, Neb: Buros Institute of Mental Measurements; 1992.

36. Lipkus IM, Samsa G, Rimer BK. General performance on a numeracy scale among highly educated samples. *Med Decis Making.* 2001;21(1):37-44.

37. Schwartz LM, Woloshin S, Black WC, Welch HG. The role of numeracy in understanding the benefit of screening mammography. *Ann Intern Med.*

1997;127(11):966-972.

38. Woloshin S, Schwartz, Black WC, Welch HG. Women's perceptions of breast cancer risk: How you ask matters. *Med Decis Making*. 1999;19(3):211-219.

39. Woloshin S, Schwartz LM, Moncur M, Gabriel S, Tosteson AN. Assessing values for health: numeracy matters. *Med Decis Making*. 2001;21(5):382-390.

40. Weinfurt KP, Castel LD, Li Y, et al. The correlation between patient characteristics and expectations of benefit from Phase I clinical trials. *Cancer*. 2003;98(1):166-175.

41. Adeksward V, Sachs L. The meaning of 6.8: numeracy and normality in health information talks. *Soc Sci Med*. 1996;43(8):1179-1187.

42. Hux JE, Naylor CD. Communicating the benefits of chronic preventive therapy: does the format of efficacy data determine patients' acceptance of treatment? *Med Decis Making*. 1995;15(2):152-157.

43. Mazur DJ, Hickman DH. Patients' and physicians' interpretations of graphic data displays. *Med Decis Making*. 1993;13(1):59-63.

44. Taylor KL, Shelby RA, Schwartz MD, et al. The impact of item order on ratings of cancer risk perception. *Cancer Epidemiol Biomakers Prev*. 2002;11(7):645-649.

45. Baker DW, Gazmararian JA, Sudano J, Patterson M, Parker RM, Williams MV. Health literacy and performance on the Mini-Mental Status Examination. *Aging Ment Health*. 2002;6:22-29.

46. Schillinger D, Piette J, Daher C, Liu H, Bindman AB. Should we be screening for functional health literacy problems among patients with diabetes? *J Gen Intern Med*. 2001;16(s1):172.

건강정보이해능력과 보건의료 서비스 결과의 상관성 개념 틀 - 만성질환의 사례 -

딘 쉴링거(Dean Schillinger)(MD, MPH)
테리 데이비스(Terry Davis)(PhD)

참조: 본 연구는 NCRR(National Center for Research Resources)(K-23 RR16539), 커먼웰스 펀드(Commonwealth Fund), 소로스 오픈 소사이어티 연구소(Soros Open Society Institute)의 일부 보조로 이루어졌으며, 『건강정보이해능력: 혼돈 종식을 위한 처방(Health Literacy: A Prescription to End Confusion)』(Institute of Medicine, Washington DC, 2004)에서 발췌한 것이다.

여기서는 건강정보이해능력 부족이 보건의료 결과에 어떤 영향을 미치는지를 나타내는 개념 틀을 소개하고자 한다. 이 개념 틀은 우선순위의 연구 과제를 제시하고 개입이 필요한 지점을 밝히며 4천만 문해력 부족 미국인과 그보다 훨씬 더 많을 건강정보이해능력 부족 인구의 보건의료 수준에 영향을 미치는 좀 더 포괄적인 사회적 배경에 대한 설명을 제시할 수 있을 것이다.

현재 *건강정보이해능력(health literacy)*이라는 용어의 정확하고 일관된 정의는 없다.[1] 이 때문에 그리고 본 장에서 목표하는 바를 기술하기 위해서는 우선 용어 정의에 관한 논의를 할 필요가 있다. 건강정보이해능력은 (1) 올바른 건강관련 결정을 내리는 데 필요한 기본 건강정보 및 의료서비스를 획득 · 처리 · 이해할 수 있는 개인의 능력 정도,[2] (2) 보건의료 영역에서 필요한 기본적인 읽기 및 계산능력 등 기술들의 집합체,[3] (3) 의학 분야 성인 문해력 속성 평가(REALM, Rapid Estimate of Adult Literacy in Medicine),[4] 성인 기능적 건강 정보이해능력 검사(TOFHLA, Test of Functional Health Literacy in Adults), 그리고 기타 선별검사 도구를 통해 측정된 바와 같은 개인의 건강관련 자료 읽기 능력[6] 등으로 다양하게 정의된다.

위의 세 가지 정의에서 드러나는 점은 문해력과 수리력이 건강정보이해능력의 근간이기는 하지만 "문해력"과 "건강정보이해능력"이 똑같다고는 생각되지 않는다는 것이다. 여기에서는 이 두 가지가 똑같지 않다는 점을 인정하고 건강정보이해능력이라는 용어를 단순하게 사용하고자 한다. 그러나 이 점과 관련하여 중요하게 지적해야 할 점은 본 연구의 참고 문헌 중 상당 부분은 보건의료 상황과 그 외적인 상황 모두에서 개인의 읽기 기술 위주의 평가 결과에 의존하고 있다는 점이다. 이미 1장에서 기술된 것처럼 문해력 기술은 건강정보이해능력의 필요조건이지만 충분조건은 아니다. 건강정보이해능력이라는 용어의 정의가 어떤 식으로 개선되든지 간에 이 분야의 대다수 연구자들에게 분명한 점은 건강정보이해능력 부족으로 인해 발생하는 문제점들은 문해력 기술이 부족한 사람들의 경우에 가장 심각하게 나타날 것이라는 점이다. 게다가 사회는 그 구성원들 간의 문해력 수준 차이가 매우 크다는 사실에도 불구하고 높은 수준의 문해력을 요구하기 때문에 건강정보이해능력을 둘러싼 불평등을 시정하려는 노력은 기초 문해력의 문제를 직접 제기하고/거나 보건의료 조직에서 요구하는 문해력 수준과 환자들의 실제 문해력 사이의 간극을 의미있게 좁힐 수 있는 보건의료 체계의 확립을 중심으로 전개되어야 할 것이다.

건강정보이해능력 부족과 건강 결과와의 관련성에 대한 개념 틀 개발에 있어 만성질환 관리를 예로 선정하였다. 만성질환은 흔한 질환일 뿐만 아니라 주로 노인층과 사회경제적 지위가 낮은 사람들, 즉 건강정보이해능력의 문제점이 월등히 많이 나타나는 인구집단에서 그 발병률이 높다.[7,8] 만성질환을 대상으로 건강정보이해능력 연구가 상당히 많이 이루어졌기 때문에 만성질환 관리는 본 연구의 예비적 결론 도출에 필요한 훌륭한 근거 자료를 제공한다. 게다가 만성질환자들의 자가 관리 필요성이 지속적으로 증가하고 있는 상황에서 만성질환 관리는 보건의료 조직의 요구 수준과 환자나 지역사회가 갖춘 능력 사이의 격차가 증가하고 있음을 예시해 준다. 만성질환 관리에 대한 일개 분석을 통해 보건의료 조직이 점점 복잡해지고 있다는 사실을 알리고 환자가 느끼는 의료 체계상의 문제점을 파악하는 계기로 삼으며 재정비를 위한 개념 틀 개발을 추구하고자 한다.

11장에서는 만성질환 관리 전달 체계의 재구성 모형으로 가장 선호도가 높은 와그너 만성질환 관리 모형(Chronic Care Model of Wagner, 이하 CCM)[9]의 구성 요소를 간단하게 검토하고, 건강정보이해능력 부족과 만성질환 관리와의 연관성을 서술하고, 새로운 개념 틀을 적용하여 CCM에 대한 이해의 폭을 넓히며 건강정보이해능력 관련 불균형 해소의 기회를 부각시키고, 마지막으로 건강정보이해능력이 낮은 환자의 만성질환 관리 향상을 도모하기 위한 방법을 논할 것이다.

만성질환 관리와 만성질환 관리 모형(CCM)

만성질환 관리는 선진국의 환자 및 보건의료 조직이 직면하고 있는 주된 극복 과제이다. 미국 인구의 반 수 정도가 한 개 이상의 만성적 의료 문제를 가지고 있으며, 전체 보건의료 관련 단체 중 3/4 정도가 만성질환 치료에 나서고 있다.[10] 효과적 질병 관리는 환자들과 의료제공자 및 보건의료 조직 사이의 체계적 의사소통에 기초하는 것으로,[11,12] 이것이 가능하기 위해서는 환자의 필요성에 발맞추는 지역사회 자원들의 지원이 있어야 한다.[13] 환자, 의료제공자, 의료 조직, 그리고 건강 결과의 최적화에 필요한 지역사회 간의 상호 협조가 형성되려면 만성질환자의 보건의료 전달체계에 한층 더 복잡한 단계가 추가되어야 한다.

지난 수십 년 동안 만성질환 관리에서 치료 방법의 다양화, 이차적 합병증 예방을 위한 위험요인 중재, 가정 내 모니터링의 유용성, 질병 관리 프로그램의 발달 등에서 엄청난 발전을 이루어 왔다.[14~18] 이러한 발전에도 불구하고 만성질환자의 건강관리 수준은 여전히 낮으며 사회인구학적 계층별로도 차이가 있다.[19-23] 특히, 업무에 쫓기는 의사들이 진료 지침을 지키기란 어려운 일이며, 상호 협력의 부재로 임상진료과 간의 연계 치료가 방해받고, 교육 부족으로 본인의 질병 관리 능력을 제대로 갖추지 못한 환자가 다수이며, 적극적인 추적 조사의 부재로 예방이 가능했을 신체 기능 감퇴가 일어난다.

일부 관리의료 기관들과 통합적 의료전달체계들은 현재의 만성질환 관리의 많은 부족한 점들을 시정하기 위해 노력해 왔다. 만성질환 관리의 재조직 지침 마련을 위해 에드 와그너(Ed Wagner) 박사 등은 만성질환 관리 모형(Chronic Care Model)(그림 11-1)을 개발함으로써 여러 단계의 의료 체계에서의 질병관리의 내용 개선을 위한 기본 요소들을 요약, 정리하였다.[9,24] 자가 관리 지원, 의사결정 지원, 의료전달 체계 고안, 임상정보체계 등의 요소들이 지역사회와 의료 체계에 존재한다. 이 요소들은 조직적이고 전문적인 의료 팀과 교육을 받고 동기 부여된 환자 사이의 생산적 상호작용을 촉진하고 기능적, 임상적으로 향상된 건강 결과를 도출해 낸다. 예를 들면, 지역사회에는 환자의 자가 관리를 촉진하는 하부 구조와 자원이 있을 것이다(예, 예약 진료를 받기 위한 교통수단 제공, 신체 활동을 위한 안전한 여가 활용 공간, 충분한 건강식품 공급, 교육의 기회 및 지방 자치활동 참여). 또한 의료 체계는 의료전달을 조직화하여 환자에게 자가 관리 활동(예, 단체 외래 진료 혹은 기타의 조직적인 기능 습득 활동)을 제공하고 의사결정 지원 활동(예, 상담 및 교육 자료)을 한다. 의료 체계는 의료전달체계를 기획하여 부문 간 협력팀, 계획 진료, 가정 방문 진료 등의 내용을 구축하고 환자 경과 추적 관찰, 치료 강도 분류, 방문 진료 도모, 지속성 유지 등을 위해 질병 등록자료와 같은 임상정보체계를 활용하도록 할 수도 있다.

CCM은 지역사회 중심 진료, 질적 향상을 위한 유능한 지도력과 인센티브 제공, 자가 관리 교육,[11,25] 환자 경과의 추적 관찰, 방문 진료의 확산, 적시의 의료제공자 의사결정 지원체계 등의 중요성을 뒷받침하는 문헌들의 근거를 토대로 추출한 내용을 제시하고 있다.[26] 이렇게 준비된 환자와 의료제공자는 환자 복지 및 조직 효율성을 높이는 좀 더 생산적인 상호작용을 해 낼 수 있다는 것이다.[12] 원칙적으로 이 요소들에 초점을 맞춘다면 본인의 자가 관리에 적극적

그림 11-1 만성질환 관리 향상 모형

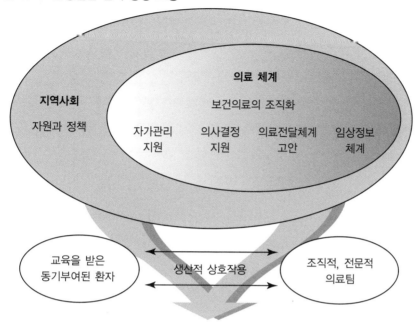

출처: Wagnet EH. Chronic disease management: What will it take to improve care for chronic illness? *Eff Clin Pract.* 1998; 1:2-4.

으로 참여하는 환자와 관련 자원 및 전문가의 지원을 받는 의료제공자 간에 상호작용이 활성화될 것이다. 하지만 CCM이 건강정보이해능력 부족으로 야기되는 문제점에 대한 고려 없이 적용된다면 건강정보이해능력이 낮은 환자가 건강 결과 측면에서의 불이익은 지속될 위험성이 있다.

　보건의료 체계 조직의 발달이 건강정보이해능력이 낮은 사람들에게는 도움이 되지 못하는 것으로 점차 밝혀지고 있다. 만성질환 관리의 경우 자가 관리 활동과 임상 결과는 환자의 건강정보이해능력 수준에 따라 차이가 많기 때문에,[27~29] CCM을 비롯하여 이와 유사한 포괄적인 집단 질병 관리 접근법들은 건강정보이해능력 부족이 만성질환 관리에 어떤 영향을 미치는지를 관찰하고 개입 지점을 분명히 해야 할 것이다. 일개의 소규모 무작위 할당 연구에 따르면 질병 관리 방법이 당뇨병 관리에서 건강정보이해능력과 관련하여 불이익을 줄일 수 있으며 건강정보이해능력이 낮은 사람들과의 맞춤형 의사소통으로 만성

항혈액응고 치료와 당뇨병 치료 결과에 영향을 미친다. 그러나 건강정보이해능력이 낮은 사람들의 만성질환 관리 개선을 위해 특별히 고안된 포괄적 질병 관리체계는 알려진 바가 없다. 이러한 체계 개발은 건강정보이해능력이 낮은 사람들뿐 아니라 모든 만성질환자들에게도 편익을 줄 수 있을 것이다. 그 이유는 건강정보이해능력이 낮은 사람들이 접하는 장벽 중 상당수는 그 정도가 비록 약하기는 하지만 건강정보이해능력을 적절히 갖춘 사람들도 경험하는 것이기 때문이다.

건강정보이해능력 부족이 만성질환 관리 결과에 미치는 영향

건강정보이해능력 부족이 사회경제적 수준 따위의 여러 건강 결정인자의 지표인지 아니면 인과론적으로 불량한 건강 상태에 이르게 하는지에 대해서는 현재 논의가 진행 중이다. 개발도상국에서 문해력 수준의 향상이 영아 사망률과 국민 건강 상태의 획기적인 개선을 가지고 올 수 있다고 밝혀지기는 하였지만,[34,35] 미국처럼 소위 선진국에서도 동일하게 적용될지는 미지수다. 여기에서 제시된 개념 틀은 인과론적인 모형이라기보다는 "생태적 모형" 즉 건강정보이해능력을 중심으로 해서 건강관리 수준에 영향을 미칠 가능성이 있는 여러 요인들이 복잡하게 얽혀 있는 모형으로 해석해야 할 것이다.

과학과 경제의 발달로 환자의 전문성 및 자가 관리의 필요성은 더욱 커진 반면 환자 및 환자 가족 교육을 위한 보건의료 체계의 대비 능력은 미비할 따름이고 체계 재구성의 필요성에도 불구하고 여전히 현실을 직시하지 못하고 있다.[36] 이러한 점들 때문에 평등한 접근법에도 불구하고 불평등한 건강 결과를 야기하는 것으로 보인다.[37] 이러한 역학 구조는 보건의료 부문에만 국한된 것은 아니고 다른 기능적 영역에서도 일반적으로 나타나는 것으로 성인 문해력 전문가들에 의해서 이미 규정된 바가 있다.[38] 미국에서 문해력이 낮은 내국인이 상당수에 이른다는 인식이 확산되고 있음에도 불구하고 문해력은 여전히 사회의 본질적인 가치이며, 사회가 시민에게 부과하는 "의무"로 여겨지고 있다. 자가 관리, 자기 주장, 지속적 모니터링, 쌍방향 의사소통의 집합체로서의 만성질환 관리에 관한 다수의 연구 결과, 건강정보이해능력은 실제적으로 원인-결과의 양상을 보이는 것으로 나타난다.

　　건강정보이해능력 부족은 의료제공자와 환자 간, 의료 체계와 환자 간 그리고 지역사회 차원에서의 만성질환 관리에 영향을 미칠 수 있다. 문해력 부족은 낮은 건강 수준,[39] 의료 서비스 이용 증가,[40,41] 불량한 임상 결과 등과 독립적인 연관성이 있음을 입증하는 연구 자료가 많아지고 있다.[28,29] 그림 11-2에 제시된 만성질환 관리 향상을 위한 개념 틀은 건강정보이해능력과 관련 연구에 기초한 것이다. 이 개념 틀에서 묘사된 바와 같이 의료제공자-환자 간의 의사소통, 지역사회 요인, 가정 내 모니터링, 임상적 지원 등의 강화로 임상 결과 향상과 더 나은 삶의 질을 보장할 수 있다. 그러나 우선 극복해야 할 건강정보이해능력의 장애 요인들이 있는데, 이에 대해서는 다음과 같이 정리해 볼 수 있다.

진료실의 의사-환자 의사소통 측면의 장애 요인

만성질환 관리의 대부분은 진료실 방문을 통해 이루어진다. 진료 중 만성질환에 대한 의사소통을 방해하는 요인으로는 상대적으로 적은 진료 횟수 및 시간, 언어 장벽과 건강정보이해능력 부족, 의료제공자와 환자 간의 관심 주제 및 의사소통 방식의 차이, 환자와 의료제공자 간의 신뢰 부족, 우선시되거나 혹은 대치되는 임상적 문제, 해당 질병에 대한 적시의 진료 부재, 증상 및 건강 상태 변화에 대한 다양한 환자 보고 방식 등을 들 수 있다. 최근 한 연구에서는 미국 환자 3명 중 1명은 중요한 질문에 대답을 듣지 못한 채 진료실을 나서고, 5명 중 2명은 너무 어렵거나 동의하지 않는다는 이유로 의사의 권고 사항을 따르지 않으며, 3명 중 2명은 의사들이 치료 혹은 관리에 대한 환자의 생각이나 견해를 물어보지 않았다고 응답한 것으로 나타난다.[42]

　　건강정보이해능력이 낮은 만성질환자들은 간혹 자가 관리 표준 교육을 받았음에도 불구하고 자신의 건강 상태와 관리에 대해 잘 모르는 것으로 나타났다.[27,43] 건강정보이해능력이 낮은 환자들은 약물 복용을 정확히 보고하고 처방

약이 어떤 증상을 치료하기 위한 것인지 설명하는 데 더 많은 어려움을 겪으며,[31,44,45] 의료제공자와 갈등의 소지가 있는 설명 모형을 더 많이 가지고 있다.[46] 당뇨병 환자를 대상으로 한 최근 한 연구에서 건강정보이해능력이 낮은 환자들은 의사와의 구두 의사소통에서도 어려움을 겪는 것으로 나타났다.[33] 환자들은 의사결정 및 임상적 대화의 설명적, 기술적 영역 모두에서 특별히 어려움을 겪는다. 진료 상황에서 임상 의사들이 전문용어를 빈번하게 사용하는 것이 건강정보이해능력이 낮은 환자들에게는 특별히 문제가 될 수 있다(표 11-1). 이러한 의료용어는 기술적 전문용어[임상적 상황에서만 유의한 단어들. 예, 혈당계(glucometer)], 수량 전문용어[정확한 해석을 위해서는 임상적 판단이 필요한 단어들. 예, 과도한 천명음(excess wheezing)], 일반적 전문용어[임상적 의미와 일반적인 의미, 두 가지 의미를 가지는 단어들. 예, 귀하의 체중은 안정적/더 불거나 줄지 않는 상태(stable)입니다].

임상 의사들은 자신들이 정보를 제공하는 과정과 환자들이 그 정보를 기억하고, 이해하고, 행동에 옮기는 과정에 불일치가 있다는 점을 깨닫지 못하는 경우가 간혹 있다.[47~49] 문해력이 낮은 환자들은 외래 진료 때 문진표 작성이나 진료를 받을 때 혹은 의료제공자와의 전화 통화를 할 때 메모를 하는 데 필요한 기술을 갖추지 못한 경우가 있다. 건강정보이해능력이 낮은 환자들은 의료제공자에게 질문을 하거나 이의를 제기하고[50,51] 잘 모르겠다고 말할 가능성이 낮으며 수동적이거나 무관심한 태도로 상호작용에 대처해 버리기 때문에 공급자들은 이 사실을 알아차리지 못하기도 한다.[52,53] 결론적으로 임상 의사들은 환자의 정보 욕구를 잘못 판단하고[54] 건강정보이해능력이 낮은 환자들에게 특히 유용할 수 있는 쌍방향 교육 방법을 잘 사용하지 않는 경향이 있다.[32]

가정 내 모니터링과 임상적 지원 측면의 장애 요인

만성질환 관리는 환자의 건강 상태 변화를 측정하기 위한 환자 평가, 치료 계획의 조정, 재평가 등으로 이루어지는 일련의 연속 과정이다. 환자의 건강 상태, 증상, 자가 치료에 대한 시의적절하고 믿을 만한 정보가 없다면, 필수 보건 교

표 11-1 건강정보이해능력이 낮은 당뇨병 환자 대상 의사의 전문용어 사용에 대한 일개 진행 중 연구 결과*

사례 1: 비전문가적 전문용어	사례 2: 기술적 전문용어		사례 3: 수량적 전문용어	
제중이 안정적이다	투석	넓은 범위	넓은 범위	
의사: "몇 달 전 이후로 제중이 안정적입니다."	의사: "우리나라에서 사람들이 투석을 받게 되는 제일 큰 원인이 무엇인지 아십니까? 당뇨병입니다."	의사: 넓은 범위가 무슨 말인지 평소 귀하가 사용하는 말로 판단할 때 의사 귀하가 사용하는 말로 설명을 해 주시겠습니까?	의사: 환자분이 혈당치는 엄마로 유지되고 있었습니까?.....그 범위가 꽤 넓군요."	의사: 환자분이 혈당치는 엄마로 유지되고 있었습니까?.....그 범위가 꽤 넓군요."
제중이 안정적이란 말이 무슨 말인지 평소 귀하가 사용하는 말로 가 무엇을 말하려고 한다고 생각하십니까?	투석이 무슨 말인지 평소 귀하가 사용하는 말로 설명을 해 주시겠습니까?		넓은 범위가 무슨 말인지 평소 귀하가 사용하는 말로 설명을 해 주시겠습니까?	평소 귀하가 무슨 말인지 평소 귀하가 사용하는 말로 설명을 해 주시겠습니까?
"모르겠습니다."	"매일 무엇인가를 혹 인하는 것"	"혈당치가 너무 높다."	"모르겠습니다."	"수치가 높다는 의미이다."
"설명을 못하겠습니다."	"무엇? 그것이 당신 발가락에 관한 것이요?"	"잘 모르겠다."	"모르겠습니다."	"내 혈액 검사 결과가 괜찮다, 혈압도 괜찮다. 높지 않고, 낮다."
"내 몸이 안정적 제중 이라는 것-안정적이란 제중이 줄다가 늘다가 또 늘다가도 준다는 말이죠."	"당뇨병이 악화되고 있고 당뇨병 관리를 위해 운동을 해야 한다는 의미이다."	"당뇨병 환자들이 좀 가라고 있다."	"넓은 범위란 무엇인가 잘못되었다는 의미일 수 있다. 혈액, 심장, 간, 콩팥에 서."	"혈당치가 조절되지 않고 있으며, 너무 높을 수 있다."

Babel babble: physicians' use of jargon with diabetes patients. Castro et al. Journal of General Internal Medicine. 2004;19(suppl):124-125.에서 발췌.

* 환자들에게 전문용어를 정의하도록 주문하고, 그 다음 진료 상황에 발췌 자료를 제공한 후 전문용어가 사용된 문단에 대한 해석을 요청하였다.

육, 치료 혹은 생활양식 교정 등이 때를 놓치거나 혹은 전혀 이루어지지 않아 환자의 건강 상태를 악화시키고 좋지 않은 치료 결과를 낳을 확률이 높아진다.

환자들이 자신의 질병 관리를 효과적으로 하기 위해서는 의료제공자로부터 받은 자가 치료 요령을 기억하고, 증상 혹은 자가 관찰 결과를 정확하게 해석할 수 있어야 하며, 치료 처방을 필요에 따라 조절하고, 필요할 경우 의료제공자와 접촉할 시기 및 방법을 판단해야 한다. 환자들은 의사에게서 들은 이야기의 반 정도만 기억하고 이해하며, 정보를 많이 들을수록 기억해 낼 수 있는 양도 줄어든다는 점이 많은 연구를 통해 입증되었다.[59] 건강정보이해능력이 낮은 환자들의 이해력과 기억력은 더욱 낮을 것이다. 게다가 그들은 관련 지식이 부족하고[27,43] 설명서를 읽거나 해석하는 데 어려움이 있기 때문에[27,58] 집에서는 그 간극을 극복할 만한 능력이 더욱 부족하다고 할 수 있다. 당뇨병 환자 대상의 단면 연구 결과들을 보면 종래의 자가 관리 교육이 만성질환의 치료 결과에 있어서 건강정보이해능력과 관련된 불평등 문제를 해소하지 못한다는 점을 알 수 있다.[27,29,43]

안타깝게도 환자의 가정 내 방문 진료 혹은 지원 등의 치료 관리를 제공하는 임상 처치는 소수에 불과하다.[60] 게다가 가정 중심의 질병 맞춤형 교육, 모니터링, 임상 지원 등은 웹 혹은 전자 건강 매체를 통한 환자와 의료제공자의 상호작용에 의존하는 추세이다.[61] 이들 매체들은 웹 사이트 접속,[62] 웹 사이트 문서 읽기,[63,64] 웹 사이트 검색[61,65,66] 등에 어려움이 있는 건강정보이해능력 부족 환자들에게는 극복 불가능한 장애 요인일 것이다. 단순히 문자 매체로 된 질병 맞춤형 교육 자료를 시각 자료(예, CD-ROM)로 바꾼다면 만족도는 높일 수 있더라도 건강정보이해능력이 낮은 환자들의 이해수준을 높이지는 못할 것이다. 건강정보이해능력이 낮은 환자들로 구성된 포커스 그룹은 "의료 체계 헤쳐 나가기(health system navigation)" 즉, 어떤 문제에 대해서 누구에게, 어떤 목적으로, 언제 원조를 요청하는지를 아는 것을 만성질환 관리에 있어서 특히 위압적인 측면이라고 하였다.

지역사회 및 주변 환경적 장애 요인

미국 성인 분해력 조사(National Adult Literacy Survey, NALS)의 결과 자료[68]에 의하면 지역별 문해력 차이는 사회경제적 수준, 이민 상태, 나이, 인종과 민족 등의 지역사회의 유형과 비례한다는 점을 보여주고 있다. 보건의료 부문의 연구에서는 사회경제적으로 취약한 사람들이 주로 이용하는 공공 병원과 지역사회 1차 의료기관 그리고 노인 및 저소득층이 주로 이용하는 메디케어(Medicare)와 메디케이드(Medicaid) 관리의료 기관과 같은 민간 의료 조직들에서는 건강정보이해능력이 낮은 환자들의 비율이 높은 것으로 나타난다.[69] 미국 내 문해력 편차는 교육 기회와 수준에 있어서의 불평등 문제를 반영하는 것으로, 이것은 교육기회가 많지 않은 이민자들뿐만 아니라 고령의 취약 인구에게도 가장 심각한 문제이다. 하지만 문해력 기술이 부족한 사람들 다수는 백인 저소득층이라는 점을 주목해야 한다.

지역사회 요인들이 건강정보이해능력이 낮은 환자들을 위한 질병 관리 노력에 미치는 긍정적 혹은 부정적 영향에 대한 연구는 거의 이루어진 바가 없다. 건강정보이해능력이 부족한 사람의 비율이 높은 지역사회의 경우 해당 지역사회의 보건 및 건강관리 필요성에 대한 주장이나 정치력이 약할 것이다.[1] 의료 혜택이 열악한 지역 주민들은 통상적인 보건의료 서비스를 받는데도 큰 어려움을 겪는데, 이것은 만성질환에 있어서 예방 가능하였던 입원을 하는 경우와 관련성이 있는 것으로 나타났다.[70] 건강 증진 상품과 서비스 활용, 성인 기초 교육의 기회 제공, 자연 환경 및 여가 활용 공간의 질적 수준, 직장에서의 위험 등과 같은 지역사회의 여러 환경적 요인들이 각각 건강정보이해능력 부족에 기여하여 불량한 건강수준을 초래할 수 있다. 게다가 최근의 연구들에서는 보건의료 체계 내에 인종별, 민족별 신뢰 수준의 차이가 있기 때문에 지역사회와 보건의료 체계 조직 간의 상호작용 방식에 영향을 줄 수 있는 것으로 나타난다.[37] 결론적으로 지역사회 차원에서 이루어지는 건강 증진 메시지와 활동의 주안점은 건강정보이해능력이 낮은 사람들의 요구와 부합되지 않는다.[1]

그림 11-2 만성질환 관리 향상: 건강정보이해능력 및 관련 연구에 근거한 틀

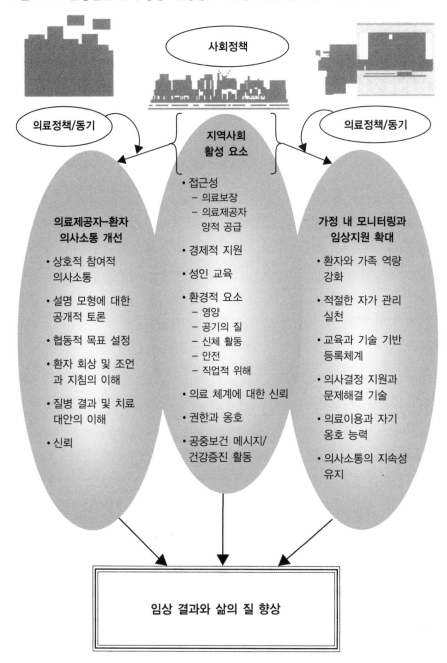

사회정책

의료정책/동기

지역사회
활성 요소

의료정책/동기

**의료제공자-환자
의사소통 개선**

• 상호적 참여적
  의사소통

• 설명 모형에 대한
  공개적 토론

• 협동적 목표 설정

• 환자 회상 및 조언
  과 지침의 이해

• 질병 결과 및 치료
  대안의 이해

• 신뢰

• 접근성
  – 의료보장
  – 의료제공자
    양적 공급

• 경제적 지원

• 성인 교육

• 환경적 요소
  – 영양
  – 공기의 질
  – 신체 활동
  – 안전
  – 직업적 위해

• 의료 체계에 대한 신뢰

• 권한과 옹호

• 공중보건 메시지/
  건강증진 활동

**가정 내 모니터링과
임상지원 확대**

• 환자와 가족 역량
  강화

• 적절한 자가 관리
  실천

• 교육과 기술 기반
  등록체계

• 의사결정 지원과
  문제해결 기술

• 의료이용과 자기
  옹호 능력

• 의사소통의 지속성
  유지

임상 결과와 삶의 질 향상

건강정보이해능력 부족 환자들을 위한 만성질환 관리 모형(CCM) 구축

CCM의 기본 가정 중 한 가지는 보건의료의 재조직으로 교육받은 환자와 전문 관리 팀 사이에 더욱 생산적인 상호작용을 이끌어 낼 수 있으며, 궁극적으로 더 나은 치료 결과를 얻어낼 수 있으리라는 것이다(그림 11-1). 이 가정이 건강 정보이해능력이 낮은 사람들에게도 적용되기 위해서는 앞에서 기술된 개별 부문 간 의사소통(그림 11-2)이 잘 이루어져야 한다.

선행 연구에서 환자들이 원하는 것은 건강 문제의 본질, 구체적으로 환자가 해야 할 일, 관심을 가져야 하는 이유, 기대되는 결과 등에 초점을 맞춘 실제적 이고 간략한 정보인 것으로 나타난다.[48,71,72] 보건 전문가들이 주로 사용하는 의사소통 방법들은 건강정보이해능력이 낮은 환자들에게는 아주 미흡한 효과 만 있을 뿐이다. 현재 임상 의사들은 환자의 학습을 최대화할 수 있는 학습 방 법을 알 수 있는 방도도 없고 임상적 의사소통의 편익을 최대로 누리지 못하는 환자들을 좀 더 효과적으로 참여시킬 수 있는 통로도 없다.

만성질환 관리 의사소통과 관련하여 몇 가지 원칙을 성인 교육학에서 얻어 낼 수 있다. 보건교육 메시지, 자료, 프로그램 개발에 환자들의 능동적인 참여 가 있어야 한다.[76~78] 이러한 참여로 교육의 현실성, 적합한 수준, 문화 존중, 환 자의 권리 보장을 담보할 수 있다. 또한 성인 학습 이론에 따르면 의료제공자 와 환자의 교육에의 공동 참여는 문제 해결 중심의 탐구 학습으로 이루어져야 한다. 환자 교육은 환자들의 삶과 상태를 고려하여 문제 해결력을 향상시키도 록 고안되어야 한다.[80] 이러한 교육학적인 접근으로 환자 스스로 목표를 설정 함으로써 성공적인 만성질환 관리에 중요한 중간 목표를 도출해 낼 수 있 다.[81,82] 집단 진료는 상태가 같은 여러 환자들이 정기적으로 의료제공자와 면 담하는 혁신적인 방안으로 앞서 언급된 원칙들이 적용될 수 있는 잠재적 대안 이 된다. 당뇨병 환자들을 대상으로 한 소규모 시도에서 성인 교육 전문가와 협력하였을 경우 이러한 집단 진료의 치료 결과는 엄청나게 향상되는 것으로 나타났다.[83,84]

만성질환 교육, 모니터링, 임상적 지원이 전자 의료 및 기타 원격 의료 형태로 진료실 밖에서 이루어짐에 따라 건강정보이해 능력이 낮은 환자들을 뒤처지지 않도록 하는 일이 중요하게 되었다.[61,63,85] 건강정보이해능력이 낮은 사람들도 개입의 기획과 검사의 전 단계에 참여시켜야 한다. 이러한 참여적 개발 방법[86,87]으로 개입의 시작 단계에서부터 참여가 가능해지고, 예비 검사의 여러 중간 단계에서 피드백의 기회가 생기며, 평가 단계에서 신뢰와 참여를 유도해 낼 수 있다. 한 예로, 최근 필자들은 샌프란시스코 종합병원(San Francisco General Hospital)에서 문해력이 낮은 환자들을 위한 자동화 전화 당뇨병 관리 시스템 개발에 관해 연구하고 있다. 전화를 활용한 개입 방안은 일면 환자들의 생각이었다. 성인 학습자와 건강정보이해능력이 낮은 환자들의 적극적 참여로 이 프로그램의 많은 부분이 대폭 수정되었다. 환자들은 우리 연구자들이 경청하고 있으며 그들의 복지에 관심을 가지고 있다는 점을 확인하고 싶어했다. 환자들은 지시보다는 자세한 설명을 선호하였고, 관리 메시지의 전달 속도를 늦추어 줄 것과 전문용어 사용을 자제할 것을 제안하였다. 최근 우리는 당뇨병 관련 치료 결과에 이 시스템이 미치는 효과를 평가하는 중이다.

보건의료 체계들이 질병 등록을 기획하고 이를 기반으로 관리를 수행함에 따라 다음과 같은 사항들을 개발, 고려해야 할 필요성이 제기된다. 환자의 학습 기호와 능력을 측정하여 다양한 분야의 의료제공자들이 팀을 이루어 지속적으로 의사소통을 할 수 있도록 할 것, 자가 점검표에 완전히 학습된 주요 자가 관리 기술을 기재하도록 하여 단순한 임상적 결과만이 아닌 자가 관리 기술을 바탕으로 하는 실천 내용을 단계화할 것, 그리고 환자의 지역사회에서 환자 치료를 지원해 줄 수 있는 관련 단체들의 목록을 작성할 것 등이다. 일개 소규모 무작위 할당 시험에 의하면 이러한 형태의 질병 관리 전략들로 당뇨병 관리에서 건강정보이해능력 관련 불평등을 감소시킬 수 있고,[30] 건강정보이해능력이 낮은 사람들에게 맞춤형 의사소통을 제공함으로써 질병 예방 노력,[76,86] 만성 항응고치료,[31] 당뇨병 관리[32,33] 등의 결과에 영향을 미칠 수 있을 것으로 나타난다.

모든 만성질환자들에게 신기술, 특히 인터넷 관련 개입 방안의 편익을 제공하기 위해서는 문해력이 낮은 환자들을 위한 프로그램 기획의 최선의 방법에 대한 연구가 진행되어야 한다.[61] 이들 연구에는 또한 컴퓨터 과학, 의료커뮤니케이션, 교육학, 경제학, 유통, 사회학, 도서정보학 등의 학제 간의 전문적 협력이 필요할 것이다. 또한 소비자 지향적인 마케팅팀이 확산되고 혁신이 일어나는 상황에서 건강정보이해능력이 낮은 환자들에게 이러한 전략이 가지는 효과에 각별히 관심을 가지고 비판 의식을 각성시켜야 한다.

보건의료 전달체계를 재구축하고 환자들의 자가 관리 지원을 개선하기 위해서는 건강정보이해능력이 낮은 환자들이 이용과 관련하여 표명한 요구사항들을 잘 파악해야 할 것이다. 환자의 보건의료 이용을 용이하게 할 수 있는 요소들을 더 잘 이해하고 이를 바탕으로 환자의 의료 이용 및 자기주장 능력을 고양시키며 복잡한 의료 조직에서 자신이 원하는 바를 얻을 수 있도록 환자들을 준비시켜야 한다. 이것은 건강정보이해능력이 낮은 환자들과의 협력으로 보건의료 조직의 문턱이 높아진 원인을 규명하고 이것을 낮출 수 있는 해결책을 고안해야 할 것이다. 단절적인 보건의료 서비스로 인해 의사소통 및 자가 치료에 부정적인 영향을 미치고[88] 특히 건강정보이해능력이 낮은 환자들에게는 그 영향이 더 클 것이다. 사생활 보호 관련 법안 등 보건의료 제공에 있어 최근에 제기되는 문제들은 안전하고 효과적인 질병 관리 계획 실행을 위해 친지의 도움을 얻을 수 없게 되기 때문에 건강정보이해능력이 낮은 환자들과 이들의 의료제공자들에게 의도하지 않은 부담이 가중될 수 있다.

건강정보이해능력 부족의 장애를 줄일 수 있는 중요한 요소 한 가지는 의료제공자에게 있다. 지금까지 건강정보이해능력 부족 환자의 관리 개선에 일반적으로 거론되는 방법은 환자의 건강정보이해능력을 평가한 다음 이 정보를 치료 담당의사에게 제공하는 것이었다. 환자의 건강정보이해능력을 사전 점검하고 결과를 제시하는 피드백의 효과에 대한 시범적 사전 연구에서는 이러한 피드백으로 의사들이 의사소통 추천 전략을 더 많이 사용하기는 하였지만 의사의 사기와 만족감은 떨어지는 것으로 나타났다.[89] 이 연구에서 제시하는 내용은 앞으로 주안점을 둘 곳은 건강정보이해능력이 낮은 환자를 찾아내는 것이라기보다는 환자 평가와 참여에 관한 임상의사의 역량 강화라는 점이다. 모든 의료 전문가들을 대상으로 임상의사의 자기 존중감,[90] 상호 학습, 협동심 형성, 공동의 목표 설정, 만성질환자의 행동 변화 등을 촉진하기 위한 의사소통 전략에 초점을 맞춘 교육 프로그램이 필수적이라고 할 수 있다.[9,91] 이러한 교육 프로그램은 학습자이면서 교육자이기도 한 비전문적 보건 교육자들을 비롯하여 다양한 분야의 보건의료 팀 구성원 모두가 참여할 수 있도록 확대되어야 한다. 교육 프로그램은 임상 연구에서 소외되었던 건강정보이해능력이 낮은 환자들을 포함시키는 새로운 의료커뮤니케이션 연구로 보완되어야 한다.

지역사회는 신뢰를 돈독히 하는 관계 개발, 지역사회의 요구 사항을 수렴할 수 있는 자원 제공, 의료전달체계와 지역사회 자원 간의 강한 유대 관계 창출, 마지막으로 지역사회의 요구를 효과적으로 주장할 수 있는 구성원 양성에 노력을 집중해야 한다.[92] 건강과 건강관리 문제들을 다룰 수 있게끔 성인 기초 교육을 장려하고 교육 과정 확대가 이루어져야 한다. 공중 보건 및 건강 증진 메시지들은 대상 인구의 건강정보이해능력 기술을 고려하여야 하고, 초기 단계부터 대상자들을 포함시켜야 하며, 적합한 메시지 전달 경로를 사용하여야 한다.[93]

측정 과정

건강정보이해능력이 낮은 환자들을 위한 만성질환 관리 제공 과정을 개선시키기 위해서는 건강정보이해능력 관련 실천내용을 파악하는 관리의 질적 수준에 대한 측정 방안이 고안되어야 한다. 만약 질적 향상에 따른 인센티브가 주어진다면 관리 수준의 측정 방법 개발로 관리 표준을 마련하고 치료 처치를 향상시킬 수 있을 것이다. 가장 어려운 점은 건강정보이해능력이 낮은 환자들의 건강 관리 수준 향상에 대한 대가로 일개 "돈벌이 수단"이 있다는 생각을 불식시키면서도 새로운 인센티브를 확립하는 것이다.

건강정보이해능력이 낮은 환자들의 요구를 의료제공체계가 어느 정도까지 충족시키고 있는지 측정하는 방법이 몇 가지 있다. 의료의 질에 있어서 인종적,

민족적 불평등 문제를 줄이기 위한 법안 마련에 참여하고 있는 정책입안자들과 임상의사들이 주창하는 한 가지 간접 접근법은 메디케이드 HEDIS(Health Plan Employer Data and Information Set) 지표(현재로서는 건강정보이해능력 관련 지표는 전혀 포함되어 있지 않음)와 같은 기존의 질적 수준 측정법을 사용하여 인종·민족에 따라 혹은 본 연구의 경우라면 건강정보이해능력 수준에 따라 의료 체계의 성과를 단계별로 구분하는 것이다. 이러한 접근법이라면 문해력이 부족한 사람들과 문해력을 갖춘 사람들 간의 과정 혹은 결과 평가의 비교가 가능해진다. 전반적인 성과가 개선되고 건강정보이해능력에 따른 편차가 시간이 경과함에 따라 줄어든다면 보건의료 체계는 발전을 이룬 것으로 생각할 수 있을 것이다. 이 방법에 있어 어려운 점은 건강정보이해능력 측정의 복잡성이다(10장 참조). 현재의 도구들은 보건의료 부문에서의 문해력을 평가하며 당사자가 직접 검사를 받아야 하고 3~7분 정도 소요된다.[6,96] 교육 수준은 건강정보이해능력의 유용한 선행지표가 될 수 없는데 교육과 건강정보이해능력 사이의 상관성은 중등도 정도에 불과하기 때문이다. 또한 교육과 건강정보이해능력의 다른 인구학적 특성(민족성, 연령, 모국어) 사이에는 상호 작용이 존재한다.[97] 그렇지만, 최근의 일개 연구에서는 영어 모국어 사용자를 대상으로 해서 8개 문항으로 이루어진 의료 용어 발음 검사가 건강정보이해능력을 적절하게 평가할 수 있는 것으로 나타났다.[98] 건강정보이해능력과 관련한 보건의료 서비스의 질 평가로 건강정보이해능력 관련 불평등 문제를 감소시키고자 하는 정책은 좀 더 신속하고 신뢰성 있는 건강정보이해능력 평가 방법이 개발되고 그 타당성을 인정받는 경우에만 성공할 수 있다.

두 번째 방법은 질병 고유의 측면은 줄이더라도 만성질환 전반에 걸쳐서 건강정보이해능력이 낮은 환자들에 특별한 관련성을 가지는 새로운 질 평가 방법을 개발하는 것이다. 한 가지 평가 방법이 관리의료 조직을 관장하는 NCQA(National Center for Quality Assurance)에 의해 개발되어 환자의 의료서비스 거절 양식이라는 특수 양식의 가독성을 평가하는 데 사용되고 있다.[99] 그 중요성이 주장되기는 하지만 서류의 가독성 측정에 의한 질 평가 방법은 분명히 그 범위가 매우 협소하며 환자 경험에 대한 좀 더 포괄적 측면을 담아내지는 못하고 있다. 의료제공자와의 의사소통 경험에 대한 환자의 자가 보고,[33] 환자와 의료제공자 간의 투약 처방 보고의 불일치 정도,[31] 만성질환의 가정 내 모니터링 및 지원 가능 정도,[12,100] 환자가 이용 가능한 학습 방법 및 매체의 다양성, 의료 체계 이용의 용이성, 의료 체계의 가족 및 지역사회 지향성 정도[101]에 대한 평가가 다른 대안적 방법이 될 수 있다. 실질적인 발전이 있기 위해서는 건강정보이해능력에 관련된 실천을 평가하기 위한 적절한 질적 지표들을 개발하기 위한 연구들이 수행되어야 한다.

결론

건강정보이해능력 부족은 사회 전반, 사회의 뿌리 깊은 기회 불균등, 그리고 신기술의 전망에 짙은 그림자를 드리우는 난제이다. 그럼에도 불구하고 건강정보이해능력 부족의 문제는 보건의료제공자들이 그 문제를 인식하지 못하고 대처 방법을 제대로 교육받지 않는 정도에까지 이른 것으로 보인다. 또한 현재의 보건의료 체계 모형은 상기의 시도들을 성공적으로 이끌기 위한 사전 준비 작업 및 지원을 제공하지 않는 상황에서 환자 측에 치료 관리의 의무를 떠넘기고 있다. 현대의 만성질환 관리에는 환자의 능동적 역할, 임상의사와 환자의 협조 체제, 성공적인 결과를 장려하는 의료 체계가 필요하다. 이들 목적 달성은 의료 요구가 매우 큰 환자들의 경우에 가장 어려운 일이기도 하다. 이들 환자들은 만성질환 정보를 이해하고 독립적으로 행동하는 능력을 거의 가지고 있지 못하며 현재의 보건의료 체계의 이용에 불이익을 당하는 경우가 간혹 있다.

건강정보이해능력에 관련된 문제점들이 의료 이용 및 자기주장에 있어서 장애의 지표일 뿐 아니라 성공적인 의료커뮤니케이션의 장애물로 간주된다면 이것은 분명 만성질환 관리에서 해결해야 할 문제점들과도 불가피하게 관련되어 있다. CCM과 점차 복잡해지고 있는 만성질환 관리 프로그램이 건강정보이해능력이 낮은 환자들에게 편익을 줄 수 있기 위해서는 이런 환자들의 참여를 기획하고 실행해야 한다. 또한 건강정보이해능력이 낮은 환자 전체를 대상으

로 확대되어야 한다. 환자와 의료제공자, 그리고 의료 체계 간의 유의미한 상
호 협조적인 의사소통을 촉진함으로써 이러한 재조직화가 모든 환자들에게 편
익을 줄 수 있을 것 이다.

참고 문헌

1. Nutbeam D. Health literacy as a public health goal : a challenge for
   contemporary health education and communication strategies into the 21st
   century. *Health Promot Int.* 2000;15:259-267.

2. Us Department of Health and Human Services. Health Communication
   (Chapter 11). *Healthy People 2010. 2nd ed. Understanding and Improving
   Health and Objectives for Improving Health.* 2vols. Washington, DC: US
   Government Printing office, November 2000.

3. Ad Hoc Communication on Health Literacy for the Council on Scientific
   Affairs, American Medical Association. Health literacy: report of the council
   on Scientific Affairs. *JAMA.* 1999;281:552-557

4. Davis TC, Crouch MA, Long SW, et al. Rapid assessment of literacy levels
   of adult primary care patients. *Fam Med.* 1991;23:433-435.

5. Parker RM, Baker DW, Williams MV, Nurss JR. The test of functional health
   literacy in adults: a new instrument for measuring patients' literacy skills. *J
   Gen Intern Med.* 1995;10:537-541.

6. Davis TC, Michielutte R, Askov EN, Williams MV, Weiss BD. Practical
   assessment of adult literacy in health care. *Health Educ Behav.*
   1998;25:613-624.

7. Williams MV, Parker RM, Baker DW, et al. Inadequate functional health
   literacy among patients at two public hospitals. *JAMA.* 1995;274:1677-1682.

8. Gazmararian JA, Baker DW, Williams MV, et al. Health literacy among
   Medicare enrollees in a managed care organization. *JAMA.* 1999;281:545-
   551.

9. Wagner EH. *The Chronic Care Model.* Improving Chronic Illness Care;2003.
   Available at www.improvingchroniccare.org/change/model/
   components.html. Accessed March 12, 2003.

10. *Chronic Care in America: A 21st Century Challenge.* Princeton, NJ: The
    Institute for Health & Aging, University of California, San Francisco and
    The Robert Wood Johnson Foundation; 1996.

11. Von Korff M, Gruman J, Schaefer J, Curry SJ, Wangner EH. Collaborative management of chronic illness. *Ann Intern Med.* 1997;127:1097-1102.

12. Norris SL, Nichols PJ, Caspersen CJ, et al. The effectiveness of disease and case management for people with diabetes: a systematic review. *Am J Prev Med.* 2002;22:15-38.

13. Wagner EH. Population-based management of diabetes care. *Patient Educ Couns.* 1995;26:225-230.

14. The Diabetes Control and Complications Trial Research Group. The effect of intensive treatment of diabetes on the development and progression of long-term complications in insulin-dependent diabetes mellitus. *N Engl J Med.* 1993;329:977-986.

15. The Diabetes Control and Complications Trial Research Group. Lifetime benefits and costs of intensive therapy as practiced in the diabetes control and complications trial. *JAMA.* 1996;276:1409-1415.

16. UK Prospective Diabetes Study (UKPDS) Group. Intensive blood-glucose control with sulphonylureas or insulin compared with conventional treatment and risk of complications in patients with type 2 diabetes (UKPDS 33). *Lancet.* 1998;352:837-853.

17. Bodenheimer T. Disease management—promises and pitfalls. *N Engl J Med.* 1999;340:1202-1205.

18. McCulloch DK, Price MJD, Hindmarsh M, Wangner EH. Improvement in diabetes care using an integrated population-based approach in a primary care setting. *Disease Manag.* 2000;3:75-82.

19. Piette JD. Satisfaction with care among patients with diabetes in two public health care systems. *Med Care.* 1999;37:538-546.

20. Economic consequences of diabetes mellitus in the US in 1997. American Diabetes Association. *Diabetes Care.* 1998;21:296-309.

21. National Diabetes Fact Sheet. Atlanta. Ga: Centers for Disease Control and Prevention;2000.

22. Vinicor F, Burton B, Foster B, Eastman R. Healthy people 2010: diabetes. *Diabetes Care.* 2000;23:853-855.

23. Fiscella K, Franks P, Gold MR, Clancy CM. Inequality in quality: addressing socioeconomic, racial, and ethnic disparities in health care. *JAMA.* 2000;283:2579-2584.

24. Wagner EH. Chronic disease management: what will it take to improve care for chronic illness? *Eff Clin Pract.* 1998;1:2-4. Available at www.acponline.org/journals/ecp/augsep98/cdmfg1.htm

25. Lorig KR, Sobel DS, Stewart AL, et al. Evidence suggesting that a chronic disease self-management program can improve health status while

reducing hospitalization: a randomized trial. *Med Care.* 1999;37:5-14.

26. Piette JD. Interactive voice response system in the diagnosis and management of chronic disease. *Am J Manag Care.* 2000;6:817-827.

27. Williams MV, Baker DW, Honig EG, Lee TM, Nowlan A. Inadequate literacy is a barrier to asthma knowledge and self-care. *Chest.* 1998;114:1008-1015.

28. Kalichman SC, Rompa D. Functional health literacy is associated with health status and health-related knowledge in people living with HIV-AIDS. *J Acquir Immune Defic Syndr.* 2000;25:337-344.

29. Schillinger D, Grumbach K, Piette J, et al. Association of health literacy with diabetes outcomes. *JAMA.* 2002;228:475-482.

30. Rothman R, Pignone M, Malone R, Bryant B, Crigler B. A primary care-based, pharmacist-led, disease management program improves outcomes for patients with diabetes: a randomized controlled trial. *J Gen Intern Med.* 2003;18:155.

31. Schillinger D, Machtinger E, Win K, et al. Are pictures worth a thousand words? Communication regarding medications in a public hospital anticoagulation clinic. *J Gen Intern Med.* 2003;18:187.

32. Schillinger D. Piette J. Grumbach K, et al. Closing the loop: physician communication with diabetic patients who have low health literacy. *Arch Intern Med.* 2003;163:83-90.

33. Schillinger D, Bindman A, Stewart A, Wang F, Piette J. Health literacy and the quality of physician-patient interpersonal communication. *Patient Educ Couns.* 2004;3:315-323.

34. Cleland JG, Van Ginneken JK. Maternal education and child survival in developing countries: the search for pathways of influence. *Soc Sci Med.* 1988;27:1357-1368.

35. Grosse RN, Auffrey C. Literacy and health status in developing countries. *Annu Rev Public Health.* 1989;10:281-297.

36. *Crossing the Quality Chasm: A New Health System for the 21st Century.* Washington, DC: National Academy Press, Institute of Medicine Committee on Quality of Health Care in America; 2001.

37. Smedley BD, Stith AY, Nelson AR, *Unequal Treatment: Confronting Racial and Ethnic Disparities in Health Care.* A raport of the Institute of Medicine. Washinghton, DC: National Academy Press; 2002.

38. Newman AP, Beverstock C. *Adult Literacy: Contexts and Challenges.* Bloomington, Ind: International Reading Association; ERIC Clearing-house on Reading and Communication Skills, Indiana University; 1990.

39. Weiss BD, Hart G, McGee DL, D' Estelle S. Health status of illiterate adults:

relation between literacy and health status among persons with low literacy skills. *J Am Board Fam Pract*. 1992;5:257-264.

40. Baker DW, Parker RM, Williams MV, Clark WS, Nurss J. The relationship of patient reading ability to self-reported health and use of health services. *Am J Public Health*. 1997;84:1027-1030.

41. Baker DW, Parker RM, Williams MV, Clark WS. Health literacy and the risk of hospital admission. *J Gen Intern Med*. 1998;13:791-798.

42. *Diverse Communities, Common Concerns: Assessing Health Care Quality for Minority Americans*. New York, NY: The Commonwealth Fund; 2002.

43. Williams MV, Baker DW, Parker RM, Nurss JR. Relationship of functional health literacy to patients' knowledge of their chronic disease: a study of patients with hypertension and diabetes. *Arch Intern Med*. 1998;158:166-712.

44. Williams MV, Parker RM, Baker DW, Coates W, Nurss J. The impact of inadequate functional health literacy on patients' understanding of diagnosis, prescribed medications, and compliance. *Acad Emerg Med*. 1995;2:386.

45. Win K, Machtinger E, Wang F, Chan LL, Rodriguez ME, Schillinger D. Understanding of warfarin therapy and stroke among ethnically diverse anticoagulation patients at a public hospital. *J Gen Intern Med*. 2003;18:278.

46. Kalichman SC, Ramachandran B, Catz S. Adherence to combination antiretroviral therapies in HIV patients of low health literacy. *J Gen Intern Med*. 1999;14:267-273.

47. Doak CC, Doak LG, Friedell GH, Meade CD. Improving comprehension for cancer patients with low literacy skills: strategies for clinicians. *CA Cancer J Clin*. 1998;48:151-162.

48. Davis TC, Williams MV, Marin E, Parker RM, Glass J. Health literacy and cancer communication. *CA Cancer J Clin*. 2002;52:134-149.

49. Williams MV, Davis T, Parker RM, Weiss BD. The role of health literacy in patient-physician communication. *Fam Med*. 2002;34:383-389.

50. Street RL, Jr. Information-giving in medical consultations: the influence of patients' communicative styles and personal characteristics. *Soc Sci Med*. 1991;32:541-548.

51. Baker DW, Parker RM, Williams MV, et al. The health care experience of patients with low literacy. *Arch Fam Med*. 1996;5:329-334.

52. Cooper LA, Roter DL, Patient-provider communication: the effect of race and ethnicity on process and outcomes in health care. In: Smedley BD, Stith AY, Nelson AR, eds. *Unequal Treatment: Confronting Racial and*

Ethnic Disparities in Health Care. A report of the Institute of Medicine Washington, DC: National Academy Press; 2002:336-354.

53. Roter DL. The outpatient medical encounter and elderly patients. *Clin Geriatr Med.* 2000;16:95-107.

54. Cegala DJ. A study of doctors' and patients' communication during a primary care consultation: implications for communication training. *J Health Commun.* 1997;2:169-194.

55. Cole SA, Bird J. *The Medical Interview: The Three-Function Approach.* 2nd ed. St. Louis, Mo: Mosby; 2000.

56. Bertakis KD. The communication of information from physician to patient: a method for increasing patient retention and satisfaction. *J Fam Pract.* 1997;5:217-222.

57. Rost K, Roter D. Predictors of recall of medication regimens and recommendations for lifestyle change in elderly patients. *Gerontologist.* 1987;27:510-515.

58. Crane JA. Patient comprehension of doctor-patient communication on discharge from the emergency department. *J Emerg Med.* 1997;15:1-7.

59. Chow KM. Information recall by patients. *J R Soc Med.* 2003;96:370.

60. Casalino L, Gillies RR, Shortell SM, et al. External incentives, information technology, and organized processes to improve health care quality for patients with chronic disease. *JAMA.* 2003;289:434-441.

61. *A Research Dialogue: Online Behavior Change and Disease Management.* The National Cancer Institute and the Robert Wood Johnson Foundation;2001. Available at www.rwjf.org/publications/publicationsPdfs/onlineBehaviorChange.pdf. Accessed April 2003.

62. *Seeking Health Care Information:Most Consumers Still on the Sidelines.* Washington, DC: Center for Studying Health System Change;2003.

63. Kusec S, Brborovic O, Schillinger D. Diabetes websites accredited by the Health On the Net Foundation code of conduct: Readable or not? In: Baud R, Fieschi M, Le Beux P, Ruch P, eds. *The New Navigators: from Professionals to Patients.* Amsterdam, The Netherlands: IOS Press;2003:95.

64. Berland GK, Elliott MN, Morales LS, et al. Health information on the Internet: accessibility, quality, and readability in English and Spanish. *JAMA.* 2001;285:2612-2621.

65. Zarcadoolas C, Blanco M, Boyer JF, Pleasant A. Unwearing the web: an exploratory study of low-literate adults' navigation skills on the World Wide Wed. *J Health Commun.* 2002;7:309-324.

66. Annual Report 2001. Princeton, NJ: The Robert Wood Johnson Foundation;2002.

67. Davis TC, Rudd R. personal communication;2003.

68. Kirsch IS. Educational Testing Service, National Center for Education Statistics. *Adult Literacy in America: A First Look at the Results of the National Adult Literacy Survey.* Washington, DC: Office of Educational Research and Improvement, US Department of Education: Supt. of Docs. US G.P.O. distributor;1993.

69. *California HealthCare Foundation: Home.* California HealthCare Foundation; 2003. Available at www.chcf.org. Accessde July 2003.

70. Bindman AB, Grumbach K, Osmond D, et al. Preventable hospitalizations and access to health care. *JAMA.* 1995;274:305-311.

71. Davis TC, Fredrickson DD, Arnold CL, et al. Childhood vaccine risk/benefit communication in private practice office settings: a national survey. *Pediatrics.* 2001;107:E17.

72. Davis TC, Fredrickson DD, Bocchini C, et al. Improving vaccine risk/benefit communication with an immunization education package: a pilot study. *Ambul Pediatr.* 2002;2:193-200.

73. Brookfield S. *Understanding and Facilitating Adult Learning.* San Francisco. Calif: Jossey-Bass; 1986.

74. Roter DL, Stashefsky-Margalit R, Rudd R. Current perspectives on patient education in the US. *Patient Educ Couns.* 2001;44:79-86.

75. Wallerstein N, Bernstein E. Introduction to community empowerment, participatory education, and health. *Health Educ Q.* 1994;21:141-148.

76. Davis TC, Berkel HJ, Arnold CL, Nandy I, Jackson RH, Murphy PW. Intervention to increase mammography utilization in a public hospital. *J Gen Intern Med.* 1998;13:230-233.

77. Davis TC, Fredrickson DD, Arnold C, Murphy PW, Herbst M, Bocchini JA. A polio immunization pamphlet with increased appeal and simplified language does not improve comprehension to an acceptable level. *Patient Educ Couns.* 1998;33:25-37.

78. Rudd RE, Comings JP. Learner developed materials: an empowering product. *Health Educ Q.* 1994;21:313-327.

79. Cooper HC, Booth K, Gill G. Patients' perspectives on diabetes health care education. *Health Educ Res.* 2003;18:191-206.

80. *Equipped for the Future: Tools & Standards For Building & Assessing Quality Adult Literacy Programs.* New York, NY: Council for Advancement of Adult Literacy;2003.

81. Anderson RM, Funnell MM, Butler PM, Arnold MS, Fitzgerald JT, Feste CC. Patient empowerment: results of a randomized controlled trial. *Diabetes Care.* 1995;18:943-949.

82. Anderson RM, Patient empowerment and the traditional medical model. A case of irreconcilable differences? *Diabetes Care.* 1995;18:412-415.

83. Trento M, Passera P, Bajardi M, et al. Lifestyle intervention by group care prevents deterioration of type II diabetes: a 4-year randomized controlled clinical trial. *Diabetologia.* 2002;45:1231-1239.

84. Trento M, Passera P, Tomalino M, et al. Group visits improve metabolic control in type 2 diabetes: a 2-year follow-up. *Diabetes Care.* 2001;24:995-1000.

85. Murray E, Lo B, Pollack L, et al. The impact of health information on the Internet on the physician-patient relationship: patient perceptions. *Arch Intern Med.* 2003;163:1727-1734.

86. Jacobson TA, Thomas DM, Morton FJ, Offutt G, Shevlin J, Ray S. Use of a low-literacy patient education tool to enhance pneumococcal vaccination rates: a randomized controlled trial. *JAMA.* 1999;282:646-650.

87. Houts PS, Witmer JT, Egeth HE, Loscalzo MJ, Zabora JR. Using pictographs to enhance recall of spoken medical instructions. *Patient Educ Couns.* 1998;35:83-88.

88. Piette J, Schillinger D, Potter M, Heisler M, Dimensions of patient-provider communication and diabetes self-care in an ethnically diverse patient population. *J Gen Intern Med.* 2003;18:624-633.

89. Schillinger D, Piette J, Daher C, Liu H, Bindman AB. Should we be screening for functional health literacy problems among patients with diabetes? *J Gen Intern Med.* 2001;16(s1):172.

90. Frankel RM, Stein T. Getting the most out of the clinical encounter: the four habits model. *J Med Pract Manage.* 2001;16:184-191.

91. Youmans S, Schillinger D. Functional health literacy and medication management: the pharmacist's role. *Ann Pharmacother.* 2003;37:1726-1729.

92. *Communication for Social Change: An Integrated Model for Measuring the Process and Its Outcomes.* New York, NY: The Rockefeller Foundation and Johns Hopkins University Center for Communication Programs; 2002.

93. Bind JA, McPhee SJ, Ha NT, Le B, Davis T, Jenkins CN. Opening pathways to cancer screening for Vietnamese-American women: lay health workers hold a key. *Prev Med.* 1998;27:821-829.

94. Steinberg EP. Improving the quality of care: can we practice what we preach? *N Engl J Med.* 2003;348:2681-2683.

95. Sehgal AR. Impact of quality improvement efforts on race and sex disparities in hemodialysis. *JAMA.* 2003;289:996-1000.

96. Baker DW, Williams MV, Parker RM, Gazmararian JA, Nurss J. Development of a brief test to measure functional health literacy. *Patient Educ Couns.*

1999;38:33-42.

97. Beers BB, McDonald VJ, Quistberg DA, Ravenell KL, Asch DL, Shea JA. Disparities in health literacy between African American and non-African American primary care patients. *J Gen Intern Med.* 2003;18:169.

98. Bass PF, Willson JF, Griffith CH. A shortened instrument for literacy screening. *J Gen Intern Med.* 2003;18:1036-1038.

99. *NCQA: Measuring the Quality of America's Health Care.* National Committee for Quality Assurance; 2003. Available at www.ncqa.org/.Accessed July 2003.

100. Norris SL, Nichols PJ, Caspersen CJ, et al. Increasing diabetes self-management education in community settings: a systematic review. *Am J Prev Med.* 2002;22:39-66.

101. Starfield B. *Primary Care: Balancing Health Needs, Services, and Technology.* Rev. ed. New York, NY: Oxford University Press; 1998.

제12장

건강정보이해능력과 건강 결과: 문헌 고찰

다렌 A. 드왈트(Darren A. DeWalt)(MD, MPH)
마이클 피그논(Michael Pignone)(MD, MPH)

참고: 이 장은 『문해력과 건강 결과(Literacy and health outcomes)』(2004)의 근거 보고 및 기술 평가 제87호(Evidence Report/Technology Assessment Number 87)의 일부 내용을 참조한 것이다(*아래 각주 참고). 여기에 기술된 내용은 이 보고서 저자들의 의견이며 AHRQ 혹은 미국 보건부의 공식적 입장을 대변하는 것은 아니다.

지난 10, 20년 동안 건강정보이해능력 부족과 불량한 건강 결과 사이의 관련성에 대한 연구가 양적으로 증가하였다. 초기 연구에서는 의료 정보의 가독성과 이들 정보의 대상 인구의 읽기 능력 사이에는 엄청난 간극이 있다는 사실이 알려졌고 최근에는 몇몇 연구들이 문해력과 건강 결과의 관련성을 직접 탐구하기 시작하였다.

---

* Berkman ND, DeWalt DA, Pignone MP, Sheridan SL, Lohr KN, Lux L, Sutton SF, Swinson T, Bonito AJ. Literacy and Health Outcomes. Evidence Report/Technology Assessment No. 87(Prepared by RTI International-University of North Carolina Evidence-based Practice Center under contract No. 290-02-0016). AHRQ Publication No. 04-E007-2. Rockville, MD: Agency for Healthcare Research and Quality. January 2004.

건강정보이해능력 측정

건강정보이해능력과 건강 결과의 관련성을 파악하기 위해서는 건강정보이해능력을 측정해야 한다. 역학적 측면에서 건강정보이해능력은 폭로 변수로서 흥미로운 결과를 초래한다. 지금까지 건강정보이해능력은 보건의료 영역에서 필요한 기본적인 읽기 및 계산능력 등 기술들의 집합체로 정의되었다.[1] 또한 "건강의 증진 및 유지를 위한 개인의 정보 획득, 이해, 활용의 동기 및 그 능력을 결정짓는 인지적 사회적 기술들"이라고 정의되었다.[2] 그러나 현재까지 건강정보이해능력에 관한 연구에서는 환자의 읽기 능력만을 주로 측정하였는데 이는 10장에서 논의된 것처럼 대리 측정에 불과한 것이다.

본 연구에 주로 사용된 도구들은 의학 분야 성인 문해력 속성 평가(Rapid Estimate of Adult Literacy in Medicine, REALM),[3] 광역 성취도 검사-개정3판(Wide Range Achievement Test-Revised 3, WRAT-R3), 성인 기능적 건강정보이해능력 검사(Test of Functional Health Literacy in Adult, TOFHLA)[4]이다. 이들 검사 도구에 대하여는 다음과 같이 요약할 수 있으며 10장에 자세하게 기술되어 있다. REALM과 WRAT-R3은 모두 단어 인지 및 발음 검사 도구들로 피검자들로 하여금 점차 높은 난이도의 일련의 단어들을 큰 소리로 읽도록 한다. REALM은 의학용어를 사용하지만 의학용어를 사용하지 않는 WRAT-R3와 높은 상관관계를 가지고 있다($r=0.88$). TOFHLA는 건강정보에 관한 개인적 소양을 측정하기 위하여 서로 다른 두 가지 방법을 사용하는데, 하나는 피검자에게 특정 사항을 일러주고 질문에 답하도록 하는 것이고(예를 들면, 피검자에게 처방 약병을 주고 다음에 약을 언제 복용하는지 묻는 것), 다른 하나는 변형된 빈칸 채우기식으로 피검사에게 다섯 단어, 일곱 개 단어마다 빈칸이 있는 건강 관련 문헌에서 각각의 빈칸에 가장 적합한 단어를 고르도록 하는 것이다. TOFHLA는 REALM 혹은 WRAT-R3에서는 굳이 요구되지 않는 문맥과 단어의 의미에 대한 지식을 요구한다. 그러나 TOFHLA는 이들 두 개의 단어 인지 검사와 상관성이 매우 높고($r=0.74-0.84$), 이는 이 도구들이 서로 관련 있는 유사한 기초 개념을 측정한다는 점을 말해준다. 아직까지 건강정보이해능력에 초점을 맞춘 검사들(예를 들면, REALM과 TOFHLA)이 다른 일반 검사(가령, WRAT-R3)보다 건강 결과와 상관성이 너 높은지를 검토한 연구는 없다. 다만 건강정보이해능력 측정에 사용되는 도구들이 기초 읽기 기술을 평가하는 것으로 판단되기 때문에 여기서는 문해력이라는 용어를 사용한다.

건강 결과 검토

문해력의 정의에 이어 건강 결과가 무슨 의미인지 검토해야 한다. 이 장에서는 건강 결과를 다소 폭넓게 정의하는데 그 이유는 관련 문헌이 상대적으로 부족하기 때문이다. 이러한 점 때문에 질병 진행 과정상의 중간단계 결과를 살펴보고 결국 사람들이 실감할 수 있는 건강 결과를 도출할 수도 있다. 예를 들면, 당뇨병의 경우 당화 혈색소(HbA_{1c})는 중간단계의 결과로 측정되는데 이것은 개인의 혈당이 얼마나 잘 조절되고 있는지를 나타내는 것이다. 다른 연구 결과 사람의 HbA_{1c}는 눈 혹은 신장의 합병증 발생(당뇨병의 실질적 결과로 간주될 수 있음) 여부와 관련이 있는 것으로 알려졌다. 그러나 이러한 진행 상태로까지 사람들을 추적 조사하는 데는 오랜 세월이 걸릴 것이다. 방법론적으로 건강 결과의 위험도에 대한 정보를 얻기 위해서는 생화학적 검사를 하는 것이 훨씬 더 수월하다. 중간단계 결과가 최종 결과를 명백하게 예측하거나 최종 결과로 바로 이어질 때 이 방법이 가장 잘 적용될 수 있다.

문해력 연구에 있어 가장 일반적으로 측정되는 중간단계 결과는 건강정보에 대한 지식 혹은 이해도이다. 환자가 치료를 받고 최상의 결과를 얻기 위해서는 본인의 질병 혹은 치료에 대한 최소한의 지식을 가져야 한다. 당연히 문해력 수준이 그러한 지식의 획득 및 활용에 영향을 미칠 것이다. 이러한 이유에서 많은 연구자들이 향후 나타날 좋지 않은 결과의 대리 지표로 지식을 사용하였다. 그럼에도 지식과 좋지 않은 결과 사이의 관련성에 대한 이해나 설명은 만족스럽지 못하다. 그렇더라도 문해력 부족과 건강 상태 불량과의 전이 과정에 있어서 지식과 이해도가 이론적으로 중요한 부분을 차지하기 때문에 여기서는 지식을 따로 측정하는 연구를 했다. 이 장을 읽을 때는 지식의 양과 실제 건강 결과 사이의 관련성은 일반적으로 분명하지 않다는 점을 인지할 필요가 있다.

문해력 부족 인구집단에 있어서 건강 결과의 측정이 간단하지만은 않다. 생화학적 검사 혹은 신체 계측의 경우 그 결과 값은 문해력 수준에 관계없이 동일한 의미를 가지지만, 자가 보고 형식의 질문서를 활용할 때는 측정상의 편견 문제가 발생할 수 있다. 문해력이 낮은 환자들은 서면 질의 답변에 어려움을 겪을 수 있으며, 많은 연구자들은 이 문제를 해결하기 위하여 질의 문항을 크게 읽어 주어야 한다. 구두로 전달하더라도 복잡한 질문에 반응하는 능력에서 좀 더 미묘한 문제들이 존재할 수 있다. 예를 들면, 문해력이 낮은 사람들 중에는 리커트(Likert-type) 반응 척도의 질문에 답을 못하는 경우도 있다. 이상의 측정상의 문제점들이 초래하는 결과에 대해서는 아직 밝혀지지 않았으며 삶의 질과 증상과 같은 결과들을 측정할 수 있는 최선의 방법을 도출하기 위한 연구가 필요하다.

문해력과 건강 결과의 관련성 분석

생태학적 연구는 관련 폭로 요인과 결과 사이의 관련성 파악에 초점을 둔다. 여기서는 문해력 부족(폭로 요인)이 건강 결과의 악화를 초래하는지 여부를 파악할 것이다. 그러나 교란변수들(폭로 요인과 결과 모두에 관련된 다른 변수들)이 문해력과 건강 결과 사이의 관찰된 관련성에 영향을 미칠 수 있다(가령, 편견). 예를 들면, 문해력 부족은 의료 보장의 부재, 저소득, 연령 등과 관련이 있을 수 있다. 이 변수들 각각은 또한 좋지 않은 건강 결과와 관련이 있다. 그러므로 문해력과 특정 건강 결과의 관련성을 관찰하는 연구에서는 드러난 관련성이 실제 연관성을 의미하는 것인지 혹은 교란변수에 의한 것인지 의심해 보아야 한다. 이를 위해서 많은 연구자들은 문해력과 건강 결과 사이의 관련성을 계산하는 과정에서 교란변수들을 보정할 수 있는 통계학적 방법을 도입한다.

교란변수에 대한 보정 강화가 반드시 더 나은(정확한) 추정치로 귀결되는 것은 아니므로 문해력 관련 질문에 대한 자료 분석은 더욱 복잡해진다. 특히,

잠재적 교란변수가 문해력과 건강 결과 사이의 영향 관계에 직접 관여할 때(가령, 삼재적 교란변수가 문해력과 건강 결과 사이의 인과관계 선상에 놓여 있을 때) 더욱 그러하다. 교육이 이러한 현상의 좋은 사례이다. 문해력 부족은 짧은 학업 기간으로 이어지고(혹은 그 역방향) 짧은 학업 기간은 불량한 건강 결과와 독립적 상관성을 가질 수 있다. 이 경우 학업 기간은 문해력이 건강 결과에 미치는 영향에 개입하고 있다. 교육이라는 변수를 보정하면 문해력의 영향을 과소 추정할 가능성이 있고, 달리 표현하자면 과다 보정이 될 수도 있다는 것이다. 실제로 문해력이 저학력을 초래하고 이것이 좋지 않은 건강 결과로 이어진다면 그 원인을 문해력에서 찾고 교육수준에 따른 보정을 하지 않는 것이 바람직할 것이다. 현실적으로는 문해력-교육-건강의 관련성 파악이 어렵기 때문에 교육을 보정할지의 여부를 단정하기는 어렵다. 잠재적인 교란변수에 대한 세심한 고려, 분명한 자료의 제시, 면밀한 결과 분석이 현재의 이해 수준에서 기대할 수 있는 최선의 방법이다.

이 장에서는 보정 실시 여부를 제시하고 보정 결핍 혹은 과다 보정이 왜곡된 결과를 초래했을 가능성이 있는 몇 가지 사례를 강조한다. 여기서 문해력과 건강 결과의 관련성에 대한 모든 연구들을 다루면서도 소수의 연구에만 심층 조명을 하는 것은 한편으로 이 주제의 복잡성을 나타내기도 한다. 일반적으로 이 영역의 연구 노력은 훌륭한 성과를 거두었고 연구 모형은 계속 개선되었다. 그럼에도 비판적으로 분석하는 것은 건강정보이해능력 연구의 일보전진을 위해서다. 이들 연구들의 자료 분석의 "정확한" 방법이 무엇인지 자신 있게 말하기는 어려우며 문해력과 건강 결과의 관계를 밝혀낼 앞으로의 연구를 기대한다.

연구 방법

MEDLINE, CINAHL(Cumulative Index to Nursing and Allied Health Literature), ERIC(Educational Resources Information Center), PAIS(Public Affairs Information Service), ILRR(Industrial and Labor Relations Review), PsychInfo, Ageline의 1980년부터 2003년까지의 자료를 검색하였고, 전문가들이 추천하는 일부 논문들도 다루었다. MEDLINE과 CINAHL에서 사용한 "검색어"는 문해력(literacy), 수리력(numeracy), WRAT, Wide Range Achievement, Rapid Estimate of Adult, TOFHLA, Test of Functional Health, 읽기 능력(reading ability), 읽기 기술(reading skill)이었다. 문해력 관련 다양한 데이터베이스에서는 건강정보이해능력(health literacy)만을 주제어로 사용하였다. 치매 혹은 언어 장애 이외의 건강 결과를 보고한 논문 혹은 문해력 측정 논문은 검토 대상에 넣었고, 치매와 언어 장애는 문해력 측정치와의 인과 관계가 모호하기 때문에 제외하였다.

문헌 고찰

문해력과 건강 결과의 관련성을 평가한 연구는 대부분 최근 10년 동안에 이루어졌다. 문헌 검토 과정에서 42개의 관찰 연구가 확인되었는데 그 중 30개는 어느 한 시점에 모든 자료를 수집한 단면 조사 연구이고, 10개는 일정 기간 추적관찰을 통하여 폭로 요인과 건강 결과가 시간의 흐름에 따라 구분되는 코호트연구이고, 2개는 건강 결과의 유무에 따라 의도적으로 피검자들을 선별하는 환자-대조군 연구였다. 단면 조사 연구의 이론적 단점은 건강 결과 발생의 측정 및 원인과 결과의 규명이 어렵다는 점이다. 그러나 단면 조사 연구를 통하여 나이가 많지 않은 성인의 문해력을 측정하면 특정 건강 결과에 선행하는 동일한 문해력 수준을 안심하고 가정할 수 있다. 이것은 어린이들에게는 분명 타당하지 않고 문해력이 시간에 따라 변할 가능성이 있는 노인들에게도 역시 타당하지 않다.[5] 더구나 의료적 질환이 발생할 경우 이들 인구집단의 문해력에 더욱 심각한 영향을 미칠 수 있다. 건강 결과의 측면에서 10개의 연구들은 건강관련 지식 혹은 이해도만을 측정했다.[6~15] 한 개의 연구는 문해력이 의료비에 미치는 영향을 다루었고,[16] 다른 한 연구는 건강 결과에 미치는 영향 면에서 인종, 민족, 문화와 문해력 사이의 상호작용을 관찰하였다.[17] 한 가지 연구 안에 대부분의 측정된 건강 결과들이 거론된다.

저자들이 확인한 연구들의 참여자 수는 적게는 26명에서 많게는 3,260에 이르렀다. 가장 대규모로 엄격하게 수행된 연구는 프루덴셜 메디케어 건강유지기구[Prudential Medicare HMO(health maintenance organization)] 가입자들을 대상으로 수행되었으며 네 편의 논문이 발표되었다.[18~21] 대부분의 연구들에는 연구 참가자의 나이, 인종, 학력 수준 등에 대한 정보가 제시되어 있고 약 반 정도의 연구들에서는 참가자의 소득 수준에 대한 정보가 포함되어 있다. 문해력 측정에 가장 자주 사용된 도구는 REALM(12개 연구), TOFHLA 혹은 단축형 TOFHLA(11개 연구), WRAT-R3(6개 연구)였다. 한 개의 연구에 여러 가지 문해력 측정 도구들이 사용되었다. 연구 참가자들의 문해력 수준 범위와 구성은 연구에 따라 매우 다양하였고, 연령대는 학동기 어린이들에서 중장년층 성인들까지 분포하였으며, 백인, 흑인, 히스패닉/라틴계가 대부분이었다.

지식 혹은 이해력

일부 연구들에서는 지식을 여러 결과들 중 하나로 혹은 단일 결과로 간주한다. 이들 연구는 흡연,[22] 수술 후 관리,[6,15] 유방조영술,[14] 피임,[13] 에이즈,[10,12,23,24] 자궁경부암 조기검진,[11] 응급실 퇴원 지침,[7] 환자 동의서,[9] 소아의 진단 및 치료에 대한 부모의 이해 정도,[8] 심장 건강을 위한 생활양식,[25] 고혈압,[26] 당뇨병,[26] 천식[27]에 대한 지식을 평가한다. 표 12-1은 각 연구의 평가 대상 인구집단과 지식 항목을 나타낸다. 에이즈 지식에 관한 연구 중 세 연구는 동일한 지식 결과를 평가하였고(이들 연구에 참여한 환자들 상당부분이 중복되기는 하였지만), 그 외의 연구들은 모두 다른 지식 결과를 평가하였다. 일반화하자면 고찰된 연구들을 통하여 참여자의 지식과 문해력 수준 사이에는 순방향의 관련성이 있다는 점이 밝혀졌다. 단 두 개의 연구에서만 문해력이 높은 집단의 지식수준이 통계적으로 유의하게 높다는 점이 증명되지 않았다.[6,8]

표 12-1 지식 혹은 이해력을 평가한 연구들

저자	연구 대상	결과
아놀드(Arnold) 등[22]	대부분 메디케이드 가입 혹은 미가입 임산부	문해력 부족은 흡연 효과에 대한 낮은 지식을 예측함.
콘린(Conlin)과 슈만 (Schuman)[15]	일개 수련병원에서 개심술 후 회복한 환자들	문해력 부족은 지식 검사에서 낮은 점수와 관련됨.
데이비스(Davis) 등[14]	LSU 쉬레브포트(Shreveport) 외래 진료실의 저소득층 여성들	문해력 부족은 유방촬영에 대한 지식 부족과 관련됨.
가즈마라리안 (Gasmararian) 등[13]	테네시주 멤피스(Memphis)의 메디케이드 관리의료 여성 가입자들	문해력 부족은 생리 주기 중 임신 가능 시기에 대한 지식 부족과 관련됨.
칼리치만(Kalichman) 등[23]	조지아주 애틀랜타(Atlanta)의 HIV 감염자들	문해력 수준이 높은 사람들은 CD4 수치와 바이러스 농도의 의미를 이해할 가능성이 높음.
칼리치만(Kalichman)과 롬파(Rompa)[24]	조지아주 애틀랜타의 HIV 감염자들	문해력 부족은 CD4 수치와 바이러스 농도의 의미에 대한 이해 저하와 관련 있음; 문해력 부족은 14-문항 질문서에 기초한 질병 및 치료 지식 부족과 관련 있음.
칼리치만(Kalichman) 등[12]	조지아주 애틀랜타의 HIV 감염자들	자신의 CD4 수치와 바이러스 농도를 알고 있는 환자들은 그렇지 않은 환자들에 비하여 문해력 수준이 높음.
린다우(Lindau) 등[11]	시카고 소재 메디칼센터 여성 진료소의 대부분 메디케이드 가입 여성들	높은 문해력은 자궁병부암 조기검진에 대한 더 나은 지식과 관련이 있음.
밀러(Miller) 등[9]	감염 예방 임상시험 참가자들	문해력과 사전 동의의 이해 사이에 중등도의 관련성이 있음.
밀러(Miller) 등[10]	공공 병원 산하 진료실의 HIV 감염자들	문해력은 항레트로바이러스 투약 지식과 관련이 있음.
문(Moon) 등[8]	워싱턴 DC 도심 혹은 부도심 소아진료실의 아이의 부모들	건강 유지 방법 혹은 아동 건강 측정에 대한 부모의 지식과 문해력은 관련 없음.
스판도퍼(Spandorfer) 등[7]	필라델피아 응급실의 도심 거주 저소득층 환자들	읽기 능력은 퇴원 지침 이해에 대한 최상의 예측 인자임.

표 12-1 지식 혹은 이해력을 평가한 연구들 (계속)

저자	연구 대상	결과
텐하브(TenHave) 등[25]	지역 슈퍼마켓의 콜레스테롤 조기검진에 참가한 지역사회 주민들	높은 문해력 수준은 더 높은 심장 건강 지식과 관련 있음.
윌리암스(Williams) 등[28]	LA 혹은 애틀랜타 공공병원 1차 진료실의 당뇨병 혹은 고혈압 환자들	높은 문해력은 상위의 당뇨병 혹은 고혈압 지식과 관련 있음.
윌리암스(Williams) 등[27]	조지아주 애틀랜타 그래디 (Grady) 메모리얼병원 응급실의 성인 천식 환자들	높은 문해력은 더 나은 천식 지식과 관련 있음.
윌슨(Wilson)과 멕레모어(McLemore)[6]	무릎 혹은 고관절 수술 입원 환자들	인쇄 교육자료 수령 후 자가 관리에 대한 환자의 지식수준과 문해력은 관련 없음.

건강행태

문해력과 특정 건강행태와의 관련성을 검토하는 연구들이 수행되었다.

모유 수유

문해력과 모유 수유와의 관련성은 두 연구에서 평가되었다.[28,29] 카우프만 (Kaufman) 등[28]은 뉴멕시코주의 앨버커키(Albuquerque)의 산모 61명을 대상 으로 한 연구에서 문해력 수준이 9학년 이상(REALM)인 산모들은 7~8학년인 산모들보다 최소 2개월 더 모유 수유를 한다(54% 대 23%, $P=.018$)고 보고하 였는데 이 연구는 잠재적 교란변수를 보정하지 않았다.[28] 프레드릭슨(Fredrick- son) 등[29]은 훨씬 규모가 큰 연구(646명의 산모)를 수행하였지만 "이변량 비교 분석에서 읽기 능력(WRAT)과 모유 수유 무경험 사이에는 유의한 상관관계가 있었고… $P<.05$였다"라고만 보고하였고 관련성의 크기는 보고하지 않았다. 이 연구들을 통하여 문해력 수준이 낮은 산모들이 모유 수유를 덜 한다는 점을 알 수 있다.

아동의 문제 행동

한 연구는 문해력과 청소년 행동과의 관련성을 조사하였고,[30] 다른 연구는 유소년 층의 읽기 능력과 문제 행동의 관련성을 평가하였다.[31] 386명의 학생들 중 예상 독해 수준보다 2개 학년[슬로슨 구두 읽기 검사 개정판(Slosson Oral Reading Test-Revised)] 이상 미달인 학생들은 다른 학생들에 비하여 무기 소지 가능성(OR=1.9; CI, 1.1~3.5), 권총 휴대 가능성(OR=2.6; CI, 1.1~6.2), 불안감 때문에 결석할 가능성(OR=2.3; CI, 1.3~4.3), 의사의 치료가 필요한 몸싸움에 연관될 가능성(OR=3.1; CI, 1.6~6.1)이 더 높았는데 이 연구는 연령, 인종, 성별을 보정하였다.[30] 스탠튼(Stanton) 등[32]은 779명의 어린이 표본 집단에서 조기 문제 행동, 어린이용 지능 지수, 가정 문제(심각성 정도는 미확인) 등을 보정한 후에 읽기 능력(Burt Word Reading Test)이 문제 행동의 독립적 예측 인자라고 하였다. 이들은 또한 가정 문제가 심해질수록 읽기 능력이 감소한다는 점을 증명하였다.

흡연

문해력과 흡연의 관련성은 세 개의 연구에서 검토되었는데 서로 엇갈리는 결과들을 내놓았다.[22,29,31] 프레드릭슨 등[29]은 캔사스(Kansas)주 위치토(Wichita) 소재의 민간 혹은 공공의료기관에서 어린이 관련 서비스를 받기 위해 대기 중인 646명의 성인들을 대상으로 "읽기 능력 부족(WART)과 흡연 사이에 … $P<$ .05 수준의 유의한 상관관계가 있다"고 보고하였지만, 연관성의 크기는 언급하지 않았다. 아놀드(Arnold) 등[22]도 600명의 임산부를 대상으로 문해력(REALM)과 흡연 행위와의 관련성을 평가하였는데, 이들은 문해력 수준에 따른 흡연율은 차이가 없다고 하였다.

호손(Hawthorne)[31]의 연구는 호주의 3,019명의 학생을 대상으로 초기 청소년 약물 사용의 예측 인자를 확인하고자 하였다. 학생들을 문해력 수준에 따라 상, 중, 하로 나누고(평가 도구는 명확하지 않음) 문해력과 평생 흡연 경험, 최근 1개월 흡연 경험에 대한 자가 보고 내용과의 관련성을 조사하였다. 다변량 분석에서 문해력과 소년들의 상습흡연 사이에는 중등도의 관련성(OR=1.7;

95% CI, 1.1~2.7)이 있었지만 소녀들에서는 관련성이 없었다. 그러나 소년, 소녀 모두에서 문해력과 최근 1개월 흡연 경험 사이에는 강한 상관관계가 있었다.

청소년 음주

호손[31]은 청소년의 문해력 수준과 음주 사이의 관련성에 대한 단면 조사 자료를 이용하여 다변량 분석을 실시하였다. 청소년의 음주 경험 확률은 문해력에 따라 차이가 있지는 않았지만 문해력이 높은 소년들에 비하여 낮은 소년들은 알코올 오남용의 확률이 더 높았다(OR=2.6; 95% CI, 1.4~4.8). 소녀들 사이에서는 통계학적으로 유의한 관련성은 없었다(OR=2.1; 95% CI, 0.8~5.5).

천식 치료제의 적절한 사용

윌리암스(Williams) 등[27]은 469명의 환자를 대상으로 문해력(REALM)과 천식 환자에게는 중요한 정확한 용량의 흡입제 사용(metered dose inhaler, MDI) 기술과의 관련성을 조사하였다. 정확하게 수행된 흡입 단계 횟수를 측정한 결과 MDI 기술이 문해력이 높은 사람들에서 더 나았는데[정확하게 수행된 단계(총 6단계) 횟수의 차=1.3단계, 95% CI, 0.9~1.7] 이 연구는 교육수준과 환자의 정기적 진료 유무를 보정한 후 이루어졌다.

건강검진과 예방 활동

문해력과 건강검진 및 예방 서비스 이용과의 관련성을 일부 연구들에서 조사하였다.

성병 검진

문해력(REALM)과 임질 검진과의 관련성이 일개 연구에서 조사되었다.[33] 이 연구를 위하여 미국 전역 4개 도시의 의료 혹은 비의료 현장에서 722명의 환자들이 선정되었다. 환자들 다수의 경우 문해력 평가가 불완전하였지만 연구자들은 분석과정에서 이러한 결점의 보정을 시도하였다. 이변량 분석 결과 9학년 이상의 읽기 수준을 갖춘 사람들은 그보다 수준이 낮은 사람들보다 전년도에 임질 검진을 받았을 가능성이 더 높았다. 불완전 자료와 그 외 몇 가지 공변량을 통제했을 때 9학년 이상의 읽기 수준은 전년도 임질 검진 수진 가능성 10% 증가와 관련성이 있었다. 9학년 미만의 읽기 수준을 가진 피검자가 임질에 걸릴 위험성이 더 크다는 사실을 알고 있는 경우에도 동일한 결과가 나왔다.

예방접종

일개 연구에서 문해력(단축형 TOFLA)과 성인 예방접종률이 평가되었다.[21] 연구 참여자들은 메디케어 관리의료의 가입자들이었고, 연구자들은 인플루엔자와 폐렴구균 예방접종을 받은 환자들의 비율을 산출하였다. 2,722명 환자들을 대상으로 연령, 성별, 연구 장소 등을 보정한 후 실시한 다변량 분석에서 문해력이 부족한 환자들은 적정 수준의 문해력을 갖춘 환자들에 비하여 인플루엔자 예방접종을 받지 않을 확률이 1.4배(95% CI, 1.1~1.9), 폐렴구균 예방접종을 받지 않을 확률은 1.3배(95% CI, 1.1~1.7)였다.

암 검진

스콧(Scott) 등[21]은 지난 2년간 자궁경부암 검사 혹은 유방촬영을 한 번도 받지 않은 여성 환자의 비율을 파악하여 암 검진 비율을 평가하였는데, 이 연구에서는 상반된 결과가 도출되었다. 연령, 성별, 연구 장소에 대한 보정을 한 결과, 문해력 수준이 미달인 환자들은 적정 수준의 문해력을 가진 환자들에 비하여 지난 2년간 자궁경부암 검사를 받지 않을 확률(보정 OR＝1.7; 95% CI, 1.0~3.1)과 유방조영술을 받지 않을 확률(보정 OR＝1.5; 95% CI, 1.0~1.2)이 약간 더 높았다. 그러나 자궁경부세포 검사의 경우 경계 수준(미달과 적정의 중간 수준)의 문해력을 가진 참가자들은 적정 수준의 문해력을 가진 참가자들에 비하여 자궁경부세포 검사를 받지 않을 확률이 2.4배였다. 결국 자궁경부세포 검사를 받지 않을 확률이 문해력이 부족한 환자들보다 경계 수준의 문해력을 가진 환자들에서 더 높았다.

치료 순응

문해력과 치료 순응과의 관련성은 세 개의 연구에서 평가되었다.[34~36] 칼리지만(Kalichman) 등[34]과 골린(Golin) 등[35]은 모두 HIV 감염으로 항레트로바이러스 제제를 복용하는 환자들의 복약 순응도를 평가하였다. 칼리치만 등은 일개 HIV 클리닉에서 184명의 환자들을 연구하였는데, 인종, 수입, 사회적 배경, 교육 수준에 대한 보정을 한 후 문해력 수준(TOFHLA 개정판)이 낮을수록 치료 순응도가 낮을 확률이 높은 것으로 밝혀졌다(OR=3.9; 95% CI, 1.1~13.4). 여기서 치료 순응도가 낮다는 것은 최근 48시간 동안 복용하지 않은 약이 있는 경우를 의미하며 인터뷰를 통하여 48시간 회상법으로 측정하였다. 골린 등[35]은 일개 대학병원 HIV 클리닉의 환자 117명을 대상으로 전자 병마개, 알약 수 세기, 그리고 자가 보고 방식을 이용하여 전향성 코호트연구로 48주 동안의 치료 순응도를 평가하였다. 이 연구에서는 문해력(단축형 TOFHLA)과 치료 순응도 사이의 관련성이 나타나지 않았다($r=-0.01$, $P=.88$).

리(Li) 등[36]은 조기 유방암을 가진 55명의 저소득층 여성을 대상으로 유방 보존 치료 순응도를 평가하였다. 단지 36%만이 전적으로 치료에 순응하였다. 여기서 전적인 치료 순응도란 모든 X-선 치료 과정과 클리닉의 추적 치료 과정에 참석하는 경우를 말한다. 이 연구에서 읽기 능력(REALM)과의 관련성이 나타나지 않았다.

생화학적 및 신체계측상의 건강 결과

건강 결과를 생화학적 혹은 신체계측 지표로 나타내고자 하는 일부 연구들에서 문해력과 질병 상태와의 관련성을 조사하였다.

당뇨병

문해력과 당뇨병 결과와의 관련성은 세 개의 연구에서 평가되었다.[26,37,38] 로스(Ross) 등[37]은 제1형 당뇨병을 가진 78명의 아이들을 대상으로 아이의 문해력과 부모의 문해력이 혈당 조절 상태와 관련성이 있는지를 당화혈색소(HbA_{1C})

로 측정 평가하였다. 아이들의 연령대는 5~17세였으며 이 연령대에는 아이의 건강관리에 부모의 영향이 여전히 작용한다고 볼 수 있다. 이 연구에서는 아이의 WRAT-R3 점수와 혈당 조절 사이의 상관성이 없었지만($r = 0.1$, "통계적 의미 없음"), 부모의 미국 성인 읽기 검사(National Adult Reading Test, NART) 점수는 아이의 혈당 조절과 약한 관련성이 있었다($r = .028$, $P = .01$).[37] 이 연구에서 혼란변수에 대한 통제는 이루어지지 않았다.

윌리암스 등[26]과 쉴링거(Schillinger) 등[38]은 단면 연구를 통하여 제2형 당뇨병을 가진 성인들의 문해력과 당화혈색소(HbA_{1C})와의 관련성을 평가하였다. 윌리암스 등의 연구는 당뇨병 관련 지식을 평가하려는 의도였으며 HbA_{1C} 수치는 55명의 환자(48%)들에서만 활용 가능하였다. HbA_{1C} 평균 수치는 적정 수준의 문해력(TOFHLA)을 가진 성인에 비하여 문해력이 부적절한 성인들에게서 더 높은 경향이 있었다. 그러나 이러한 소규모의 연구에서는 그 차이가 통계적으로 유의하지는 않았다(8.3% 대 7.5%; $P = .16$).

쉴링거 등의 연구의 주된 목표는 문해력과 혈당 조절과의 독립적 관련성을 평가하는 것이었다. 공공 병원 내과와 가정의학과 환자 408명 중에서 문해력이 낮은 사람들은 혈당 조절을 잘 못하는 것으로 나타났다. 단축형 TOFHLA에서 문해력 수준 미달 등급을 받은 사람들($N = 156$) 중 20%가 "엄격한" 혈당 조절을 하였지만($HbA_{1C} < 7.2$) 적절한 문해력을 가진 사람들($N = 198$) 중에는 33%가 혈당 조절이 잘 되었다(보정 OR=0.57, $P = .05$). 마찬가지로 문해력이 낮은 사람들은 혈당 조절 상태가 좋지 않을 가능성이 높았다($HbA_{1C} > 9.5$, 보정 OR=2). 쉴링거 등은 또한 다변량 선형회귀분석으로 문해력과 HbA_{1C}를 연속 변수로 검토한 결과 단축형 TOFLA 점수가 1점 감소할 때마다 HbA_{1C}가 0.02%씩 증가하는 것으로 나타났다. 이러한 관련성은 연령, 인종·민족, 성별, 교육 수준, 사용 언어, 의료 보장, 우울증 증상, 사회적 배경, 당뇨병 교육, 치료 처방, 당뇨병 발병 기간 등을 보정한 후에도 동일하였다. 이러한 치밀한 분석으로 문해력과 HbA_{1C}의 관련성은 혼란변수들의 영향을 받지 않는다는 점이 분명해진다. 그러나 우울증 증상, 당뇨병 교육, 치료 처방 등은 문해력과 HbA_{1C} 사이의 중간 매개변수일 수 있으며 이 분석 모형에 이들 변수들을 포함시켰을 경우에는 관련성이 잘못 추정되었을 수도 있다.

쉴링거 등[38]은 문해력과 중요한 당뇨병 합병증과의 관련성도 평가하였는데 환자의 자가 보고를 통하여 자료를 수집하였다(나중에는 입원 기록을 통하여 자료를 보완하였다). 문해력이 낮은 환자들이 망막 병변(보정 OR=2.33; 95% CI, 1.2~4.6)과 뇌혈관 질병(보정 OR=2.71; 95% CI, 1.1~7.0)의 보고 사례가 더 많았다. 다른 당뇨병 합병증들도 문해력이 낮은 환자들에게서 더 빈발한 것으로 나타났지만 통계적으로 유의하지는 않았는데 아마도 상대적으로 경우의 수가 적었기 때문일 것이다(자가 보고 하지 절단(보정 OR=2.48; 95% CI, 0.74~8.3), 신장 병변(보정 OR=1.17; 95% CI, 0.75~3.9), 허혈성 심장병(보정 OR=1.73; 95% CI, 0.83~3.6).

로드만(Rothman) 등[39]은 쉴링거의 연구 논문 편집자에게 연구 서한을 보냈다. 이들은 당뇨병 관리 프로그램 참가자들을 대상으로 문해력(REALM)과 혈당 조절 사이에 관련성이 없는 것으로 보고하였다. 이 프로그램 참가자들은 혈당 조절을 잘 못하는 경우($HbA_{1c} \geq 8\%$)였는데 관련성이 없는 것으로 나타난 것은 $HbA_{1c} < 8\%$ 환자들이 제외된 것이 한 가지 원인일 수 있다. 아마 이들의 상당수는 문해력이 높은 수준이었을 것이다.

결론적으로 혈당 조절과 문해력에 관한 연구들은 서로 상반된 결과를 내었지만 참여자가 많은 대규모 연구에서는 관련성이 있는 것으로 나타난다. 또한 이 관련성은 괜찮은 정도가 아니라 아주 우수한 혈당 조절을 대상으로 한 경우라면 더 강한 상관성을 보일 수 있고 중간매개 변수들은 향후 연구에서 더 탐구되어야 한다. 쉴링거 등[40]은 동일 연구에서 문해력이 낮은 환자일수록 의사와의 의사소통이 더 나쁘다는 내용의 후속 연구 결과를 발표하였다. 이 동일 연구의 또 다른 보고 내용은 중요한 당뇨병 치료 권고 내용을 환자에게 "다시 이야기해 보라고" 하였을 경우 환자들은 더 나은 혈당 조절 상태를 가지고 있었다는 것인데 이것은 문해력과는 별개의 문제이다.[41]

고혈압

문해력과 고혈압과의 관련성은 두 개의 연구에서 평가되었다.[26,42] 배터스비

(Battersby) 등[42]은 고혈압이 없으며 연령, 인종, 성별이 일치하는 90명과 고혈압 진단을 받은 환자 90명의 문해력을 비교하는 환자-대조군 연구를 수행하였다. 이 연구에서는 고혈압 유무에 따른 비보정 문해력 점수에 통계학적으로 유의한 차이는 없었다(Schonell-graded word reading test: 환자군 78.4; 대조군 81.3).

윌리암스 등[26]은 두 개의 공공병원에서 402명의 환자를 대상으로 단면 조사 연구를 수행하였다. 고혈압 진단을 받은 환자들만 연구에 참여하였으므로 문해력과 고혈압 조절 정도와의 관련성에 대한 실제적 연구가 실시되었다. TOFHLA 측정 결과로 문해력이 낮은 환자들은 적정 수준의 문해력을 가진 환자들에 비하여 수축기 혈압이 더 높았지만(비보정 수축기 혈압 155 mmHg 대 147 mmHg; $P=.04$, $N=408$), 연령을 보정한 후에는 통계적 유의성은 없었다.

이들 두 연구는 문해력과 고혈압 유무 혹은 고혈압 조절과의 독립적인 관련성을 확인하지는 못했지만 비교적 연구 규모가 작기 때문에 중요한 관련성이 없다고 단언할 수는 없다.

인간면역결핍바이러스(HIV) 감염

문해력과 HIV 감염 통제와의 관련성에 대해서는 세 개의 단면 조사 연구 결과가 있다.[23,24,43] 세 연구 모두 동일한 연구팀에 의해 수행되었고, 연구에 참여한 환자들은 조지아(Georgia)주 애틀랜타(Atlanta)의 HIV 양성 인구집단에서 선발되었다. 각 연구는 독립적으로 수행되었지만 대략 60%의 연구 대상자들은 중복 참여자였다. 각 연구에서는 개정판 TOFHLA를 사용하여 문해력을 측정하였고, 부적절, 경계 수준, 적절 등으로 분류되는 권고 기준과는 달리 문해력이 높은 집단과 낮은 집단으로 양분하였다. 분류 기준은 세 개의 독해 지문에 대한 85% 정답률로 설정하였는데, 이 기준을 적용하면 종래의 TOFHLA에서 적절한 수준으로 분류되었던 환자들 가운데 문해력이 낮은 집단으로 분류되는 경우도 있었고 더군다나 문해력 평가 결과들이 각 연구마다 다르게 제시되었다.

환자 294명을 대상으로 한 일개 연구[23]에서는 문해력과 CD4 임파구 수(면역 기능 평가 방법 중 하나) 혹은 증상의 가지 수 사이에 관련성이 발견되지 않았다. 그러나 동일 연구에서 문해력이 높은 환자들은 낮은 환자들에 비하여 바이러스가 미탐지 수준으로 존재할 확률이 2.9배(95% CI, 1.1~8.1) 높았다.[23] 칼리치만과 롬파(Rompa)[24] 등이 339명을 대상으로 한 연구에서는 문해력이 높은 집단은 낮은 집단에 비하여 바이러스가 미탐지 수준으로 있을 확률이 6.2배(95% CI, 2.1~18.5)였으며, 문해력이 낮은 환자들은 높은 환자들에 비하여 CD4 임파구 수가 300 미만으로 있을 확률이 2.3배(95% CI, 1.1~5.1)였다. 세 번째 연구에서는 294명의 환자들에게서 문해력과 미탐지 수준의 바이러스 존재 사이의 관련성이 발견되지 않았다.[43] 이들 각각의 연구에서 연구자들은 교육, 수입, 치료 순응, 인종·민족 등의 잠재 교란변수들을 보정하지 않은 채 정확하지 못한 이변량 분석 결과만을 보고했을 뿐이다. 이들 연구 결과에서 HIV 감염 지표와 문해력과의 관련성에 관한 명확한 결론을 얻기는 어렵다.

질병 유병률, 발생률, 치명률 측정

문해력과 질병 유병률, 발생률, 치명률의 관련성이 몇몇 연구에서 평가되었다.

우울증

문해력과 우울증과의 관련성은 다섯 개의 연구에서 평가되었으며 모두 서로 상반된 결과들을 도출하였다.[19,25,43~45] 모든 연구들에서 사전에 검증받은 자기기입 설문지로 우울증을 조사하였고, 두 개의 연구에서는 특정 만성질환 즉, 류머티스성 관절염[44]과 HIV 감염[43]과 관련하여 우울증을 평가하였다.

가장 대규모로 수행된 연구는 메디케어 관리의료에 가입한 환자들을 대상으로 한 것인데,[19] 이 연구에서는 우울증 평가를 위해 검증받은 노인우울척도(Geriatric Depression Scale, GDS)를 사용하였다. 6,734명의 대상 환자들 중 3,171명이 연구에 참여하였으며(응답률 약 47%), 단축형 TOFHLA 기준으로 문해력 부적절 환자들에서 적절한 환자들에 비하여 우울증을 가질 비보정 비차비가 2.7(95% CI, 2.2~3.4)이었다. 그러나 인구사회학적 배경, 건강행태, 건강 상태 요인 등의 요소들을 보정한 후 보정 비차비는 1.2(95% CI, 0.9~1.7)로 통계적으로 유의하지 않았다. 이러한 대규모의 표본 연구에서 연구자들은 문해력과 우울증 사이에 관련성이 없는 것으로 결론지었다. 이 연구가 이 문제를 다루는 데 있어서 가장 대규모의 그리고 가장 엄격한 보고 내용을 바탕으로 분석하였다고 하더라도 응답률이 저조하다는 점은 결과의 왜곡을 가져왔을 수도 있다. 예를 들면, 우울증이 있고 문해력이 낮은 사람들은 연구 참여를 거부했을 가능성이 높다. 게다가 공변수에 대한 과보정의 가능성도 생각해 볼 수 있다. 예를 들면, 좋지 않은 건강 상태는 문해력과 우울증과의 관련성에 있어 혼란변수라기보다는 우울증의 결과였을 수도 있다.

텐하브(TenHave) 등[25]은 심혈관질환 영양교육 프로그램에서 선정된 피검자 339명의 우울증 점수를 평가하였다. 이 연구의 일환으로 집단검진 도구 평가로 문해력을 측정하였는데 환자 339명의 우울증 검사[벡 우울 척도(Beck Depression Inventory, BDI)-단축형]와 문해력[심혈관질환 영양 교육체계(Cardiovascular Dietary Education System, CARDES)]을 측정하였고 이 두 변수 사이에는 통계적으로 유의한 관련성이 있었다. 문해력 평가 점수가 낮으면 우울증 척도에서 높은 점수가 나왔고 따라서 문해력이 낮은 사람들에게서 우울증 경향이 높다는 점을 시사한다($P<.001$).

재슬로우(Zaslow) 등[45]은 351명의 어머니들을 대상으로 우울증과 문해력[응용 문해력 기술 검사(Tests of Applied Literacy Skill)]을 평가하였고, 어머니의 문해력과 아동 우울증 및 반사회적 행동과의 관련성을 조사하였다. 문해력이 낮은 어머니들의 우울증 위험도는 증가하였지만(추정 $RR=1.60$; 95% CI, 1.21-2.12) 어머니의 문해력과 아동 우울증 혹은 반사회적 행동과는 관련성이 없었다($P>.10$).

칼리치만과 롬파[43]는 HIV에 감염된 환자 294명을 대상으로 역학연구센터 우울 척도(CES-D, Centers for Epidemiologic Studies Depression) 점수와 TOFHLA 점수를 비교한 결과 문해력이 낮은 참여자들의 CES-D 문항 혹은 하위 척도 점수가 더 높았다(즉 우울 성향이 더 강하였다). 그러나 우울증 총점은 문해력 수준에 따라 차이가 나지 않았다.

고든(Gordon) 등[44]은 류머티스성 관절염을 가진 123명의 환자에게 병원 불안 우울 척도(HAD, Hospital Anxiety and Depression)를 사용하였고 문해력을 REALM으로 평가하였다. 이 연구에서는 REALM 기준으로 읽기 수준이 9학년 이상인 환자들에 비하여 9학년 미만인 환자들에게서 HAD 척도상 15점 이상인 환자 비율이 더 높았다(44% 대 61%; $P=.011$).

이들 다섯 개의 연구 중 세 개의 연구에서는 문해력 부족과 높은 우울증 비율 사이에 통계학적으로 유의하고 임상적으로 중요한 관련성이 있었다. 그러나 가장 대규모로 실시한 연구에서는 이러한 관련성이 증명되지 않았다. 이러한 불일치는 연구 모형과 분석 방법에 의한 것일 수 있는데, 예를 들면 연구마다 서로 다른 문해력 평가 방법이 사용되었고 문해력 적절성의 분류 기준이 달랐으며 또한 연구 대상자들도 전부 다른 집단이었다. 가즈마라리안(Gazmararian) 등[19]의 연구에서는 만성질환의 여부에 관계없이 65세 이상 노인들만 연구에 참여하였고, 텐하브 등[25]의 연구에는 40~70세 사이의 지역 주민들이 참여하였다. 재슬로우 등[45]은 젊은 어머니만 참여시켰다. 고든 등[44]의 연구에서는 류머티스성 관절염 환자들만, 반면에 칼리치만과 롬파[24]는 HIV 감염 환자들만 연구에 참여시켰다. 환자집단의 성격이 연구별로 아주 다르기 때문에 문해력과 우울증의 관련성에 대한 일반적 결론을 도출하기는 곤란하다. 마지막으로 공변수 보정에 있어서의 차이도 결과에 영향을 미쳤을 수 있다. 가즈마라이안 등[19]은 연령과 건강 상태에 대하여 보정을 하였는데, 보정 전에는 문해력과 우울증 사이에 관련성이 확인되었다. 텐하브 등[25]은 연령에 대해서만 보정하고 건강상태에 대해서는 보정하지 않았다. 칼리치만과 롬파[24]의 연구 그리고 고든 등[44]의 연구에서는 단지 이변량 상관관계만이 보고되었다. 문해력과 우울증의 관련성은 특정 변수들, 특히 연령에 대한 보정이 이루어진 후에는 감소하는 것으로 나타난다. 문해력과 우울증의 중요한 관련성은 특정 인구집단에 있을 수 있지만 교란변수들을 세심하게 통제한 추가 연구들이 요구된다.

관절염과 신체 기능 상태

류머티스성 관절염 환자 123명을 대상으로 신체 기능 상태[건강 평가 설문

(Health Assessment Questionnaire, HAQ)]와 문해력을 평가한 일개 연구[44]에서 REALM 검사 결과 9학년을 기준으로 분류한 문해력과 HAQ 점수에는 차이가 없었다(9학년 이상 1.9, 9학년 미만 2.0; $P < .5$). 이 연구에서 연구자들은 잠재 교란변수들을 통제하지 않았다.

편두통

일개 연구가 편두통과 문해력의 관련성을 평가하기 위해 64명의 아이들을 대상으로 실시되었다.[46] 안드라식(Andrasik) 등[46]은 편두통이 있는 아이들과 편두통이 없는 대조군 아이들로 구성된 환자-대조군 연구를 수행하였다. 문해력은 WRAT-R3로 평가하였다. 이 소규모 연구에서는 환자와 대조군 사이의 문해력에 차이가 없는 것으로 나타났지만 차이를 발견하기에는 검증력이 약했을 수도 있다.

전립선암

일개 연구에서는 212명의 전립선암 환자들을 대상으로 문해력과 전립선암 병기와의 관련성을 평가하였다.[17] 베네트(Bennett) 등[17]은 REALM 측정 결과에 따라 6학년을 기준으로 문해력이 높은 군과 낮은 군으로 양분하였다. 이 연구에서 문해력이 낮은 환자들은 높은 환자들에 비하여 후기 전립선암 병기를 나타낼 가능성이 높았다(비표준화율 55% 대 38%; $P = .022$). 인종, 연령, 치료 장소에 대한 보정을 한 후 문해력과 병기 사이의 관련성은 감소하였으며 더 이상 통계적으로 유의하지 않았다(OR 1.6 = 95%; CI, 0.8~3.4). 이들은 인종과 후기 병기와의 사이에 유사한 관련성을 발견하였는데, 이변량 상관관계분석에서 흑인 환자들은 백인 환자들에 비하여 후기 암의 병기를 가질 확률이 높았다(비표준화율 49.5% 대 35.9%; $P = .045$) 그러나 문해력, 연령, 치료 장소에 대한 보정을 한 후 그 관련성은 감소하였고 통계적으로 유의하지 않았다(OR 1.4; 95% CI, 0.7~2.7). 이 연구의 필자들은 문해력이 전립선암 환자의 병기와 인종 사이에 일부 관여하는 것으로 결론지었다. 비차비 추정치가 다소 바뀐 것은 이 가설을 뒷받침하기는 하지만(비표준화 OR = 1.74, 표준화 OR = 1.4) 통계적 유의성이 없어진 것은 연구의 규모가 작고(환자 212명) 몇몇 변수를 보정하는 과정에서 정밀도가 상실되었나는 사실에 기인할 것이다

국제 건강 상태 측정

문해력과 국제 건강 상태 측정의 관련성을 평가한 연구는 4개가 있다.[20,47,48] 네개의 연구 모두에서 문해력 부족과 건강 상태 불량의 관련성이 발견되었다. 가즈마라리안 등[20]은 메디케어 관리의료 가입 환자 코호트 3,260명으로부터 도출된 연구 결과를 보고하였는데, 이 연구에서 환자들에게 건강 상태를 우수, 양호, 보통, 불량으로 자가 보고하도록 하였다. 문해력이 낮은(단축형 TOFHLA) 환자들은 문해력이 높은 환자들에 비하여 건강 상태를 보통 혹은 불량으로 자가 보고할 확률이 더 높았지만(43% 대 20%; $P<.001$), 교란변수가 통제된 결과는 아니었다.[20]

베이커(Baker) 등[49]은 두 개의 공공병원에서 2,659명의 환자들을 대상으로 건강 상태가 불량인지 아닌지 물어보았다. 이 연구에서는 영어 사용자와 스페인어 사용자가 모두 포함되었으며 문해력(TOFHLA)은 선호하는 언어로 평가되었다. 나이, 성, 인종, 사회경제적 지표 등의 잠재적 교란변수에 대한 보정 후 문해력이 부적절한 환자들이 문해력이 적절한 환자들에 비하여 건강상태가 불량하다고 보고할 확률이 2배였다.

와이스(Weiss) 등[47]은 평균 연령 28세의 비교적 젊은 참가자 193명을 대상으로 SIP(sickness impact profile)를 사용하여 국제 건강 상태를 평가하였다. 문해력[성인 기초 교육 검사(Tests of Adult Basic Education, TABE)와 모트 기초 언어 기술(Mott Basic Language Skills)]은 4학년 수준에서 분류되었다. 연령, 성, 민족, 결혼 상태, 의료보험 상태, 직업, 수입을 통제했을 경우 전반적 SIP 점수는 문해력이 낮은 환자들이 높은 환자들에 비하여 불량하였다(10.4 대 6.0; $P=.02$). 문해력이 낮은 환자들은 SIP의 신체적, 심리적 영역 모두에서 점수가 불량하였다.

설리반(Sullivan) 등[48]은 단축형36(SF-36)을 사용하여 제2형 당뇨병환자 697

명의 일반 건강 상태를 측정하였다. 문해력은 이 연구와 시기를 같이하여 개발 중이던 QLS(Questionnaire Literacy Scale)로 측정하였다. 이 연구에서 피검자의 QLS 합격 여부와 SF-36 점수는 차이가 없었다.

보건의료 자원의 활용

문해력과 보건의료 자원 활용의 관련성을 몇몇 연구들이 조사하였다.

입원

문해력 수준에 따른 입원 위험도를 두 연구에서 평가하였다.[18,50] 두 개의 공공 병원(환자 1,937명)에서 수행된 일개 연구[50]에서 연령, 성, 인종, 건강 상태, 재정 보조금, 건강 보험에 대해서는 보정을 하고 교육에 대해서는 보정을 하지 않았을 때 문해력이 부족한 환자들은 그렇지 않은 환자들에 비하여 일 년 동안 입원할 위험도가 1.69(95% CI, 1.13~2.53)배 더 높았다. 두 번째 연구는 메디케어 관리의료에 가입된 대상자 3,260명의 환자들을 대상으로 수행되었다.[18] 연령, 성, 인종·민족, 언어, 수입, 교육 수준에 대한 보정 후 입원할 위험도가 문해력(단축형 TOFHLA)이 부족한 환자들이 적절한 환자들에 비하여 1.29(95% CI, 1.07~1.55)배 더 높았다.

의료비

의료비와 문해력의 관련성에 대한 조사 결과를 발표한 연구가 한 개 있다.[16] 와이스(Weiss) 등은 메디케이드 대상 환자 402명 코호트를 연구에 참여시켰다. 문해력은 읽기 진단 도구(Instrument for the Diagnosis of Reading/Instrumento Para Diagnosticar Lecturas, IDL)를 사용하여 평가하였다. 전년도 의료비 자료는 메디케이드 기록에서 수집하였다. 전화나 우편으로 연락되는 경우에만 참여가 이루어졌기 때문에 절차상의 이유로 제외된 사람도 있을 것이다. 문해력과 의료비 사이의 관련성은 관찰되지 않았다($r^2=0.0016$; $P=.43$). 연구자들은 또한 입원환자 진료, 외래환자 진료, 응급 진료 등과 같은 의료비 발생의 몇

몇 요소들을 평가하였는데, 문해력과 이 요소들의 비용과의 관련성도 발견되지 않았다. 이 연구 데이터 중 의료 필요 혹은 의료 소외를 이유로 이 연구에 참여한 74명에 초점을 맞춘 분석에서는 3학년 이하의 읽기 수준을 가진 18명의 평균 메디케이드 비용은 그 이상의 읽기 수준을 가진 56명보다 더 높았다 ($10,688 대 $2,891; $P = .025$).[51] 이 관련성을 구체화하기 위해서는 추가 연구가 필요하다.

의사 방문

문해력과 의료 방문 횟수의 관련성에 대해서는 단지 두 개의 연구만이 있다. 고든(Gorden) 등[44]은 123명의 류머티즘성 관절염 환자들을 대상으로 연구를 하고 문해력이 낮은 환자들이 높은 환자들과 비슷한 수준의 기능적 장해를 보고하였다고 하더라도 전년도 외래 방문 횟수는 세 배나 많다고 보고하였다. 그렇지만 이 연구에서는 잠재적 교란변수들을 통제하지 않았다. 베이커(Baker) 등[49]은 2,659명의 환자에게 지난 3개월간 의사 방문 횟수, 정기검진 유무, 지난 3개월간 필요한 의료 서비스 수혜 여부를 질문하였다. 연령, 건강 상태, 경제적 지표의 교란변수를 보정한 후 문해력(TOFHLA)과 자가 보고 의사 방문과의 관련성은 발견되지 않았다. 그러나 이들은 응급실과 비예약 외래 진료실(walk-in clinic)을 통해서 연구에 참여하게 되었으며, 이미 어느 정도는 보건의료 체계에 접근하는 인구집단이라는 점이 지적된다.

결론

문해력과 건강 결과의 관련성에 대한 설명은 새롭게 대두되고 있는 연구 분야이다. 발표된 문헌에 의하면 문해력은 지식과 이해도, 입원, 국제 건강 수준 평가, 일부 만성질환의 결과와 관련이 있다. 그러나 다수의 경우 드러난 내용은 서로 엇갈리며 연구 모형과 분석 방법에 좌우된다. 문해력이 이변량 분석에서 건강 결과와 관련이 있다고 하더라도 교육 혹은 사회경제적 지위와 같은 공변수들을 통제하면 관련성은 약해지고 통계적으로 유의성이 없어지기도 한다. 더구나 이용 가능한 자료는 대부분 단면 연구를 통하여 얻어지는데 이렇게 되면 결과 발생 이후의 측정이 불가능하고 시간 경과를 고려하지 못한다. 문해력과 특정 건강 결과의 관련성이 논리적으로 잘 증명되었다고 하더라도 관련성의 크기 그리고 문해력과 이 결과들 사이에 놓인 도로는 좀 더 알아보기 쉽게 정비할 필요가 있다.

11장에서 논의된 것처럼 문해력 그리고 그 외에 밀접한 연관이 있는 사회경제적 지위와 교육 수준이 건강 결과에 미치는 영향을 설명하기란 매우 어렵다. 건강정보이해능력의 측정은 개인의 읽기 능력을 측정하는 데 초점을 맞추어 왔다. 교육의 질과 기간, 부모의 영향, 경제적 기회, 학습 잠재력, 사회적 조건 등의 많은 요소들이 읽기 능력 수준에 영향을 주게 된다. 또한 이들 요소들은 개인의 읽기 능력 외의 경로로 건강 결과에 영향을 미칠 수 있다. 게다가 개인의 읽기 능력은 재학 기간, 경제적 기회, 사회적 조건에 영향을 미치고 결과적으로 건강에도 영향을 줄 수 있다. 우리는 읽기 능력, 기타의 사회경제적 요소, 건강 결과 사이의 복잡한 관련성에 대한 그림을 그리는 것이 하나의 도전이라는 점을 알게 되었다. 이 길을 개척하고 문해력과 건강 결과의 관련성을 이해시킬 수 있는 연구자가 나타날 것이다.

비록 한 개인의 문해력을 측정하지만 문해력 수준이 미치는 영향은 지면 혹은 구두 설명을 알아듣는 능력 그 이상의 것이 될 수 있다. 환자의 문해력 수준은 인지하지 못하는 사이에 환자-의사의 의사소통 기전에 영향을 미칠 수 있고 무의식중에 표준 이하의 치료가 문해력이 낮은 환자에게 제공되게 할 수 있다. 이 점이 환자-의사 의사소통을 다루는 연구들에서 문해력 부족이 건강 상태 불량으로 연결되는 한 부분으로 제시하는 내용이다.[40]

앞으로 문해력 부족이 좋지 않은 건강 결과로 이르는 다양한 경로들을 밝힐 수 있을 것이다. 지적 호기심을 뛰어넘어 건강 결과 향상을 도모하는 집중 개입 연구들을 통하여 문해력과 건강과의 관련성을 매개하는 수정 가능한 요소들을 찾아낼 수 있을 것이다. 자기 효용감, 의료 의사결정 참여, 신뢰 등의 매개 변수들을 세밀하게 고려하는 관찰 연구는 향후의 개입 연구를 중점적으로 수행하는 데 도움이 될 수 있다. 개입 연구들은 관찰 연구에서 얻은 지식을 연구 모형에 도입하고 문해력 수준별 결과를 보고하여야 한다.

참고 문헌

1. Ad Hoc Committee on Health Literacy for the Council on Scientific Affairs, American Medical Association. literacy: report of the Council on Scientific Affairs. *JAMA*. 1999;281:552-557.
2. Nutbeam D. Health promotion glossary. *Health Promot Int*. 1998;13:349-364.
3. Davis TC, Long SW, Jackson RH, et al. Rapid estimate of adult literacy in medicine: a shortened screening instrument. *Fam Med*. 1993;25:391-395.
4. Parker RM, Baker DW, Williams MV, Nurss JR. The test of functional health literacy in adults: a new instrument for measuring patients' literacy skills. *J Gen Intern Med*. 1995;10:537-541.
5. Baker DW, Gazmarariam JA, Sudano J, Patterson M. The association between age and health literacy among elderly persons. *J Gerontol B Psychol Sci Soc Sci*. 2000;55:S368-S374.
6. Wilson FL, McLemore R. Patient Literacy levels: a consideration when designing patient education programs. *Rehabil Nurs*. 1997;22:311-317.
7. Spandorfer JM, Karras DJ, Hughes LA, Caputo C. Comprehension of discharge instructions by patients in an urban emergency department. *Ann Emerg Med*. 1995;25:71-74.
8. Moon RY, Cheng TL, Patel KM, Baumhaft K, Scheidt PC. Parental literacy level and understanding of medical information. *Pediatr*. 1988;102:e25.
9. Miller CK, O' Donnell DC, Searight HR, Barbarash RA. The Deaconess Informed Consent Comprehension Test: an assessment tool for clinical research subjects. *Pharmacother*. 1996;16:872-878.
10. Miller LG, Liu H, Hays RD, et al. Knowledge of antiretroviral regimen dosing and adherence: a longitudinal study. *Clin Infect Dis*. 2003;36:514-518.
11. Lindau ST, Tomori C, Lyons T, Langseth L, Bennett CL, Garcia P. The association of health literacy with cervical cancer prevention knowledge and health behaviors in a multiethnic cohort of women. *Am J Obstet Gynecol*. 2002;186(5):938-943.

12. Kalichman SC, Rompa D, Cage M. Reliability and validity of self-reported CD4 lymphocyte count and viral load test results in people living with HIV/AIDS. *Int J STD AIDS.* 2000;11:579-585.

13. Gazmararian JA, Parker RM, Baker DW. Reading skills and family planning knowledge and practices in a low-income managed-care population. *Obstet Gynecol.* 1999;93(2):239-244.

14. Davis TC, Arnold C, Berkel HJ, Nandy I, Jackson RH, Glass J. Knowledge and attitude on screening mammography among low-literate, low-income women. *Cancer.* 1996;78:1912-1920.

15. Conlin KK, Schumann L, Literacy in the health care system: a study on open heart surgery patients. *J Am Acad Nurse Pract.* 2002;14:38-42.

16. Weiss BD, Blanchard JS, McGee DL, et al. Illiteracy among Medicaid recipients and its relationship to health care costs. *J Health Care Poor Underserved.* 1994;5:99-111.

17. Bennett CL, Ferreira MR, Davis TC, et al. Relation between literacy, race, and stage of presentation among low-income patients with prostate cancer. *J Clin Oncol.* 1998;16(9):3101-3104.

18. Baker DW, Gazmararian JA, Williams MV, et al. Functional health literacy and the risk of hospital admission among Medicare managed care enrollees. *Am J Public Health.* 2002;92:1278-1283.

19. Gazmararian J, Baker D, Parker R, Blazer DG. A multivariate analysis of factors associated with depression: evaluating the role of health literacy as a potential contributor. *Arch Intern Med.* 2000;160:3307-3314.

20. Gazmararian JA, Baker DW, Williams MV, et al. Health literacy among Medicare enrollees in a managed care organization. *JAMA.* 1999;281(6):545-551.

21. Scott TL, Gazmararian JA, Williams MV, Baker DW. Health Literacy and preventive health care use among Medicare enrollees in a managed care organization. *Med care.* 2002;40:395-404.

22. Arnold CL, Davis TC, Berkel HJ, Jackson RH, Nandy I, London S. Smoking status, reading level, and knowledge of tobacco effects among low-income pregnant women. *Prev med.* 2001;32:313-320.

23. Kalichman SC, Benotsch E, Suarez T, Catz S, Miller J, Rompa D. Health literacy and health-related knowledge among persons living with HIV/AIDS. *Am J Pre Med.* 2000;18:325-331.

24. Kalichman SC, Rompa D. Functional health literacy is associated with health status and health-related knowledge in people living with HIV-AIDS. *J Acquir Immune Defic Syndr Hum Retrovirol.* 2000;25:337-344.

25. TenHave TR, Van Horn B, Kumanyika S, Askov E, Matthews Y, Adams-

Campbell LL. Literacy assessment in a cardiovascular nutrition education setting. *Patient Educ Couns*. 1997;31:139-150.

26. Williams MV, Baker DW, Parker RM, Nurss JR. Relationship of functional health literacy to patients' knowledge of their chronic disease: a study of patients with hypertension and diabetes. *Arch Intern Med*. 1998;158:166-172.

27. Williams MV, Baker DW, Honig EG, Lee TM, Nowlan A. Inadequate literacy is a barrier to asthma knowledge and self-care. *Chest*. 1998;114:1008-1015.

28. Kaufman H, Skipper B, Small L, Terry T, McGrew M. Effect of literacy on breast-feeding outcomes. *South Med J*. 2001;94:293-296.

29. Fredrickson DD, Washington RL, Pham N, Jackson T, Wiltshire J, Jecha LD. Reading grade levels and health behaviors of parents at child clinics. *Kansas Med*. 1995;96:127-129.

30. Davis TC, Byrd RS, Arnold CL, Auinger P, Bocchini JAJ. Low literacy and violence among adolescents in a summer sports program. *J Adolesc Health*. 1999;24:403-411.

31. Hawthorne G. Preteenage drug use in Austrailia: the key predictors and school-based drug education. *J Adolesc Health*. 1997;20:384-395.

32. Stanton WR, Feehan M, McGee R, Silva PA. The relative value of reading ability and IQ as predictors of teacher-reported behavior problems. *J Learn Disabil*. 1990;23:514-517.

33. Fortenberry JD, McFarlane MM, Hennessy M, et al. Relation of health literacy to gonorrhoea related care. *Sex Trans Infect*. 2001;77:206-211.

34. Kalichman SC, Ramachandran B, Catz S. Adherence to combination antiretroviral therapies in HIV patients of low health literacy. *J Gen Intern Med*. 1999;14:267-273.

35. Golin CE, Liu H, Hays RD, et al. A prospective study of predictors of adherence to combination antiretroviral medication. *J Gen Intern Med*. 2002;17:756-765.

36. Li BD, Brown WA, Ampil FL, Burton GV, Yu H, McDonald JC. Patient compliance is critical for equivalent clinical outcomes for breast cancer treated by breast-conservation therapy. *Ann Surg*. 2000;231:883-889.

37. Ross LA, Frier BM, Kelnar CJ, Deary IJ, Child and parental mental ability and glycaemic control in children with type 1 diabetes. *Diabetic Med*. 2001;18:364-369.

38. Schillinger D, Grumbach K, Piette J, et al. Association of health literacy with diabetes outcomes. *JAMA*. 2002;288:475-482.

39. Rothman R, Malone R, Bryant B, Dewalt D, Pignone M. Health literacy and

diabetic control. *JAMA*. 2002;288:2687-2688.

40. Schillinger D, Bindman A, Strewart A, Wang F, Piette J. Health literacy and the quality of physician-patient interpersonal communication. *Patient Educ Couns*. 2004;3:315-323.

41. Schillinger D, Piette J, Grumbach K, et al. Closing the loop: physician communication with diabetic patients who have low health literacy. *Arch Intern Med*. 2003;163:83-90.

42. Battersby C, Hartley K, Fletcher AE, Markowe HJL, Brown RG, Styles W. cognitive funtion in hypertension: a community based study. *J Hum Hypertens*. 1993;7:117-123.

43. Kalichman SC, Rompa D. Emotional reactions to health status changes and emotional well-being among HIV-positive persons with limited reading literacy. *J Clin Psychol Med Setting*. 2000;7:203-211.

44. Gordon MM, Hampson R, Capell HA, Madhok R. Illiteracy in rheumatoid arthritis patients as determined by the Rapid Estimate of Adult Literacy in Medicine (REALM) score. *Rheumatol*. 2002;41:750-754.

45. Zaslow MJ, Hair EC, Dion MR, Ahluwalia SK, Sargent J. Maternal depressive symptomes and low literacy as potential barriers to employment in a sample of families receiving welfare: are there two-generational implications? *Woman & Health*. 2001;32:211-251.

46. Andrasik F, Kabela E, Quinn S, Attanasio V, Blanchard EB, Rosenblum EL, Psychological functioning of children who have recurrent migraine. *Pain*. 1988;34:43-52.

47. Weiss BD, Hart G, McGee DL, D' Estelle S. Health status of illiterate adults: relation between literacy and health status among persons with low literacy skills. *J Am Board Fam Pract*. 1992;5:257-264.

48. Sullivan LM, Dukes KA, Harris L, Dittus RS, Greenfield S, Kaplan SH. A comparison of various methods of collecting self-reported health outcomes data among low-income and minority patients. *Med Care*. 1995;33:AS183-AS194.

49. Baker DW, Parker RM, Williams MV, Clark WS, Nurss J. The relationship of patient reading ability to self-reported health and use of health services. *Am J Public Health*. 1997;87:1027-1030.

50. Baker DW, Parker RM, Williams MV, Clark WS. Health literacy and the risk of hospital admission. *J Gen Intern Med*. 1998;13:791-798.

51. Weiss BD, Palmer R. Relationship between health care costs and very low literacy skills in a medically needy and indigent Medicaid population. *J Am Board Fam Pract*. 2004;17:44-47.

부록 A. 용어 해설

2001년 공공복지 기금 보건의료 질 평가 조사(Commonwealth Fund 2001 Health Care Quality Survey): 여러 인종과 민족을 대표하는 미국 전역 성인의 의료 이용 경험에 관한 정보 수집을 위한 조사. 2001년 4월 30일부터 11월 5일까지 프린스턴 조사연구소(Princeton Survey Research Associates)가 영어, 스페인어, 광둥어, 북경어, 한국어, 베트남어로 25분간의 전화 설문을 실시하였으며 응답자는 미국 전역의 18세 이상 성인 6,722명으로 구성된 무작위 표본이었다. 이 조사의 주된 결과는 크게 4가지 범주로 구분된다. (1) 의료 체계의 상호작용, (2) 문화수용력과 의료 이용, (3) 의료 수준, 의료 과실, 예방적 의료, 만성질환 관리, (4) 의료 접근성.

HP 2010(Healthy People 2010): 미국 보건부 주도하에 국가 보건 목표를 기술한 것으로 가장 중요하면서도 예방 가능한 건강 위협 요인들을 규명하고 이러한 요인들의 감소 목표를 확립하고 있다. 궁극적 목적은 (1) 모든 연령층의 기대 여명을 늘리고 삶의 질 향상을 도모하며, (2) 여러 인구 계층 간의 건강 불균형을 해소하는 것이다.

SIP(Sickness impact profile): 질병이 건강 상태에 미치는 영향을 측정하기 위해 개발된 행동 중심 도구. 12개 영역(수면과 휴식, 정서적 행동, 신체 관리 및 운동, 가정 관리, 이동성, 사회적 상호작용, 보행, 인지 행동, 의사소통, 작업, 여가 및 취미 활동, 음식섭취 등) 136개 항목으로 구성되어 있다.

SMOG 가독성공식[SMOG(Simple Measure of Gobbledegook) Readability Formula]: 주어진 글에서 10개 문장 길이의 문단 3개 안에 있는 다음절어의 수를 기초로 글의 가독성을 평가하는 공식. 점수는 읽기 학년으로 표현된다.

간섭주의(Paternalism): 타인의 판단을 믿고 맡기기보다는 최선이 무엇인지 대신 결정하는 (개인, 기관, 정부의) 행동 양식.

건강보험 승계 및 책임에 관한 법령(Health Insurance Portability and Account-ability Act, HIPAA): 1996년 8월 21일 미국 의회에서 법제화된 조례. 조례의 목적은 단체 및 개별 계약에서 건강보험의 보장 가능성과 연속성 향상, 건강보험과 의료 서비스 전달과정에서 생기는 낭비·부정·오용 제거, 의료 저축계좌 사용의 권장, 장기요양 서비스와 보장에의 접근성 향상, 건강보험의 행정 절차 단순화, 기타 등등이다. 2003년에 공표된 HIPAA 첫 규정에는 건강보험 회사, 의사, 병원, 기타 의료제공자에게 제공된 환자의 의무 기록과 기타 건강정보를 보호하기 위한 사생활 보호에 관한 연방 기준이 최초로 포함되어 있다.

건강정보이해능력(Health literacy): (1) 올바른 건강관련 결정을 내리는 데 필요한 기본 건강정보 및 의료 서비스를 획득·처리·이해할 수 있는 개인의 능력 정도. (2) 보건의료 영역에서 필요한 기본적인 읽기 및 계산능력 등 기술들의 집합체. 건강정보이해능력에 문해력 기술 자체는 충분조건은 아니더라도 필요조건이라고는 할 수 있다. (3) 건강관련 자료를 읽을 수 있는 개인의 능력으로 의학 분야 성인 문해력 속성 평가(Rapid Estimate of Adult Literacy in Medicine, REALM), 성인 기능적 건강정보이해능력 검사(Test of Functional Health Literacy in Adults, TOFHLA) 등의 선별검사 도구로 평가된다.

건강증진(Health promotion): 개인, 단체, 지역사회의 건강에 실제적인 도움이 되는 생활 활동 및 여건 조성을 위한 교육적, 정책적, 규제적, 조직적인 일련의 복합적인 지원 계획.

건강 평가 설문(Health Assessment Questionnaire, HAQ): 통상적인 환자 중심 5개 건강 영역(장애 최소화, 통증과 불편의 제거, 치료 부작용 제거, 치료비 절감, 적절한 치료시기)을 평가하는 도구로 건강관련 삶의 질 측정에 사용됨.

공감형성 언어(Contextualized language): 공통의 물리적 상황과 배경 지식을 활용하는 언어. 예를 들어 알레르기 증상을 "코가 완전히 막히고 그 안쪽에서 꽉 누르는 것 같은 느낌 알잖아요. 지금 제가 바로 그래요."라고 설명하는 식이다.

광역 성취도 검사-개정3판(Wide Range Achievement Test R3, WRAT-R3): 읽기, 철자, 계산 능력을 평가하는 국가 수준의 표준화 성취도 검사. 1993년에 표준화 조정 과정을 거치며 두 개의 동일한 형식(Tan형과 Blue형)으로 개발되었고 5세에서 75세 사이의 개인용으로 표준화되었다.

교란 변수(Confounder): 연구 결과에 영향을 미치는 외적 변수로 연구에 포함된 하나 이상의 독립 변수의 영향과 구분이 안 된다.

국제 성인 문해력 조사(International Adult Literacy Survey, IALS): 미국 성인 문해력 조사(National Adult Literacy Survey, NALS)를 모델로 한 국제 성인 문해력 기술 평가. 1994년부터 1999년의 기간 동안 20개국이 참여했다.

노인 우울 척도(Geriatric Depression Scale, GDS): 노인의 우울증 기본 선별검사 도구. 30문항으로 구성된 기본형 외에 15문항 형식도 사용 가능함.

단어 인지력 검사(Reading recognition test): 일련의 단어를 발음하는 개인의 능력을 평가하는 문해력 검사. 예로 광역 성취도 검사-개정3판(Wide Range Achievement Test-Revised 3, WRAT-R3)과 슬로슨 구두 읽기 검사 개정판(Slosson Oral Reading Test-Revised, SORT-R)을 들 수 있다. 의학 분야 성인 문해력 속성 평가(Rapid Estimate of Adult Literacy in Medicine, REALM)는 의료 제공 현장에서 사용하기 위하여 특별히 고안된 단어 인지 검사이다.

당뇨병 문해력 평가(Literacy Assessment for Diabetes, LAD): 성인 의료 문해력 속성 평가(Rapid Estimate of Adult Literacy in Medicine, REALM)를 모델로 개발되었으며 60개 단어로 구성된 단어 인지 검사. 당뇨병 교육에서 흔히 접하게 되는 단어들로 구성된다.

대중매체이해능력(Media literacy): 대중매체, 대중매체가 사용하는 신기술, 이들 기술이 미치는 영향의 본질적인 면에 대하여 실질적으로 그리고 비판적으로 이해하는 능력.

독해력 검사(Reading comprehension test): 난이도가 서로 다른 글을 읽고 이해하는 개인의 능력을 평가하는 문해력 검사. 예로 피바디 개인 성취도 검사 개정판

(Peabody Individual Achievement Test-Revised, PIAT-R)의 독해검사와 성인 기능
적 건강정보이해능력 검사(Test of Functional Health Literacy In Adult, TOFHLA)
의 빈칸 채우기(Cloze) 문항을 들 수 있다.

디지털 디바이드(Digital divide): 최신 기술과 관련 서비스(전화, 컴퓨터, 인터넷
등)에 접근성이 높은 사람과 접근성이 낮은 사람들 사이의 간극.

라디오 버튼(Radio button): 일련의 선택 항목을 사용자에게 제공하는 컴퓨터 화
상 양식. 희망 항목의 버튼을 클릭하면 된다.

리커트 척도(Likert scale): 연구 주제와 관련이 있는 특정 설명에 대한 응답자의 동
의 혹은 비동의 정도를 표시하는 척도.

만성질환 관리 모형(Chronic Care Model): 에드 와그너(Ed Wagner, MD, MPH)가
개발한 모형으로 다양한 수준의 의료 체계에서 만성질환 관리 개선에 필요한 기본
요소들을 정리한다. 자가 관리 지지, 의사결정 지지, 전달체계 고안, 임상정보체계
등은 지역사회 수준과 의료 체계 수준에 속하는 요소들이다. 이 요소들은 숙련된
실무팀과 지속적인 의사소통으로 동기부여를 받은 환자 사이의 생산적 상호작용
에 투입되어 기능적, 임상적 결과를 개선한다.

만성질환(Chronic Conditions): 3개월 이상 지속된 의료적 상태.

맞춤(Tailoring): 한 명의 특정 인물에게 적합한 내용과 자료를 만드는 것. 한 개인
의 고유한 특성을 토대로 하여 관심이 있는 결과에 대해 그리고 그 사람에 대한 평
가를 통해 도출한다.

문서 문해력(Document literacy): 간단한 서식이나 도표(예, 구직 신청서, 배차 시
간표, 지도 등)에서 선별된 정보를 찾아내고, 문서에서 제시된 선별 정보를 적용하
고, 쓰기 능력을 활용하여 서류와 조사 서식에 필요한 정보를 완전하게 기입할 수
있는 능력.

문해력(Literacy): (1) 국어(본 저서의 경우는 영어[1])로 읽고, 쓰고, 말하는 능력, 그

---

1) 역주.

리고 직장생활과 사회생활을 원활하게 수행하고 개인의 목적을 성취하며 지식과 잠재력 개발에 필요한 계산 능력과 문제해결력. (2) 건강정보이해능력과 간혹 혼용되기도 하는데 그 이유는 건강정보이해능력의 측정이 의료제공 환경에서의 문해력 기술이라는 측면에서 이루어지기 때문이다.

미국 보건부(US Department of Health and Human Services, HHS): 미국 국민의 건강을 보호하고 핵심적 복지 서비스를 특히, 자조 능력이 없는 사람들에게 제공하는 미국 정부의 주무 기관. 300여 개의 프로그램을 통하여 보건 및 사회 과학 연구로부터 질병 예방에 이르는 광범위한 활동을 한다.

미국 성인 문해력 조사(National Adult Literacy Survey, NALS): 미국 성인 인구의 문해력 분포와 직장인, 부모, 시민으로서의 원활한 역할 수행에 적절한 기술을 갖춘 성인의 규모를 파악하기 위하여 미국 정부 주도로 1992년에 수행된 조사. 이 조사에는 산문 문해력, 문서 문해력, 수량 문해력 검사가 포함되었으며 26,000명의 16세 이상 미국인이 참여하였다.

미국 성인 문해력 평가(National Assessment of Adult Literacy, NAAL): 미국 교육부에서 2003년에 실시한 성인 문해력 기술 조사. 미국 성인 문해력 조사(National Adult Literacy Survey, NALS)와 양식이 동일하고 다수의 문항도 동일하지만 건강 관련 배경을 묻는 문항 수를 늘리고 건강과 관련해서 지켜야 할 행동도 추가적으로 다룬다. NAAL 분석 결과는 2005년에 완료된다.

미국 성인 읽기 검사(National Adult Reading Test, NART): 통상적인 발음 규칙을 따르지 않는 단어 50개[예, 통증(ache)과 백리향(thyme)]로 구성된 단어 인지 검사. 일반적으로 환자의 발병 전 지적 수준 평가에 사용된다.

미국립 보건원(National Institute of Health, NIH): 세계에서 선도적인 의학연구센터 중 하나. 미국 보건부 산하 기관이며 미국 내 의학 연구를 위한 연방 핵심 기구. 연구 목적은 희귀한 유전성 질병에서 감기에 이르기까지 다양한 질병과 장애를 예방, 발견, 진단, 치료하는 새로운 지식을 얻는 것이다.

버트 단어 읽기 검사(Burt Word Reading Test): 아동용 읽기 검사의 일종으로 난이도에 따라 글씨 크기가 다른 110개의 단어로 구성된다.

벡 우울 척도(Beck Depression Inventory, BDI): 13~80세 연령층의 우울 정도 평가에 사용되는 21개 문항의 조사 도구. 7개 문항으로 구성된 단축형("Fast Screen")도 사용 가능하다.

병원 불안 우울 척도(Hospital Anxiety and Depression Scal, HADS): 입원 치료를 받는 동안 환자의 불안과 우울 정도를 평가하는 7개 문항으로 된 설문지.

보험회사 자료 및 정보 일람(Health Plan Employer Data and Information Set, HEDIS): 미국립 의료질보장위원회(National Committee for Quality Assurance, NCQA)가 개발한 일련의 서비스 평가 표준안으로 관리의료 프로그램의 서비스 비교에 필요한 정보를 소비자에게 제공하도록 한다.

브로셔웨어(Brochureware): 쌍방향 혹은 사용자 중심의 콘텐츠 없이 단지 정보만을 제공하는 웹사이트에 대한 통칭.

비공감형성 언어(Decontextualized language): 직접적인 의사소통 상황 및 공통의 경험과는 무관하게 말 속의 단서를 통하여 의미가 전달되는 언어. 예를 들어 흉통을 설명할 때 앞의 경우라면 "가슴 이쪽 부위가 아프고 몸이 안 좋아요"라고 하겠지만 이 경우라면 "내 가슴 위에 마치 코끼리가 한 마리 앉아 있는 것 같아요"라고 설명한다.

빈칸 채우기형(Cloze-type procedure): 주어진 글에서 규칙적으로 삭제된 단어를 제시하도록 하는 검사 방법. 피검자가 삭제된 단어를 제시하기 위해서는 문맥을 이해할 수 있어야 한다.

사전 동의(Informed consent): 대상자가 특정 시술에 대한 위험, 편익, 대안에 대해 충분히 이해하고 그 시술에 동의하는 의사소통 과정. 동의는 예외가 있을 수는 있지만 대상자가 자필 서명한 공식적인 서면 동의서를 통해서 표현되고 승인된다.

산문 문해력(Prose literacy): 글로 기록된 자료(예, 사설, 신문 기사, 시, 소설 등)에서 필요한 정보를 찾아내고, 그 글에 제시된 각기 다른 정보를 통합하고, 그 글을 근거로 하여 새로운 정보를 기록할 수 있는 능력.

생태학적 모형(Ecological model): 특정 사안의 결과에 영향을 미칠 수 있는 복잡한 주변 요인들의 특성을 살리는 모형.

성인 교육 및 문해력 조사[Adult Education and Literacy(AEL) Survey]: 미국연방정부 후원의 성인 교육 프로그램 참가자들을 대상으로 하는 문해력 검사로 미국 교육부가 주관한다. 성인 문해력 및 생활 기술 조사[Adult Literacy and Lifeskills (ALL) Survey]의 문해력 평가 도구를 사용하고, 미국 성인 문해력 평가(National Assessment of Adult Literacy, NALL)와 동일한 척도로 결과를 보고하여 조사 대상자들 간의 직접 비교가 가능하다. AEL 검사에 대한 분석은 2005년에 완료된다.

성인 기능적 건강정보이해능력 검사(Test of Functional Literacy in Adults, TOFHLA): 의료 영역과 지역사회에서의 건강정보이해능력 연구에 보편적으로 사용되는 검사. 독해력과 수리 영역으로 구성되어 있으며, 두 영역 모두 피검자가 의료현장에서 접할 가능성이 있는 자료들을 그 내용으로 한다. 독해력 영역은 빈칸 채우기 (Cloze) 수정 양식을 사용하고, 수리 영역에서는 처방약병에 적힌 지시사항과 혈당 검사 결과를 정확하게 해석하고 진료 예약표를 이해하는가에 대한 피검자의 능력을 평가한다. 표준형, 단축형(short TOFHLA), 초단축형(very short TOFHLA) 검사 모두 영어판과 스페인어판으로 이용 가능하다.

성인 기초 학습 검사(Adult Basic Learning Examination, ABLE): 12학년을 수료하지 못한 성인의 학업 성취도 측정과 이들의 학업 성취도 향상 노력의 성과를 평가하기 위한 검사. 어휘력, 독해력, 철자법, 어문, 연산, 수량 문제해결력 등의 6개 하위검사로 구성되어 있으며, 일반적으로 1~4, 5~8, 9~12학년의 기능에 준하는 세 단계로 각각 구분된다.

성인 문해력 및 생활 기술 조사[Adult Literacy and Lifeskills(ALL) Survey]: OECD가 주관하는 국제 성인 문해력 기술 평가. 국제 성인 문해력 조사(International Adult Literacy Survey, IALS)를 모델로 하였지만 좀 더 광범위한 수리 능력 평가와 문제해결력에 대한 새로운 검사를 포함한다. ALL 검사에 대한 분석은 2005년에 완료된다.

성인 기초 교육 평가 7 및 8형[Tests of Adult Basic Education(TABE) Forms 7 & 8]:

성인 기초 교육 과정에서 일반적으로 접할 수 있고 교육 프로그램에서 소개되고 있는 기초 기술 성취도를 평가하기 위한 검사 모음. 7개 평가 영역은 단어 읽기, 독해, 수학 계산, 수학적 개념과 적용, 언어 이론, 언어 사용, 철자 등이다. 스페인어 판(TABE Espaol)은 다양한 스페인 사투리를 사용하는 성인에게 적합하다.

수량 문해력(Quantitative literacy): 그래프, 차트, 산문, 문서에서 숫자를 찾아내고, 글에서 획득한 수량 정보를 통합하고, 글에서 얻은 수량 자료에 관해 올바른 연산을 할 수 있는 능력.

슬로슨 구두 읽기 검사 개정판(Slossan Oral Reading Test-Revised, SORT-R): 교육 부문에서 광범위하게 사용되는 단어 인지 검사. 유치원부터 고등학교까지 학년별로 20개 핵심단어 10개 목록으로 구성되어 있다. 5세 이상 개인용으로 개발되었으며 2000년에 척도를 재조정하였다.

양방향 의사소통능력(Two-way communication ability): 말하기와 듣기를 통하여 정보를 교환하는 능력.

역학연구센터 우울 척도[Centers for Epidemiologic Studies-Depression(CES-D) Scale]: 일반 인구집단 및 정신질환자들의 우울 증상을 선별하기 위해 사용되는 일련의 20개의 질문.

월드와이드웹(World Wide Web): 전 세계의 다양한 컴퓨터에 담겨 있는 정보 페이지(웹 페이지)들에 대한 인터넷 검색 체계. 유니폼 리소스 로케이터(Uniform Resource Locator, URL)로 식별된다.

웹(Web): 월드와이드웹 참조.

음독기술(Print skills): 기록 언어의 상징체계(예, 알파벳 철자)를 실제 단어로 소리 내는 기술. 문자와 소리의 대응관계(음향학), 음절에서 철자법의 원리에 대한 이해, 무의식적이고 유창한 단어 인지 능력이 요구된다.

의료 연구 및 질 보장국(Agency for Healthcare Research and Quality): 미국 보건부(Department of Health and Human Services) 산하 기관으로 연구 결과를 양질의 환자 관리에 적용하고 주요한 보건의료 사안 결정에 필요한 정보를 정책입안자와 보건의료 전문가에게 제공한다.

의료커뮤니케이션(Health communication): 개인, 단체, 일반인을 대상으로 하는 중요한 건강 사안에 대한 정보 전달, 감화, 동기부여의 기술 및 기법. 의료커뮤니케이션의 범주에는 질병예방, 건강증진, 의료정책, 의료산업, 지역사회 내 개인의 건강과 삶의 질 개선 등이 포함된다.

의미화 기술(Meaning skills): 주어진 단어의 의미를 이해하는 기술. 의미화 기술이 능숙하다는 것은 많은 수의 단어들의 의미를 알고(어휘력의 폭) 이들 단어가 문맥 속에서 가지는 다양한 의미와 미묘한 정서적 차이를 아는 것(어휘력의 깊이)을 포함한다.

의학 분야 성인 문해력 속성 평가(Rapid Estimate of Adult Literacy in Medicine, REALM): 의료 제공 현장에서 문해력이 낮은 사람들을 선별검사하기 위해 특별히 고안된 건강관련 단어 인지 검사. 각각 22개 단어의 3개 목록으로 구성되어 있으며, 일반적인 의료 용어와 신체부위 및 질환을 지칭하는 비전문 용어들을 포함한다. 1991년에 처음 개발되어 1993년에 개정되었으며 2002년에는 단축형이 소개되었다.

의학 분야 읽기 성취도 검사(Medical Achievement Reading Test, MART): 광역 성취도 검사-개정3판(Wide Range Achievement Test-Revised 3, WRAT-R3)을 모델로 개발된 42개 단어로 구성된 단어 인지 검사. 위압적이지 않은 방식으로 의학 분야 문해력(medical literacy)을 평가하기 위하여 고안되었다. 이 검사지는 처방전과 유사하다.

인터넷(Internet): 인터넷 프로토콜(Internet Protocol, IP) 혹은 하위 연계/후속 체계를 토대로 고유 주소로 컴퓨터를 연결하는 전 세계적 커뮤니케이션 체계.

읽기 능력 진단 도구(Instrument for Diagnosis of Reading): 활자로 제시되는 글의 이해력을 평가하는 종합적인 스페인어 읽기 평가 도구. Instrumento Para Diagnosticar Lecturas(IDL)라고도 한다.

잔 챌(Chall, Jeanne; 1921~1999): 하버드 읽기연구소(Harvard Reading Laboratory) 설립자. 20년 이상 소장을 역임하였으며 읽기 연구 및 교육 분야의 선도적인 학자. 『읽기 학습: 대토론(Learning to Read: The Great Debate)』(1967)이라는 책을 통하여 읽기 교육에 결정적인 업적을 쌓았으며 읽기 학습을 발달의 한 과정으로 설명해야 한다고 주장한 초기 학자들 중 한 명이다. 챌의 읽기 발달 단계에는 문자 언어를 구술 언어로 표현하는 읽기 학습(learning to read) 단계, 유창하고 무의식적으로 언어를 해독하는 유창성(fluency) 단계, 본인의 읽기 기술을 활용하여 새로운 정보, 사상, 태도 및 가치를 습득하는 신지식 습득을 위한 읽기(reading to learn the new) 단계가 있다.

참여적 의사결정(Participatory decision-making, PDM): 환자 치료 결정에 있어서 환자와 의사 양측의 참여가 똑같이 중요하다고 여기는 절차상의 방법. PDM의 세 가지 특성은 (1) 환자의 증상과 치료 선택에 관하여 환자와 의사가 정보를 공유하는 정보 교환, (2) 선호 치료법에 대해 의견을 말하고 토론하는 과정, (3) 환자와 의사가 합의에 이르러 치료 방법을 결정하는 것이다.

컴퓨터 이해능력(Computer Literacy): 통상적인 컴퓨터 사용에 관한 개념, 용어, 조작법을 이해하는 능력, 그리고 다른 사람의 도움 없이 컴퓨터를 사용하는 데 필요한 지식.

탐색창(Search box): 개별 웹 사이트 혹은 인터넷에서 찾고자 하는 검색어를 입력하는 빈 칸.

파울로 프레이리(Freire, Paulo; 1921~1977): 문해력이 부족한 사람 혹은 문맹자 교육에 헌신한 브라질 교육자. 프레이리의 두드러진 업적을 들자면 대화(효과적인 교육은 대화 혹은 회화로 이루어지며 한 명이 여러 명에게 영향을 미치는 것이 아니라 모든 사람이 함께 참여를 하여야 한다), 적용(대화는 특정 가치로 전이, 연계되어야 하고 이러한 과정을 통해 지역사회는 발전하고 사회 자본이 축적된다), 의식화(교육은 의식수준을 높여서 교육받은 자들이 지역사회에서 발언권을 행사한다), 경험(교육은 참여자의 생생한 경험 속에서 이루어져야 한다)을 강조한 점이다. 저서로는 Pedagogy of the Oppressed(1972), Pedagogy of the City(1993), Education for Critical Consciousness(1993), Pedagogy of Hope: Reliving Pedagogy of the Oppressed(1995), Pedagogy of the Heart(1997) 등이 있다.

표적(Targeting): 특정의 인구집단에 적합한 내용과 자료를 만드는 것. 그 집단의 구성원들이 공유하는 한 개 이상의 인구통계학적 혹은 그 외의 특징을 근거로 한다.

프라이 가독성 공식(Fry Readability Formula): 글에서 100단어로 구성된 문단 세 개를 뽑아 여기에 포함된 문장과 음절의 수에 기초하여 그 글의 가독성을 평가하는 공식. 점수는 읽기 학년(1학년부터 12학년, 대학 수준) 혹은 읽기 연령(6세부터 19세)으로 표현된다.

플레쉬-킨케이드 공식(Flesch-Kincaid formula): 단어당 평균 음절 수와 문장당 평균 단어 수에 기초하여 글의 가독성을 정하는 공식. 점수는 초등학제의 읽기 학년으로 제시된다. 성인의 경우 최고 16등급의 가독성까지 타당성을 인정받았지만 마이크로소프트 워드는 이 공식을 응용하여 상위의 가독성 수준을 없애고 12개 등급으로 조절하였다.

피바디 개인 성취도 검사 개정판(Peabody Individual Achievement Test-Revised, PIAT-R): 수학, 단어 인지, 독해, 철자, 상식을 다루는 검사. 읽기 평가의 경우 피검자는 처음에 단어 인지 검사를 수행하고 점수가 1학년 수준 이하이면 독해 검사는 수행하지 않는다. 독해 검사에서 피검자는 한 문장을 읽고 네 가지 설명 중 문장의 내용과 가장 잘 어울리는 것을 선택한다.

하이퍼링크(Hyperlinks): 웹 페이지에서 강조된 이미지 혹은 텍스트의 일부분으로 다른 웹 페이지로 연결된다. 이 부분을 클릭하면 연동된 웹 페이지로 이동할 수 있다.

환자 의사소통(Patient communication): 의료적 문제를 가진 개인의 회복을 극대화하고, 치료 처방을 잘 유지하며, 치료 대안을 이해하도록 돕기 위한 정보. 교육자료와 의료제공자-환자 간의 의사소통이 포함되며 점차 동료 간 의사소통의 비중이 증가하고 있다.

음운 인지력 검사

LAD
Charlotte Nath, EdD
Robert C. Byrd Health
Sciences Center
Department of Family Medicine
PO Box 9152
Morgantown, WV 26505-9152 or
www.hsc.wvu.edu/som/fammed/lad

MART
E. Christine Hansen, PhD, Director
US Scientific Initiatives and Cus-
tomer Support Health Economics
and Outcomes Research
AstraZeneca
919 363-8338
fax: 919 363-7579

REALM
Prevention & Education Project—
LSUHSC, Terry C. Davis, PhD
PO Box 33932, Box 598
Shreveport, LA 71130-3932
318 675-4585
or tdavis1@lsuhsc.edu

SORT-R
Slosson Educational
Publications, Inc.
PO Box 280
538 Buffalo Road
East Aurora, NY 14052-0280
888 756-7766
fax: 800 655-3840

WRAT-R3
Wide Range, Inc.
PO Box 3410
Wilmington, DE 19804-0250
800 221-9728.

독해력 검사

**Instrument for Diagnosis of
Reading (Instrumento Para
Diagnosticar Lecturas)**
Available from Kendall-Hunt
Publications
4050 Westmark Dr.
PO Box 1840
Dubuque, IA 52004-1840.
TOFHLA, short TOFHLA, and
very short TOFHLA (English
and Spanish)
Peppercorn Books and Press
PO Box 693
Snow Camp, NC 27349
877 574-1634

PIAT-R
American Guidance Service, Inc.
PO Box 99
Circle Pines, MN 55014
800 328-2560

성인 교육 평가 도구

ABLE
Psychological Corporation Order
Service Center
PO Box 839954
San Antonio, TX 78283
800 211-8378

TABE
CTB/McGraw-Hill
20 Ryan Ranch Road
Monterey, CA 93940
800 538-9547; 408 393-0700
fax: 800 282-0266

찾아보기

[역자소개]

황태윤

영남대학교 의과대학 예방의학교실 부교수이며, 의료관리 영역의 강의를 담당하고 있고, 지역사회보건, 건강증진, 만성질환관리에 관한 연구와 프로젝트를 수행하고 있다.
영남대학교 의과대학을 졸업하였으며, 예방의학 전문의, 의학박사 학위를 취득하였고, 미국 아이오와대학교 보건대학원에서 연수하였다.
지역보건연구회의 보건의료 분야 역서 출간에 공동 번역자로 다수 참여하였다.

건강정보이해능력: 의학과 공중보건학적 함의
Understanding Health Literacy
Implications for Medicine and Public Health

발 행 일	●	2010년 9월 1일 1쇄 발행
저　　자	●	Joanne G. Schwartzberg · Jonathan B. VanGeest · Claire C. Wang
역　　자	●	황태윤
발 행 인	●	홍진기
발 행 처	●	아카데미프레스
주　　소	●	122-900 서울시 은평구 역촌동 58-9 부호아파트 102동 상가 3호
전　　화	●	(02)2694-2563
팩　　스	●	(02)2694-2564
편　　집	●	디자인드림
웹사이트	●	www.academypress.co.kr
등 록 일	●	2003. 6. 18, 제313-2003-220호
I S B N	●	978-89-91517-84-4

가격 15,000원

* 역자와의 합의하에 인지첨부는 생략합니다.
* 잘못된 책은 바꾸어 드립니다.